NICOLAS VANIER

Amoureux du Grand Nord qu'il a découvert dans les romans de Jack London, Nicolas Vanier, né en 1962, explore depuis plus de vingt ans les grands espaces vierges, du Labrador à la Sibérie en passant par l'Arctique, à cheval, en canoë ou en traîneau à chiens.

Écrivain, photographe, réalisateur, il a livré ses découvertes, ses rencontres et ses émotions dans une vingtaine d'ouvrages (albums, roman, et récits de voyage), et dans des films comme *L'enfant des neiges* ou *Le dernier trappeur*.

« Le Grand Nord n'attendait rien de moi, dit-il. Moi, j'attendais tout de lui : la patience, l'humilité, le respect. »

Entre deux expéditions, il vit en Sologne avec sa femme et leurs trois enfants.

L'OR SOUS LA NEIGE

NICOLAS VANIER

L'OR SOUS LA NEIGE

XO ÉDITIONS

*Pour Gaëlle, la petite
fille qui voulait voir les
pays d'en haut...*

1.

Ceux qui ne savaient pas attendaient au centre du grand hall.

Les autres choisissaient un des douze *ranges*, comme à la loterie.

– Allons sur le café, proposa Matt.

Matt et Silvey se frayèrent un chemin parmi les centaines de dockers occasionnels qui s'agglutinaient ici et là dans l'espoir de repérer où il y aurait de l'embauche. Il y avait plusieurs manières de procéder. On pouvait observer le chef de chaque file, ou *range*, et deviner à son air ou aux signes qu'il adressait à ses copains s'il allait ou non engager des occasionnels. On pouvait aussi tenter d'arracher des renseignements aux dockers professionnels, mais Matt s'y était brûlé les ailes. On lui avait extirpé des dollars en échange de faux renseignements.

Depuis, Matt se fiait à son instinct et se présentait au hasard, sans rien écouter des rumeurs répandues par les dockers. Silvey et lui avaient déjà travaillé deux fois sur le café et le chef d'équipe, un certain Michener, râblé mais costaud, les avait repérés, ce qui constituait un avantage. Quand la lumière passait du vert au rouge et que toutes les cartes se tendaient, les chefs d'équipe prenaient les premières venues, mais s'ils reconnaissaient quelqu'un, ils le choisissaient souvent, surtout des gars solides et sans histoire comme Matt et Silvey. Pas le genre à tirer au flanc, mais, pas non plus le genre à faire du zèle quand on leur demandait de lever le pied pour aller chercher des heures sup.

Tout un monde que Matt, fils de fermier, avait découvert à l'âge de vingt ans avec un mélange de curiosité et d'effroi. Les dockers étaient tous un peu voleurs, capables du pire. Il l'avait vu de ses propres yeux, un soir où trois dockers en avaient jeté un autre dans l'eau glaciale du port, après l'avoir assommé.

– Ça prend, fit remarquer Silvey.

– Je vois bien qu'il en prend beaucoup, répondit Matt avec un haussement d'épaules, mais ça veut pas dire que ça va revisser.

Matt et Silvey utilisaient maintenant le jargon des dockers. « En prendre » voulait dire que le *range* embauchait des pros, « revisser » s'utilisait quand les équipes étaient complétées par des occasionnels.

Ils s'approchèrent encore. La lumière était toujours au vert lorsqu'ils entendirent juste derrière eux, de l'autre côté du hall, un grand brouhaha.

– Ils revissent gros sur le *range* de Clopps. Allons-y !

Silvey s'élançait vers les lumières rouges, mais Matt le retint en lui empoignant le bras fermement.

– On arrivera trop tard de toute façon ! On sera derrière, il faut...

Il n'eut pas le temps de finir sa phrase. La lumière venait juste de passer au rouge devant eux et déjà des occasionnels tendaient des cartes que Michener attrapait. Silvey lui avait fait perdre les secondes les plus précieuses de la journée. Maintenant c'était raté. Michener avait son compte : sept ou huit cartes au maximum. Matt était furieux et il s'apprêtait à le dire à Silvey lorsqu'il croisa le regard de Michener allumé d'une lueur malicieuse. D'instinct, il s'avança, Silvey dans son sillage, alors que la masse refluait de la barrière qui séparait le centre du hall des coursives surélevées depuis lesquelles les chefs d'équipe embauchaient. Michener, le doigt sur l'interrupteur qui éteignait la lumière, recompta les cartes ou feignit de le faire et s'avança de nouveau. Il hésita un court instant et prit celles de Matt et de Silvey.

Matt claqua dans les mains de Silvey. Ils étaient embauchés et c'était la deuxième fois cette semaine. À côté d'eux, un occasionnel, sa carte en main, leur jeta un regard noir.

– Y a du piston, j'étais devant. Il a pris vos cartes. Il devait prendre les miennes avant.

– Écoute, fiston, c'est chacun son tour. Pendant des semaines, on est restés sur le carreau.

L'autre l'empoigna.

– M'appelle pas fiston...

Silvey s'interposa aussitôt.

– Arrêtez, vous êtes cons ou quoi ? On va nous retirer nos cartes !

Il avait raison. Ils se séparèrent. L'autre s'éloigna en maugréant.

Le hall se vidait alors qu'une certaine agitation commençait à régner sur les quais éclairés par une aube blafarde. Dans le déchirement des brumes, on distinguait de loin en loin la masse sombre de quelques bateaux amarrés le long

des trois quais principaux, leurs mâts se balan-
çant doucement avec la houle.

Matt et Silvey arrivèrent devant le *Dromms*
où se réunissaient les occasionnels et où, de
temps en temps, quelques marins et ouvriers du
port venaient boire un verre. Le soir, des filles
un peu rondes et avec de la bouteille y vendaient leurs charmes. À partir de vingt-
trois heures, c'était la soûlerie et les bagarres.
Le patron, un Écossais chauve comme un
caillou d'un mètre quatre-vingt-quinze les
accueillit avec un grand sourire très commercial.
— Alors on s'est fait embaucher ce matin ?
— Ouais, encore sur le café.
— C'est pas pire qu'autre chose. C'est quel
range ? Celui de Michener ?
— Comment as-tu deviné ? s'étonna Silvey.
Le patron du *Dromms* le regarda d'un air
condescendant.
— Hé, petit, ça fait vingt ans que je suis ici. Je
connais la musique, moi !
— Je ne dis pas le contraire. Je voulais juste
comprendre comment tu as pu deviner.
— Cherche pas, petit. Y a des règles ici. La
première, c'est de fermer les yeux sur ce que tu
pourrais comprendre. Reste idiot et tu te porte-
ras mieux.

Ils s'assirent au bar où la « Blanquette » leur
servit leur café. Personne ne savait quand ni
pourquoi on avait commencé à appeler ainsi
cette belle fille. Elle était toujours coiffée avec
un fichu rouge maintenu par une petite barrette
en ivoire sculpté qu'un marin lui avait rapportée
des îles Kodiak. Jamais un mot plus haut que

l'autre. Toujours l'air de s'ennuyer, les yeux dans le vague, ailleurs, rêvant à l'inaccessible.

La Blanquette aimait bien ces deux-là, même si elle avait une petite préférence pour Matt, le grand brun ténébreux, alors que Silvey avec ses cheveux châtain gardait un air enfantin qui le desservait. Il était pourtant presque aussi grand que Matt, à un ou deux centimètres près, mais on lui en donnait facilement cinq de moins. Sans doute parce qu'il était un peu enrobé et moins athlétique. Mais Silvey avait des yeux bruns intelligents. Le genre de garçon à qui on faisait confiance, qu'on sentait droit. Il ne lui manquait sans doute que quelques années pour que son charme mûrisse, tandis que celui de Matt agissait déjà. D'ailleurs, la serveuse avait déjà succombé deux ou trois fois.

Trois occasionnels entrèrent dans la salle sombre qu'éclairaient des lampes à huile posées sur les tables de poker et sur le bar.

– Trois rhums, Blanquette !

Matt reconnut l'un de ceux qui, comme lui, avaient bossé un jour sur un embarquement de rouleaux de tissu pour Dyea.

– Vous bossez ?

– Sur le café, et vous ?

Les trois occasionnels échangèrent un regard complice.

– Nous, on bosse. Bien sûr qu'on bosse. Hier, aujourd'hui, demain...

– Les embauches se font au jour le jour, même pour les pros. Vous ne pouvez pas savoir si vous serez pris demain...

– Qui te dit qu'on bosse à charger des conneries pour trois dollars de l'heure ?

Matt leur fit un geste vague du menton et se détourna, signifiant qu'il n'entendait pas prolonger la conversation. Les trois compères parurent déçus de ne pas être interrogés. Ils continuèrent plus haut.

– Combien on gagne, nous, Dick ?

– Sept, huit, peut-être dix aujourd'hui. On travaille pas pour des prunes nous !

Ils s'esclaffèrent. Ils avaient bu et cherchaient la bagarre.

– Viens, Silvey. On s'en va !

Matt déposa quelques pièces sur le bar. Il passait la porte lorsqu'il entendit l'insulte.

– Fils de sa pute de mère !

Le sang lui monta au visage. Les lèvres serrées, les mâchoires contractées, les muscles de son cou roulant sous sa peau, il se retourna et fondit sur celui qui lui avait adressé la parole le premier. Il lui décocha un coup de poing avant même qu'il se soit mis en garde. Le deuxième reçut un coup de pied dans le ventre qui le fit se tordre de douleur, alors que Silvey s'occupait du troisième, immobilisé au sol, la tête écrasée sous son genou.

Le tout n'avait duré que quelques secondes et le patron du *Dromms* n'avait pas eu l'occasion d'intervenir. Les trois gars pliés sur le sol geignaient en se tortillant.

– Dehors tout le monde ! hurla-t-il.

Matt et Silvey ressortirent du bar sans laisser aux trois types le temps de reprendre leurs esprits.

Ils s'éloignaient quand un type grand et mince au visage long et osseux les rejoignit. Ils s'attendaient à de nouveaux ennuis, mais celui-là ne cherchait pas la bagarre et semblait ne rien avoir à faire avec les trois autres.

– Il faut qu'on cause.

– On te connaît pas.

– Faut qu'on cause, je vous dis. Une proposition d'embauche à vous faire. Des centaines de dollars à gagner.

– Ça nous intéresse pas.

L'homme fouilla dans sa poche, compta vingt dollars et les tendit à Silvey.

– Une avance. À vingt heures ici, vingt heures !

Et il tourna les talons. Ils ne cherchèrent même pas à le retenir.

– Ça sent mauvais, jugea Matt, perplexe, en contemplant les billets.

– Très mauvais, mais en tout cas il a de l'argent ! s'exclama Silvey

– On ira, non ? proposa Matt sans vraiment savoir s'il en avait envie.

2.

Le travail de débarquement des sacs de café était organisé en trois groupes. Un premier, constitué de quatre personnes, attachait les sacs dans la cale, un deuxième les réceptionnait sur le pont après que Matt et Silvey les eurent guidés au bon endroit en positionnant la grue et les cordes. Enfin la dernière équipe, la plus importante, guidés par Michener lui-même, avec la moitié des hommes, effectuait des allers-retours depuis le pont jusqu'au quai où elle déchargeait les sacs dans des charrettes à cheval que des transporteurs menaient vers les hangars.

L'armateur vérifia que le travail s'organisait correctement, puis s'éloigna en direction des grands bâtiments qui surplombaient la baie de San Francisco, à l'extrémité du port.

Les dockers baissèrent aussitôt le rythme. Pour accéder aux heures sup, Matt n'avait pas le choix, il fallait les imiter. Mais il aurait préféré travailler huit heures à son rythme plutôt que de traîner, ce qui l'épuisait plus vite que de forcer.

Il ne vit pas Michener bloquer tout à coup la corde qu'il s'apprêtait à repousser pour laisser à l'équipe de la cale le mou nécessaire à l'accrochage.

– T'as vu le gars ?

– Quel gars, monsieur ?

– Celui que je t'ai envoyé.

– Heu, celui qui veut nous voir ce soir ?

Michener lui fit un signe de tête affirmatif.

– Et... euh... oui, mais qu'est-ce qu'il attend de nous ?

Michener ne sembla pas avoir entendu la question.

– Tu viens d'où, toi ?

– Du Wyoming, monsieur. Nous avions une ferme dans les Bitterroot.

– Un bon coin à grizzlys, non ?

– On en tuait quelques-uns qui tuaient nos vaches.

– Tu avais des vaches ?

– Pas moi, mon grand-père.

– Et tes parents ?

– Mon père est mort. Ma mère vit à la ferme de mon grand-père.

– Qu'est-ce que tu es venu foutre ici alors ?

– Mon grand-père ne voulait pas que ce soit moi qui reprenne la ferme. Il a fait venir quelqu'un et il n'y avait pas de place pour deux.

– Je vois.

Michener l'observa un moment, le sondant de son regard aiguisé, sans complaisance.

– Et lui ?

Il montrait Silvey.

– Un copain. Je loue une chambre chez lui.

– Je vois. Tu as de la chance.

– D'avoir un bon copain ?

– Je parle pas de ça.

– De quoi parlez-vous alors, monsieur ?

– Beaucoup de chance, répéta Michener comme pour lui-même.

Matt ne comprenait pas et Michener ne semblait pas vouloir lui expliquer quoi que ce soit.

– J'aimerais bien être à votre place, fut la seule chose qu'il dit encore avant de retourner sur le quai.

Ils avaient déjà tiré presque deux heures sup quand Michener réunit les pros. Les occasionnels restaient à l'écart, mais Matt entendait et surtout savait ce qui se tramait. On arrivait à la fin des deux heures et si on entamait la troisième, celle-ci serait due entièrement selon le principe universel : « toute heure entamée est due ». Mais Michener, s'il voulait retrouver de bons contrats avec cet armateur, ne devait pas abuser et l'expliquait aux pros qui ne l'entendaient pas ainsi.

– Fallait dire plus tôt qu'on n'allait pas tirer la troisième, disait un des pros, on aurait fini plus vite.

– Ouais, reprit un chef d'équipe en chiquant.

Michener s'énerva.

– Je ne pouvais pas prévoir que le capitaine allait venir inspecter sa cale !

Crachant sa chique, le chef d'équipe retourna aussitôt au travail. Il était inutile de discuter. À l'évidence, on n'allait pas négocier de troisième heure. Les autres suivirent en maugréant, mais la perspective d'en finir et d'être bientôt devant un verre au *Miror* eut vite raison de leur mauvaise humeur. Et puis ils avaient bien gagné leur journée. C'était rare que l'on tire sur le café. Il ne fallait pas se plaindre. Dès lors, le rythme s'accéléra et ils souquèrent ferme pour décharger les derniers sacs.

Matt et Silvey allèrent toucher leur paie, signèrent les reçus et s'apprêtèrent à quitter le navire.

– Je vous attends au *Miror*, leur dit simplement Michener en passant devant eux avec un groupe de dockers.

Matt et Silvey se regardèrent, stupéfaits.

– On est obligés d'y aller, fit remarquer Silvey.

– Bien sûr qu'on va y aller. Invités par Michener, nous ne risquons rien et c'est bon pour nous avec tous les chefs de *range* qui vont nous voir là...

– Vraiment bizarre, surenchérit Silvey.

Matt haussa les épaules. Silvey se méfiait toujours de tout. Lui aimait ce genre de situation. Ça l'excitait. Il avait perdu trop de temps dans sa ferme où rien n'arrivait d'autre que des vêlages, des moissons et, de loin en loin, une attaque de grizzly. Il était temps qu'il vive et grandisse. À vingt ans, il n'en avait pas assez vu et il entendait bien rattraper le temps perdu, quitte à prendre des risques.

Ils longèrent les vastes hangars de bois et d'acier éclairés de l'intérieur d'où sortaient sans cesse des charrettes tirées par de gros chevaux de trait. Des treuils grinçaient dans le brouhaha que faisaient les dockers au travail. Une vraie ruche.

Derrière les hangars, ils traversèrent un vaste terre-plein. On apercevait en face, non loin de la capitainerie, un groupe de bicoques. Le *Miror* occupait la plus grande avec, au second étage, des chambres où les dockers se payaient des filles dont une jeune Japonaise qui faisait fureur. Une véritable mascotte dont tous les dockers parlaient.

À l'entrée un solide gaillard barrait le passage qui, en s'écartant, hocha la tête d'un air entendu.

– Michener est au fond, au bar.

Ils remercièrent et se frayèrent un chemin entre les dockers qui les dévisagèrent plus ou moins ostensiblement.

– Par ici.

Michener, qui les avait repérés, agrandit le cercle constitué autour de lui afin de leur faire une place. Il leur tendit deux verres de rhum et attendit que les conversations reprennent pour leur parler discrètement.

– Quand vous aurez vu l'autre, faudra qu'on cause.

– L'autre ?

– Celui que je vous ai envoyé. Venez au 102 de la rue Frontier. C'est pas loin du magasin de la Nord-Ouest.

– On viendra.

Michener n'avait plus rien à leur dire. Il se retourna vers ses compagnons et trinqua avec eux. Un des dockers, un immense gaillard d'au moins deux mètres de haut, en couvrait un autre de reproches à propos d'une fille, appelée la Rouquine, qu'il aurait maltraitée. Michener régla le problème. La fumée piquait les yeux. Matt et Silvey terminèrent leurs verres, puis, estimant qu'ils en avaient assez profité, ils sortirent après avoir remercié Michener qui avait payé leurs consommations.

– J'aime pas cette histoire, dit Silvey.

– Quelle histoire ? Tu ne sais même pas de quoi il s'agit !

– Une entourloupe, c'est couru.

– On verra bien.

– On va se retrouver coincés, tu verras.

– Tu m'énerves, Silvey. Si t'as peur, j'irai seul.

– Il s'agit pas de peur. Tu le sais bien, t'es con ou quoi ?

– De quoi alors ?

– De méfiance.

– On sera méfiant.

Silvey ne paraissait pas convaincu. Tout allait bien jusque-là pour lui. Il était étudiant en droit à l'université de San Francisco et l'une des nombreuses relations de son père avait réussi à lui procurer une carte de docker occasionnel, si difficile à obtenir. Le syndicat les délivrait parcimonieusement l'été pour faire face au surplus de travail que les départs en vacances des pros occasionnaient. Silvey avait peu travaillé, mais, en six demi-journées, il avait gagné tout autant que bon nombre de ses copains qui avaient travaillé pendant un mois sur les jobs de vacances habituels. Comme il habitait chez ses parents, il n'avait pas, à l'inverse de Matt qui louait une chambre chez eux, de frais de nourriture ni de logement. Sa solde lui servirait à acheter un petit bateau de pêche du dimanche. Il n'avait pas d'autre prétention.

Avant que les circonstances le poussent à partir, Matt n'avait jamais imaginé quitter un jour la ferme et, lorsqu'il avait compris qu'il devait le faire, cela l'avait plongé dans une profonde tristesse. Il voulait vivre dans cette ferme qu'il s'était mis à aimer. Et il aimait Jessica, la fille du libraire de Duboy, un village à six kilomètres de chez lui. Du moins le croyait-il, parce qu'il n'avait jamais connu d'autre fille et qu'ils avaient découvert ensemble les plaisirs de l'amour. Or, à peine l'avait-il quittée qu'il avait succombé aux charmes de la serveuse d'un bar où il s'était arrêté sur la route. Cette fille expérimentée lui avait fait tourner la tête et, dans ses bras, il avait complètement oublié Jessica.

Sur la route qui le conduisait à San Francisco, sans savoir pourquoi il avait choisi cet endroit plutôt qu'un autre, il avait décidé d'oublier la ferme, d'enterrer regrets et remords. Une fenêtre s'ouvrait enfin dans sa vie dont il allait repousser les frontières.

À peine entré dans cette ville dont il n'imaginait même pas qu'elle puisse être aussi vaste, il avait eu la conviction qu'une autre destinée l'attendait. Il avait trouvé une chambre par hasard dans la maison des parents de Silvey et fait la connaissance de ce dernier, qui lui avait obtenu une carte. Depuis, ils ne se quittaient pas, au grand désespoir des parents de Silvey, qui considéraient ce « petit fermier » comme une mauvaise fréquentation pour leur fils, déjà bagarreur et bien assez indiscipliné comme ça.

– C'est lui.

– Il n'est pas seul, chuchota Matt.

Ils s'apprêtaient à entrer dans le *Dromms* quand ils les avaient aperçus qui s'en approchaient. L'homme élancé, presque maigre, qu'ils avaient rencontré était accompagné d'un gars plus costaud, au visage carré, au front bas et aux lèvres épaisses.

– Bonsoir, les gars.

Ils se saluèrent.

– Restons dehors. On est plus tranquilles.

Silvey jetait des regards inquiets autour de lui. Matt lui donna un coup de coude.

– Je m'appelle Reid et voilà Hoxey.

Ils se serrèrent la main. L'absence totale de cou de Hoxey faisait de lui une masse qui contrastait avec le port élancé de Reid.

– Venons-en au fait, dit Matt, impatient.

– Tu es bien comme on me l'a décrit, admit Reid en souriant.

– Tu veux parler de Michener ?

Reid éluda la question et dit à voix basse, comme en confession :

– Hoxey était sur l'*Excelsior* qui revient d'Alaska.

– Je l'ai vu au port, répondit Matt.

– Et tu as lu le journal ?

– Non.

Reid lui tendit le *Call* et le *Chronique* datés de la veille, 15 juillet 1897, en lui montrant les entrefilets qui parlaient de quelques chercheurs d'or ayant rapporté de belles quantités d'or d'Alaska et qui étaient sur l'*Excelsior*.

– Et alors ?

– Raconte-leur.

Hoxey regarda autour de lui, sa tête se coucha légèrement sur son épaule et il chuchota sur le ton de la confidence.

– Un autre bateau va arriver à Seattle : le *Portland*. J'ai vu les gars embarquer en Alaska. Il y a plus d'une tonne d'or à bord.

Hoxey avait insisté sur ces derniers mots qui ne pouvaient laisser indifférent. Les deux garçons écarquillèrent de grands yeux curieux.

– Mais il vient d'où, cet or ?

– Nous y voilà, dit Reid.

Matt n'y comprenait rien. Il attendait la suite.

– Qu'est-ce qu'on a à voir dans cette histoire ? demanda Silvey

– Rien si ça ne vous intéresse pas.

– En quoi ça peut nous intéresser ?

– Hoxey sait d'où vient l'or. Il a discuté avec ces gars qui l'ont trouvé. Il a vu leurs titres de propriété et il y en a des tonnes d'autres à ramasser. Le tout est d'être dans les premiers là-bas.

– Là-bas, c'est où ?

Le cœur de Matt s'était accéléré.

– Au fin fond de l'Alaska. Le reste c'est mon secret, jusqu'à nouvel ordre.

– C'est loin, ça ?

– Très loin, deux mois de voyage au mieux et pas mal d'ampoules aux mains et aux pieds.

Matt commençait à voir où ils voulaient en venir. Silvey ne pipait mot et le laissait faire.

– Mais il n'y a personne là-bas pour le prendre, cet or ?

– Quelques trappeurs, pas de quoi remplir un demi-bateau et de l'or, il y en a pour bien plus de gens que ça.

– Mais pourquoi tout le monde ne s'y précipite pas ? La chose est connue, non ? Même le journal en a parlé.

Matt montra les journaux qu'il portait encore à la main.

– Ils n'ont rien compris, se moqua Hoxey. Ils croient qu'il s'agit d'or comme on en a déjà trouvé beaucoup ici et là.

– Ils, c'est qui ?

– Les journalistes qui ont fait ces entrefilets minables. Ils n'ont rien compris. Il s'agit d'une découverte majeure. Quand le *Portland* va arriver, croyez-moi, ça va être la ruée.

– Il arrive quand ?

– Il ne va pas tarder. Il aurait même dû arriver avant l'*Excelsior*.

– Alors comment voulez-vous être les premiers là-bas ?

– En embarquant demain soir sur le *Second
Best* qui veut bien s'arrêter à Skagway.

– Le capitaine est un ami de Michener, confia
Reid.

– Demain ?

– Demain.

Matt bouillait intérieurement et avait bien du
mal à dissimuler le feu de ses émotions. Il ne
voulait pas laisser échapper cette chance de
vivre enfin la grande aventure.

Voilà pourquoi il était venu à San Francisco.
Poussé par le pressentiment.

3.

Reid et Hoxey voulaient monter une équipe. Il fallait être quatre pour franchir avec deux mille livres de matériel le col du White Pass ou celui du Chilkoot, puis fabriquer un bateau pour rejoindre le fleuve Yukon.

– Pourquoi nous ?

– Pas un docker ne veut prendre le risque de quitter son métier. Les places valent trop cher. Mais je ne vois pas où trouver ailleurs des gars capables de ça. Quant à Hoxey, il ne connaît personne ici, expliqua Reid.

– Mais pourquoi ne pas être resté sur place ? demanda Matt, intrigué.

– J'ai pas un sou de côté. Il faut de l'argent pour monter une expédition et aller là-bas. Il n'y a rien au fin fond de l'Alaska. Rien d'autre que de la glace, de la neige... et de l'or.

– Et moi, j'ai un peu de sous et je suis prêt à les investir. Je prendrai la moitié, Hoxey le quart et vous, vous partagerez l'autre quart.

– Mais pourquoi nous ? répéta Matt, perplexe.

– C'est Michener qui vous a repérés. Il dit que vous êtes costauds et que vous êtes sans histoire. C'est ce qu'on recherche.

Hoxey acquiesça. Matt fit mine d'hésiter.

– On vous donnera notre réponse demain matin. On va réfléchir.

– Pas le temps. C'est oui maintenant ou jamais.

– Moi, c'est non maintenant ! intervint Silvey.

Matt se retourna vivement vers son compagnon qui paraissait aussi déterminé qu'effrayé.

– Donnez-moi une minute, demanda Matt, qui entraîna son ami à l'écart.

Il le secouait comme pour le réveiller.

– Il y a un gros coup à jouer, Silvey, je le sens !

– C'est non. Un non catégorique. Je termine mon droit et en aucun cas je ne vais me lancer dans cette histoire et aller me geler les couilles en Alaska !

Matt ouvrit la bouche pour lui répondre mais se ravisa. Il voulait faire de Silvey ce qu'il n'était pas. Qu'adviendrait-il de lui dans une tempête de neige ?

Les deux autres piaffaient et les interpellèrent.

– Faites vite. On vous attend au *Dromms* ! Peut-être même qu'on va commencer à chercher des gars moins frileux.

Un brouhaha strident jaillit par la porte entrebâillée lorsque Reid et Hoxey entrèrent dans le bar enfumé. Matt et Silvey se regardèrent.

– Tu vas y aller, n'est-ce pas ?

– Bien sûr que je vais y aller. Qu'est-ce qui me retient ?

– C'est la grande différence entre nous.

Matt l'admit d'un hochement du menton.

– Je te souhaite bonne chance, lui dit vivement Silvey. Reviens-nous un jour.

Ils se serrèrent la main. Matt regardait en direction du *Dromms* comme s'il hésitait encore. Silvey, lui, voulait apparemment fuir au plus vite.

– Tu veux que je t'accompagne ?

– C'est mieux que j'y aille seul.

Silvey acquiesça.

– On se voit demain matin, alors.

Matt lui fit un signe de tête et se dirigea vers le *Dromms*, alors que Silvey tournait les talons. Il poussa la lourde porte et, avant de s'engager plus à l'intérieur, jeta un coup d'œil circulaire dans la salle enfumée.

Chargée de bouteilles vides, la Blanquette s'avançait vers lui.

– Y a eu du grabuge ce matin !

– C'est eux qui m'ont cherché.

– J'ai entendu et Greg aussi. Il les a mis dehors.

– Parfait. Dis-moi, Blanquette, tu as entendu parler des types qui sont rentrés d'Alaska avec de l'or sur l'*Excelsior* ?

– Oui ! Deux ou trois types en ont discuté.

– C'est tout ?

– Tu sais, on en entend tellement sur ce port. Des tas d'histoires à dormir debout.

Un type à l'haleine chargée d'alcool s'approcha et se colla à la Blanquette en lui massant les hanches avec un sourire salace. Matt le repoussa.

– On cause, laisse-nous !

– Elle est pas à toi, la Blanquette !

– À toi non plus. Laisse-nous.

Le gars lui fit un bras d'honneur et, titubant, alla jusqu'à une table où il se resservit à boire.

– Je t'aime bien, Matt.

– Moi aussi.

– Retrouve-moi, si tu veux. Ce soir.

– Je m'en vais demain.

– Raison de plus.

Elle était déjà partie. Matt se dirigea vers le coin de la salle où Reid et Hoxey discutaient.

– T'es seul ?

– Oui.

– On s'en doutait, Michener aussi.

– Michener ?

– Il disait que tu viendrais mais pas le stylo.

« Stylos », c'est ainsi que les dockers pros appelaient les occasionnels qui étudiaient et dont le métier consisterait à se servir d'un stylo, plutôt que de travailler avec les bras.

– Ça ne pose donc pas de problème ?

– Le problème dans un truc pareil, c'est d'emmener un type qui chiale.

– Trois, ça suffira ?

– On essaiera de trouver quelqu'un en route.

– Et pour la part ?

– Tu gardes la moitié de vingt-cinq pour cent.

– Je ne suis pas d'accord.

– Qu'est-ce que tu proposes ? C'est nous qui allons tout payer et qui amenons l'affaire.

– L'argent, ça ne fait pas tout.

– C'est à prendre ou à laisser.

Matt se moquait des pourcentages. Il discutait par principe. Il voulait fuir cette ville et ce port, voir les étendues sauvages de l'Alaska, vivre l'aventure.

– Je prends quinze pour cent. Si on trouve un quatrième, il lui restera dix, proposa Matt parce qu'il lui semblait important de ne pas perdre la face dès le départ.

– Sauf s'il amène de l'argent.

– Tope là !

Ils se serrèrent la main.

29

– L'embarquement a lieu vers onze heures. Sois à neuf heures sur le quai 2, près du hangar brûlé. On chargera le matériel et une partie de la nourriture.

– On prend ça ici ?

– Il n'y a presque rien à Dyea.

– C'est quoi, Dyea ?

– Une plage juste à côté de Skagway où les bateaux débarquent.

– À neuf heures donc. J'y serai.

Il les quitta.

Dix minutes plus tard, Matt cherchait le 102 de la rue Frontier.

C'était une assez belle maison en bordure du quartier chic de Beillesis. De la lumière filtrait à travers les persiennes tirées. Il tira sur la chaînette qui actionnait une cloche à l'intérieur de la maison. Michener, dans un peignoir rouge, lui ouvrit la porte en souriant.

– Alors, t'es seul ?

– Oui, Silvey ne veut pas partir, comme vous l'aviez deviné.

– Je n'ai rien deviné. Je sais regarder. C'est tout.

Matt observa l'intérieur de la maison, propre et de bon goût, l'inverse de ce qu'il eût imaginé pour un chef de *range*. Michener ne l'impressionnait plus. Ce n'était pas le peignoir qui lui donnait un air de poupon, ni le fait d'être chez lui, dans son intimité, qui le faisait redescendre de son piédestal mais bien plus le souffle de l'aventure qui donnait des ailes à Matt. Il parlait d'égal à égal avec le fameux chef de *range*, celui-là même qu'il regardait encore craintivement la veille.

– Tu te demandes pourquoi je t'ai fait venir ici ?

– Vous disiez que j'avais de la chance d'avoir cette possibilité de partir ?

– Oui, moi je ne peux pas. J'ai une femme, à l'étage, gravement malade, et deux jeunes garçons.

– Désolé pour votre femme...

L'œil gris de Michener s'alluma d'une lueur néanmoins joyeuse.

– Mais je penserai bien à vous. J'ai toujours su qu'il y aurait un gros coup à jouer là-haut.

– En Alaska ?

– J'ai bien connu un certain Frank Dinsmore. Un Yankee né à Auburn qui a sillonné tout le Grand Nord.

– Tout ?

– C'est une façon de parler. Il a passé vingt-cinq ans à écrire sa vie à la surface de ces terres du silence. Il a prospecté des centaines de rivières et de montagnes, avec ses raquettes, son canoë et son tamis à poudre d'or. Il dormait n'importe où, hiver comme été, dans un sac en fourrure de lièvre. Un sacré gaillard.

– Et il n'a rien trouvé ?

– Si, il a fini par trouver un filon.

– Où ça ?

– Je ne sais pas exactement, il l'a épuisé et est rentré. Il est mort l'année dernière au *Commercial Hotel* de San Francisco alors qu'il préparait une nouvelle expédition.

– Il n'avait pas amassé assez d'or ?

– Si. Il était riche, mais il disait que sa vraie richesse n'était pas celle qu'il avait trouvée dans les mines.

Michener se tut. Pensif, il semblait se remémorer ce que ce vieux prospecteur lui avait dit.

Matt respecta ce silence qui était un recueillement. Il croyait comprendre ce que ce Frank
Dinsmore avait suggéré car il vibrait intérieurement de cet appel du Nord et plus rien d'autre
ne comptait que cela, voir les aurores boréales,
entendre les loups hurler dans la nuit crépus-
culaire, sentir sous lui le poids de la glace enserrant les fleuves et les lacs.

— Voilà trois cents dollars, tu en auras besoin.
— Mais je ne...
Michener lui coupa la parole.
— Ne me refuse pas cela. J'ai envie de t'aider
et de participer. Quand tu reviendras, tu me
rendras cette somme et la part qui me revient.
Disons dix pour cent de tes gains. Ça me fait
plaisir de savoir qu'une partie de mon argent va
voyager. Ça marche ?
Matt le regarda dans les yeux, l'air de le son-
der, et lui sourit. Il ne fallait pas lui refuser cela.
— Ça marche !
Il tendit la main pour prendre les billets, mais
Michener les retint.
— Une chose encore. Frank disait qu'il fallait
des chiens.
— Des chiens ?
— Oui, des « malamutes ». Il disait que c'était
le secret du Grand Nord. Des chiens pour tirer
un traîneau afin de te déplacer. Avec cette
somme, achète des chiens à Dyea ou ailleurs.
— Mais j'y connais rien aux chiens, moi !
— Tu apprendras. Frank insistait là-dessus.
Crois-moi, s'il le disait, c'est que c'est vrai. Tu
n'y connais rien à ce foutu pays plein de loups et
de neige et moi non plus, alors fais confiance à
ce bon vieux Frank.
— Des chiens ?

4

Il était tard lorsque Matt entra pour la troisième fois de la journée au *Dromms*. Michener l'avait retenu. Il avait envie de parler de son vieil ami prospecteur, de son métier de docker qui l'ennuyait. Trente ans qu'il « revissait » et « coinçait » des sacs ! Trente ans qu'il allait boire au *Miror* et qu'il se levait six jours sur sept à cinq heures pour l'embauche. Trente ans qu'il voyait défiler les mêmes dockers, les mêmes bateaux, qu'il faisait les mêmes combines...

Matt comprenait, compatissait. Il avait failli devenir comme lui. S'il était resté à la ferme, il aurait épousé Jessica et il se serait levé tous les matins que Dieu fait pour aller traire les vaches, puis il aurait travaillé la terre. Toujours la même chose : labourer, emblaver, épandre, récolter et recommencer, indéfiniment.

« Drôle de plaisanterie que la vie », se dit Matt, qui avait vécu un véritable déchirement en quittant Jessica et surtout cette ferme où il ne retournerait plus, même contre tout l'or de l'Alaska.

À cette heure tardive, l'ambiance était glauque au *Dromms* où traînaient encore quelques soûlards et les filles qui cherchaient à leur prendre leur argent en leur chuchotant à l'oreille des cochonneries censées les exciter. La Blanquette lui fit signe, visiblement contente de le voir.

– Je pensais que tu étais parti.
– Pas sans te dire au revoir !

Elle fouilla dans sa poche et en sortit une clef qu'elle lui donna discrètement.

– La dernière porte, au fond à droite. Je t'y rejoins dans cinq minutes. Il ne reste pas grand monde, Greg peut se débrouiller. Je vais le lui dire. C'est généralement l'heure à laquelle il me laisse monter.

Matt grimpa l'escalier en vieilles planches mal jointes. Le couloir était éclairé et distribuait quatre chambres de chaque côté où les filles travaillaient. Il trouva la dernière, celle de la Blanquette, sobre et propre. Il se déshabilla et se coucha dans les draps qui sentaient bon la menthe. Il tendit l'oreille. Dans la chambre voisine, un client haletait et grognait comme un porc. Le lit couinait sous les assauts bestiaux de l'homme qui traitait la fille de tous les noms. Bien que pitoyable, la chose excita Matt qui n'avait pas couché avec une fille depuis quelque temps, et il se mit à guetter l'arrivée de Blanquette. Elle ne fut pas longue et, quand elle se déshabilla en le regardant sans pudeur ni retenue, il ne put s'empêcher de rougir de plaisir. Elle était encore sacrément bien faite, un peu ronde mais avec de magnifiques seins blancs qu'elle portait haut. Elle se mit sur lui et il les prit à pleines mains, les pétrissant avec volupté alors qu'elle l'introduisait en elle avec un soupir de contentement. Elle non plus ne faisait pas souvent l'amour et elle en profita, plusieurs fois. Tout à leur plaisir, ils n'entendaient plus dans les chambres voisines les soupirs de ceux qui faisaient cela contre de l'argent.

Elle était sur lui, immobile, épuisée, lorsque Matt lui demanda :

– Dis-moi, c'est quoi ton vrai nom ?

Elle sembla réfléchir, comme si elle l'avait oublié.

– À condition que tu l'emmènes avec toi demain.

Il l'embrassa pour lui dire qu'il garderait le secret. Elle lui chuchota à l'oreille :

– Tout simplement, Marie.

– Tu vas me manquer, Marie.

– Je vais faire semblant de te croire.

Elle ne le laissa pas répondre. Elle entendait bien recommencer ou du moins tenter de lui en redonner envie et elle savait faire.

La Blanquette réveilla Matt à l'aube alors qu'il venait de s'endormir enfin, exténué mais repu de ce corps qu'il avait exploré avec tant de volupté. Elle l'embrassa longuement et le quitta sans un mot. Il se leva, descendit les escaliers et traversa la pièce qu'il reconnut à peine tant il avait l'habitude de la voir animée et bruyante. La Blanquette n'était pas là. Il ne la chercha pas. Que pouvait-il lui dire ou faire de plus qu'il n'avait déjà fait ? Il sortit. Une petite bruine crachait sur le port un voile d'humidité qui embrumait les quais. Il releva le col de sa veste et se coula de ruelle en ruelle jusqu'à la maison de Silvey. Un escalier extérieur permettait de monter à la chambre qu'il louait sans passer par la maison. Il rassembla ses affaires dans le sac avec lequel il était arrivé, posa quelques billets sur le lit, équivalents au loyer qu'il devait, et repartit en direction du port. Dehors, la pluie avait cessé avec l'étale, comme souvent.

Matt n'aimait pas beaucoup l'eau, encore moins la mer, et l'idée de voguer des semaines sur les eaux dangereuses des côtes déchiquetées de l'Alaska le fit frémir, tout comme la perspective de descendre le fleuve Yukon sur un bateau qu'il devrait construire de ses mains. Mais il croisa ceux qui revenaient de l'embauche et rien au monde ne lui aurait fait réintégrer sa place.

Il héla l'un de ceux avec qui il avait travaillé la veille.

– Hé, Mick, tu as vu Silvey?

– Il a embauché sur le *range* de Michener pour un lot de coton. Tu n'y étais pas?

– J'embarque. J'ai trouvé un job sur le *Second Best*.

– Mieux payé?

– Non, mais j'ai envie de voir du pays.

– Tu parles d'un pays! L'Alaska, du blanc et de la glace à perte de vue.

– Excuse-moi, faut que j'y aille. Salut!

Mick haussa les épaules en le regardant s'éloigner.

Matt était en avance, mais ses deux associés étaient déjà là.

– T'es à l'heure, c'est bien!

– Ne me parle pas comme à un bon élève ou ça va pas coller.

– T'as raison. On a une longue route à faire ensemble. Autant se dire les choses, admit Reid.

– Il n'y aura pas d'entourloupe avec moi.

– C'est ce que Michener m'a dit et j'ai confiance.

– Où est la marchandise à embarquer ?

– Y a un problème.

Matt fronça les sourcils. Au mot « problème », ses yeux d'un beau vert-brun s'étaient éclairés d'une lueur soupçonneuse.

– Elle devrait être là et elle n'est pas là !

Avec un geste d'agacement, Matt montra qu'il attendait la suite. D'une voix mal assurée, Hoxey continua :

– J'ai laissé tout le chargement hier soir au gars qui était censé le transporter ici ce matin.

– Qui ça ?

– Un gars du quartier de Balls à qui j'ai demandé de faire les selles de bât pour les chevaux.

– Quels chevaux ?

– Pour le White Pass, Reid voulait acheter des chevaux.

– Ce sont des chiens qu'il faut.

Les deux compères, le grand et le trapu, le regardèrent avec des yeux ronds. Matt chassa de la main cette conversation comme s'il s'agissait d'une mouche inopportune.

– Enfin bref, il habite où ce type ? Il travaille où ?

– Il travaille sur la place de la gare. Il est bourrelier et il transporte des marchandises avec ses chevaux. Il s'appelle Dixon.

– Eh bien, allons-y !

Matt poussa un soupir exaspéré et jeta un regard sur les quais qui se remplissaient.

– Restez là. Je vais aller voir sur cette place. S'il venait à arriver en retard... mieux vaut que vous soyez ici.

– On peut faire comme ça, admit Reid, un peu décontenancé par l'attitude autoritaire de ce jeune gamin tout autant que par la situation.

Matt se dirigea aussitôt vers un charretier qui attendait avec trois chevaux.

– T'en louerais pas un pour une course ?

– Non, j'embauche dans pas longtemps. Va voir le Jim, là-bas.

Il lui indiquait un gars avec une charrette à cheval. Matt s'y rendit en courant.

– Tu m'emmènes place de la gare ?

– T'as de quoi payer ?

Matt fit signe que oui.

– C'est quatre dollars la course et tu paies maintenant.

Matt obtempéra. Dix minutes plus tard, l'homme le déposait sur la place où des marchands installaient des stands et des comptoirs de bois. Lavée par une averse, la place tout en pavés luisait, accrochant çà et là au ciel un reflet brillant. Il avisa un type qui empilait des cageots de pommes de terre.

– Je cherche un certain Dixon. Il travaille ici comme bourrelier.

Le gars regarda ses énormes mains toutes couturées de griffures et les frotta l'une contre l'autre. Il fit une moue et son nez s'écrasa légèrement.

– Il n'y a pas plus de bourrelier sur cette place que de Dixon.

– Sûr ?

– Certain. Dix ans que je bosse ici. Jamais vu de Dixon.

– Il était ici pourtant !

– Quand ça ?

– Hier encore.

Le gars marqua un temps, hocha la tête et observa Matt.

– Un problème ?

– Sérieux, oui. J'ai pour idée que l'un de mes associés s'est fait gruger par ce type qui lui a volé toute notre marchandise.

Matt expliqua sans trop entrer dans les détails. Après un instant de doute, les yeux du gars se mirent à pétiller.

– Je vois qui c'est. Il doit être loin maintenant. C'est un gars de Seattle qui est venu chercher un héritage. Il aura trouvé de quoi se faire un petit extra.

– Un héritage ?

– Ouais, des tas de babioles de ferme. Il les a bradées ici. Il a pas dû en tirer grand-chose.

– Mon associé lui a pris des selles.

– Oui, il y avait des tas de trucs de ce genre.

– Il lui a proposé de lui apporter son chargement au port. Mon associé avait acheté toute une cargaison de matériel et de nourriture.

– Il est loin maintenant. Tu peux le rejoindre sur la route de Seattle.

Matt remercia. Il en savait assez. Il rentra au port où les deux compères attendaient.

– Alors ?

– Alors, il n'y a plus de Dixon ni de marchandises là-bas. Ton lascar a filé.

Hoxey roulait des yeux hagards.

– Il y en avait pour six cents dollars de marchandises ! s'exclama Reid, horrifié.

Reid commença à maugréer après Hoxey qui avait ainsi dilapidé une petite fortune.

– Je vais mettre mes cinq cents dollars d'économies dans notre affaire, proposa Matt, mais à la condition de partager les gains en trois parts égales. On n'a pas besoin d'un quatrième et c'est plus simple pour les décisions.

Le grand et le trapu se regardèrent, surpris par l'autorité qui émanait de ce garçon qu'ils avaient sélectionné pour sa force mais aussi pour son jeune âge, pensant qu'il se plierait plus facilement à leurs exigences.

– Qu'est-ce que tu veux dire ?

– En cas de désaccord, les décisions se prendront au vote. À trois, il n'y aura pas d'égalité.

– Si tu mets de l'argent, ça change tout, admit Reid.

– Il y a une condition pourtant.

Hoxey et Reid attendaient.

– On n'achètera pas de chevaux pour le transport, mais des chiens.

– Des chiens ?

– Oui, des chiens. C'est le secret de l'Alaska.

Puis il ajouta :

– Le tiers des parts et des chiens. C'est à prendre ou à laisser.

Pour la forme, ils discutèrent un peu, surtout Reid, mais ils n'avaient pas le choix. Il ne leur restait que quatre cents dollars et les prix flambaient à Skagway, où ils devraient maintenant se fournir en tout.

5.

Le *Second Best* était l'un de ces gros vapeurs qui faisaient route depuis Seattle jusqu'en Alaska. Le capitaine, un certain Ross, naviguait depuis quarante-cinq ans sur les eaux agitées et compliquées de ces côtes léchées par le Gulf Stream. Il embarquait des marchandises de toutes sortes et trois types de passagers. Les « première classe » jouissaient de spacieuses cabines donnant sur le pont, les « seconde classe » logeaient par quatre dans des cabines aux lits superposés, dotées d'une fenêtre, et enfin les « classe économique » dormaient dans des dortoirs de quinze personnes, disposés de part et d'autre des cales sous la ligne de flottaison, non loin des machines qui faisaient un barouf de tous les diables.

Reid avait réservé des places en seconde classe. Comme le bateau était complet, Matt n'eut pas trop de mal à les revendre à trois types qui n'avaient pu obtenir que des classe éco. Cette transaction donna lieu à un premier accrochage sérieux avec Hoxey et Reid qui ne voulaient pas passer trois semaines dans « ces cales poisseuses avec la racaille ».

– On n'a pas d'argent de trop, Reid, finit par admettre Hoxey.

– À qui la faute, hein ? Vas-y, toi ! Tu me dois six cents dollars.

Penaud, Hoxey inclinait déjà la tête en signe de consentement quand Matt intervint vigoureusement :

– Je ne vais peut-être pas rester avec vous. Vous ne me semblez pas à la hauteur.

Et il débarrassa ses affaires de la cabine sous l'œil médusé de ses associés qu'il quitta au moment où les trois gars avec qui il avait fait affaire arrivaient.

Reid grogna et sortit de la cabine en lâchant :

– C'est pas le gamin qui va faire la loi !

– Peut-être, lui dit Matt, qui avait entendu. En attendant, heureusement que je suis là pour récupérer ces dollars.

Et il les lui tendit. Reid les fourra dans sa poche en maugréant, et descendit l'escalier menant vers les classe économique.

La plupart des personnes voyageant sur ce bateau étaient des ouvriers journaliers montant de Vancouver, de Seattle et de San Francisco, et engagés par la compagnie Ross & Raglan pour la pêche des saumons. Beaucoup travailleraient dans les conserveries au découpage puis à la préparation des caisses, d'autres assisteraient les Indiens Tinglit engagés par la compagnie pour poser les filets aux meilleurs endroits.

– Tu verras, dit Hoxey en remontant avec Matt prendre l'air sur le pont inférieur, ces types vont se ruer vers l'or et délaisser la pêche.

– Cette découverte dont tu parles est si extraordinaire que ça ? Il y a déjà eu de l'or trouvé en Alaska, non ?

– Jamais rien de comparable, tu peux me croire. Jusqu'à deux dollars la batée !

Matt fit une moue dubitative. Il ne savait pas ce que cela représentait, mais il fit semblant de comprendre.

– Quand a eu lieu cette découverte ?

Hoxey lui en fit le récit.

Durant trois ans, un certain Robert Henderson avait prospecté une rivière indienne, subsistant de chasse et de pêche. Un jour, il avait franchi la ligne de partage des eaux entre cette rivière et une autre dont Hoxey ne voulut pas dire le nom à Matt. Il découvrit alors un gisement de huit *cents* à la batée. Il repassa un col et retourna en canoë jusqu'au minuscule village de Sixty Miles. Là, il alla voir un certain Joe Ladue qui tenait le comptoir d'achat et qui lui avait fourni sa première mise de fonds pour prospecter. Aussitôt, tout ce que le village comptait d'hommes se prépara à partir afin d'aller réserver un terrain au bord de la rivière. Henderson, de son côté, repartit avec quelques autres sur le fleuve Yukon, qu'il descendit jusqu'à un de ses affluents (Hoxey gardait toujours ce nom secret). À l'embouchure de l'affluent, il rencontra un pêcheur nommé Carmacks, marié à une Indienne. Henderson lui raconta sa trouvaille et Carmacks voulut qu'il les mène au bon endroit, lui et les Indiens Siswashs avec lesquels il vivait. Henderson refusa, ses amis de Sixty Miles avaient sa préférence. Vexé, Carmacks partit de son côté explorer la zone et, en tamisant ici et là, découvrit un peu plus loin une zone incroyablement riche. Il aurait dû en informer Henderson qui l'avait aiguillé, mais, vexé de ses paroles peu aimables envers les Indiens, il s'en retourna au village le plus proche et y enregistra les concessions.

– Mais pourquoi ne veux-tu pas me dire le nom de cette rivière ? demanda Matt. Avec ce que tu m'as donné comme renseignements, je peux facilement la retrouver. Il me suffit par exemple d'aller à ce village de je ne sais combien de Miles dont tu me parles !

– Sixty Miles, précisa Hoxey en admettant qu'il en avait trop dit. Écoute, moi je te fais confiance. On peut faire un gros coup, mais faut tenir notre langue.

Et il ajouta sur le ton de la confession :

– Il s'agit de la rivière... de la rivière Klondike.

– Klondike ! Jamais entendu ce nom-là.

Hoxey lui fit signe de ne pas parler trop haut et regardait autour de lui comme si quelqu'un eût cherché à les entendre.

– Bientôt, crois-moi, ce nom sera sur toutes les lèvres.

– Mais c'était l'été dernier, cette découverte...

– L'hiver est passé là-dessus. Rien n'a filtré. Personne n'est redescendu au sud, à part un « musher » que personne n'a cru, pas même les services officiels du Canada.

– Un musher ?

– Un conducteur de chiens de traîneau.

– C'est donc ça. Ils voyagent comme ça là-bas.

– Il paraît, en convint Hoxey.

Matt pencha la tête pour tenter d'apercevoir ce qui faisait un tel vacarme sur le côté du bateau.

– Ce sont les chevaux.

44

Ils étaient huit, cloîtrés dans des boxes aménagés sur le pont.

– Crois-moi, continua Hoxey, quand le *Portland* va arriver, les gens vont se précipiter.

Il était si sûr de lui qu'il en devenait convaincant. De toute façon, rien n'empêchait Matt de le croire ou du moins d'essayer puisqu'il avait décidé de tenter l'aventure.

– Qu'est-ce que tu penses de Reid? lui demanda Matt à brûle-pourpoint.

Hoxey sursauta.

– Tu oublies que c'est moi qui l'ai choisi.

– Je ne retire pas ma question pour autant.

– C'est un gars honnête, travailleur...

– Mais pas fait pour ça, je me trompe?

La tête rentrée dans le col de sa parka de grosse laine, une toque enfoncée jusqu'au bas du front, Hoxey dansait d'un pied sur l'autre, visiblement ennuyé par la tournure que prenait la conversation. Ses bras courts lui donnaient l'air d'un animal balourd mais néanmoins sympathique.

– Qu'est-ce que t'en connais de ce pays, toi, pour savoir qui est fait pour lui?

– Rien, mais Reid ne correspond pas du tout à l'image que je me fais de l'homme du Nord. Il avait peut-être l'argent, mais il est pas fait pour ça.

Hoxey ne répondit pas. Un silence lourd de sens. Comme pour étayer ces propos, Reid arrivait, un peu engoncé dans un manteau mal ajusté qui accentuait sa haute taille.

– J'ai à te causer.

– Causons ensemble. On est associés, non?

– Justement, c'est de cela qu'il s'agit.

Matt et Hoxey attendaient. Reid semblait plus sûr de lui maintenant et en imposait.

– On a dit qu'on décidait tout ensemble.

– C'est vrai, admit Hoxey.

– Alors le coup de la classe éco, j'aurais bien aimé qu'on en discute avant que tu négocies le truc.

Matt dut convenir qu'il avait agi un peu vite mais argua que la chose ne pouvait attendre.

– Tes gars n'auraient pas foutu le camp ! dit Reid en haussant les épaules.

– Non, mais ils cherchaient des places et d'autres auraient pu les échanger.

– Ceux qui ont des places en seconde les gardent.

– Pas ceux qui ont besoin d'argent.

Matt avait craché ces mots comme s'il avait tiré un coup de feu.

– En tout cas, ne t'avise pas de reprendre seul des décisions qui nous concernent, asséna Reid.

– Je suis d'accord avec Reid, appuya Hoxey en regardant Matt droit dans les yeux.

Matt baissa les siens.

– Bien. Je vous ai entendus.

Matt s'en alla, penaud. Ils avaient raison. S'il voulait garder sa place au sein de ce groupe, il lui faudrait refréner un peu ses envies de tout diriger et proposer plutôt que d'imposer. Il se promit intérieurement de faire des efforts. Après tout, jusqu'ici, il avait obtenu tout ce qu'il voulait. Il n'était jamais bon de trop tirer sur une ficelle, et celle-ci ne paraissait pas bien solide.

6.

Des nuages aux contours cotonneux, étirés par le vent, coiffaient le sommet des montagnes et se fondaient dans les cimes enneigées. Des glaciers d'un bleu étincelant brillaient dans le soleil rasant du crépuscule et venaient lécher la côte déchiquetée où, de loin en loin, quelques icebergs dérivaient. Matt aperçut plusieurs fois des ours en train de se gaver de myrtilles et des mouflons paissant sur les crêtes enherbées.

Accoudé au bastingage, il admirait le feuillage luxuriant des arbres penchés sur le rivage des îles qu'ils longeaient maintenant. Le vapeur glissa dans un étroit chenal flanqué de montagnes escarpées où s'accrochaient des forêts d'un beau vert profond.

Alors que de nouveaux panoramas se succédaient, d'une diversité et d'une beauté époustouflantes, Matt ressentit soudain un violent désir d'aller parcourir cette symphonie foisonnante et une certaine frustration à l'idée de devoir se contenter de l'admirer du bateau, comme une friandise inaccessible. Il se remémora les paysages de son enfance. Quel chemin il avait parcouru en quelques mois !

– Je suis un chercheur d'or, en route pour l'Alaska !

Cette constatation lui procura une profonde satisfaction et une certaine fierté.

Il réintégra la cabine tard dans la nuit alors que ses deux associés dormaient déjà et il mit longtemps à fermer les yeux tant son excitation était forte. Il s'assoupissait quand il entendit des chuchotements qui l'intriguèrent. Deux personnes se levèrent et quittèrent le dortoir dans le plus grand silence. Mû par son instinct, Matt les suivit dans la coursive de tribord. Ils gravirent un escalier de pont.

La lune dispensait une lumière laiteuse que l'argent des flots rendait un peu irréelle. Tout était calme, endormi, à l'exception de la petite capitainerie où l'on voyait, dans la lumière d'une lampe à huile, l'équipe de quart veillant à la bonne marche du navire. Les deux hommes passèrent dans l'ombre, tels des animaux de proie. Matt aperçut l'éclair d'un couteau ! Son cœur cogna si fort dans sa poitrine qu'il pensa avoir été entendu. Mais les hommes ne s'étaient arrêtés qu'un moment avant de reprendre leur marche prudente. Matt regretta de n'avoir pas d'arme, même pas son couteau, resté sur sa couchette.

Matt se dit qu'ils voulaient gagner les cabines de première classe pour y effectuer quelques larcins, mais ils contournèrent celles-ci pour revenir en arrière de la capitainerie. Il se coula jusqu'au pied de celle-ci et attendit. Il n'y eut ni cri de surprise ni bagarre. Un angoissant silence. Rien d'autre. Matt se risqua dans l'étroit escalier et entendit les bribes d'une conversation à partir desquelles il put deviner ce qui se passait.

– On va te montrer sur la carte...

– ... des hauts-fonds qui empêchent de s'approcher du bord...

– ... le moins de bruit possible en faisant la manœuvre...

À n'en pas douter, il s'agissait de pirates attendus par des complices quelque part sur la côte.

Matt recula et se cacha entre les deux rangées de boxes des chevaux, le temps de retrouver ses esprits et de prendre une décision. Il fallait agir et vite. Ils n'étaient que deux et, en profitant de l'effet de surprise, il pourrait sans doute arriver à les maîtriser seul. Il s'apprêtait à s'élancer lorsqu'il vit deux autres types. Il espéra un moment qu'il s'agisse de membres d'équipage, mais c'étaient bien des complices. Cela se devinait à leur démarche mal assurée, à leur façon de se déplacer, en silence, en se retournant fréquemment.

Ils allèrent rejoindre les deux autres à la capitainerie.

Matt crut percevoir un ralentissement de la marche du navire alors que le bruit des machines s'amenuisait. Il s'élança le long de la coursive et se rendit directement sur le pont supérieur, là où logeaient le capitaine et les lieutenants. Il tambourina sur une première porte fermée à clef puis en ouvrit une autre, sur une chambre plongée dans le noir.

– Il y a quelqu'un ?...

Il n'eut pas le temps de réitérer sa question. Il y eut un rugissement et, une seconde plus tard, il était bousculé par un fauve qui lui planta ses crocs dans l'épaule. Matt roula au sol et se heurta à un meuble en essayant de se dégager.

– Bouge plus !

Une lampe s'alluma. Un jeune lieutenant le tenait en joue et s'approcha pour tirer en arrière le fauve qui s'avérait être un chien.

– Qui es-tu, racaille ?

– Je venais chercher du secours. La capitainerie est attaquée.

Son interlocuteur digéra l'information alors que Matt reprenait ses esprits.

– Attaquée ?

– Ils sont quatre. Au moins quatre, rectifia Matt, toujours sous la menace du pistolet. Ils ont des couteaux. Ils détournent le navire. Écoutez le bruit des moteurs.

Le type, un grand blond au visage émacié et à l'œil perçant, écouta attentivement, une moue dubitative aux lèvres.

– Je n'entends rien de spécial.

À ce moment-là, le navire gîta faiblement sur tribord et le type fronça les sourcils tout en relevant son arme.

– Nom de Dieu, on vire !

– Quand même !

Il le regarda bizarrement.

– Je m'appelle Stanley, lui dit-il en lui tendant le pistolet, la crosse en avant.

– Moi, c'est Matt. Qu'est-ce qu'on fait ?

– On réveille le capitaine et on les coince, dit Stanley tout en prenant dans le tiroir d'une petite table un deuxième pistolet.

Ils se ruèrent hors de la cabine. Le capitaine, un sexagénaire bon pied bon œil, se leva en maugréant et se fit rendre compte de la situation tout en passant une veste.

– Vous êtes qui, vous ?

– Matt Herson, un passager.

50

– Pas de conneries, hein ! C'est moi qui commande l'opération.

– À vos ordres, capitaine.

Le capitaine se demanda si le ton de Matt n'était pas un peu ironique, et interrogea du regard son lieutenant, qui coupa court.

– Faut y aller, capitaine. Le bateau a déjà viré.

Ils sortirent. Le capitaine s'arrêta un instant comme pour mesurer au vent la marche du vapeur. Ils tendirent l'oreille. Pas d'autre bruit que celui, lourd, des machines et le froissement de l'eau sur la coque.

– On monte. Tu restes en bas au cas où.

– Bien, dit simplement Matt.

Ils s'engagèrent, l'arme en avant, dans le minuscule escalier menant à la capitainerie. Matt entendit quelques exclamations suivies des bruits étouffés d'une courte bagarre. Quelques secondes plus tard, un gars redescendait, l'arme au poing, mais il ne s'agissait ni de Stanley ni du capitaine !

Matt n'hésita qu'une fraction de seconde. Il se jeta sur l'homme en lui décochant un coup de poing dans l'estomac qui le fit se plier en deux. Il le releva d'un coup de genou dans le menton qui lui brisa la mâchoire et l'étendit sur le pont, inanimé. Le tout n'avait pas duré trois secondes. Il ramassa l'arme et, après en avoir vérifié le mécanisme, la fourra dans sa veste, puis il escalada la capitainerie en s'aidant d'un hublot. Par la fenêtre ouverte, il étudia la situation. Deux hommes étaient bâillonnés, attachés dans un coin. L'un des truands gisait sur le sol alors que les deux autres tenaient le capitaine en otage, un couteau sous la gorge, face au lieutenant qui les avait en joue.

– Si tu ne lâches pas immédiatement ton arme, je le tue !

Le lieutenant, blême, serrait son arme sans oser le moindre geste.

Matt n'hésita qu'un instant. Il releva le chien de son pistolet, visa et tira dans le dos de celui qui menaçait le capitaine. Puis il se rua dans un fracas de verre brisé sur le deuxième bandit qui n'avait pas bougé et l'envoya se fracasser contre le plat-bord en acajou où il s'écroula. Le capitaine, les bras ballants, faisait toujours face au lieutenant qui n'avait pas baissé son arme et contemplait avec des yeux effarés la mare de sang s'élargissant sous le bandit.

– Bon Dieu !

– Attention ! Il y en a peut-être d'autres.

– Il y en avait un quatrième, précisa Silvey, qui retrouvait ses esprits alors que la fumée à l'intérieur de la capitainerie se dissipait.

– Il dort, dit simplement Matt.

– Il dort ?

Matt leva les yeux au ciel.

Le capitaine s'avança, l'air grave.

– Tu aurais pu me tuer.

– C'est l'autre que j'ai tué.

– Oui, mais tu aurais pu me tuer aussi.

– Et moi ? Vous croyez que je ne risquais rien !

Le capitaine sembla réfléchir.

– Quand même !

– Il était décalé. Je ne pouvais pas le louper, précisa Matt.

Le capitaine avait l'air sceptique tout autant que satisfait de la tournure des événements.

– Et qu'est-ce... ?

Il ne put terminer sa phrase, plusieurs membres d'équipage et passagers faisaient irruption sur le pont, alertés par le coup de feu. Le capitaine se faufila hors de la capitainerie et alla les rassurer tout en donnant des ordres pour qu'on redresse la marche du navire, alors que Matt aidait le lieutenant Stanley à détacher les deux hommes de quart. L'un d'eux avait reçu un sérieux coup derrière le crâne. Ils l'emmenèrent à l'infirmerie. Puis ils allèrent réveiller le médecin qui se trouvait en charmante compagnie. La fille se cacha sous les draps, mais Matt eut le temps d'apercevoir son joli petit minois encadré de boucles blondes. Le mousse vint les chercher.

– Le capitaine a fait préparer un repas. Il vous attend.

– Moi aussi ? demanda Matt en se montrant du doigt.

– Le lieutenant et vous-même.

7.

Maintenant qu'il était habillé de son costume propre et seyant de capitaine, il impressionnait et Matt s'étonna de son audace. Comment avait-il osé tirer à quelques centimètres d'un tel personnage ?

Il s'excusa d'emblée.

– Racontez-moi, dit le capitaine, l'air de le jauger.

Matt le fit, sans fioriture ni fausse modestie.

Le capitaine, à son habitude, marqua un temps avant de le regarder de nouveau dans les yeux.

– Ce n'est sans doute pas ce que j'aurais fait, mais vous avez réussi et je suis de ceux qui jugent les résultats. Il est trois heures du matin, nous sommes vivants, le *Second Best* vogue de nouveau sur le bon cap, et ces bandits croupissent en cale, bien enchaînés. Tout bien analysé, la situation est pour le moins sous contrôle. Mais le plus important reste à faire.

Ils attendaient.

– Manger ! Car j'ai faim.

Ils rirent de bon cœur et Matt apprécia la belle humeur du capitaine, qui humait avec délectation la soupe qu'apportait le cuisinier réveillé en pleine nuit.

Matt, étriqué dans ses vêtements élimés, était mal à l'aise. Le cercle des officiers, aux uniformes impeccables, ne ressemblait à rien de ce qu'il avait connu auparavant. Le luxe lui était étranger et il ne savait comment se tenir autour de cette table nappée où les autres évoluaient avec tant d'aisance.

– Voilà notre chef des machines, lui dit le capitaine, alors qu'un jeune rouquin à l'air jovial entrait dans le cercle. Ils sont deux à se relayer jour et nuit, mais Grey ne dort jamais. Il préfère manger.

Les rirent repartirent.

– Alors, comme ça, vous n'avez pas trouvé bizarre cet ordre de virer vers la côte ?

Le rouquin, qui allait s'asseoir, resta debout pour expliquer :

– Un ordre est un ordre et celui-là était motivé. Nous devions nous approcher d'un navire en difficulté à petite vitesse pour évaluer le problème.

Le lieutenant confirma d'un signe de tête.

– Ils avaient pensé à tout. Heureusement que notre Matt était là.

Le rouquin, qui était au courant de son intervention, le félicita d'un hochement de tête.

– Vous lui dénicherez un uniforme, ordonna le capitaine au mousse qui se tenait près de la porte lambrissée. J'embauche notre héros à la place de ce pauvre lieutenant qui a une vilaine fracture du crâne. Le docteur lui conseille le repos jusqu'à Skagway.

– Mais je n'y connais rien, protesta Matt.

– Vous apprendrez.

C'était dit comme un ordre. Matt ouvrit la bouche pour protester encore. Après tout, il pouvait donner son avis ou ne pas avoir envie de jouer ce rôle. Mais il croisa le regard du capitaine et se ravisa.

Quand la chance passait à sa portée, il fallait la saisir.

Après le repas, on lui apporta un costume d'un joli bleu tirant sur le vert, orné d'un ruban rouge qui cachait la couture sur le côté.

– Il reste vos cheveux, Rick va s'en occuper.

– Les cheveux ?

– Pas de cheveux longs dans l'équipage.

Il voulut s'insurger, mais se ravisa de nouveau. Après tout, quitte à changer de vie, autant changer de tête aussi. Matt se regarda dans la glace qui lui faisait face et essaya d'imaginer à quoi il ressemblerait dans quelques instants. L'idée d'impressionner ses deux associés ne lui déplaisait pas non plus. Il se laissa faire. Une demi-heure plus tard, il était devenu un homme. Les cheveux courts avaient durci son visage, l'éclat et la brillance de ses mèches brunes lavées avec un shampoing de qualité lui donnaient un air soigné. Il bomba le torse d'importance et eut cette pensée qui l'étonna : « Si seulement maman pouvait voir ça ! »

– Garde-à-vous !

Matt claqua les talons comme il l'avait vu faire sur le pont. Le capitaine, visiblement satisfait de sa nouvelle prestance, le gratifia d'un sourire joyeux.

– Le déjeuner est à sept heures, au cercle. Vous logerez avec Rick dans la 11.

– La 11 ?

– Cabine 11, et ne posez pas sans arrêt des questions idiotes.

– Bien, mon capitaine !

– Avant le déjeuner, vous viendrez dans ma cabine signer le journal de bord et le registre de police. Vous avez tué quelqu'un et la police voudra ce rapport. Vous ne serez pas inquiété à la condition que tout soit fait dans les règles. Les témoins dont je fais partie signeront aussi. Allez donc chercher vos affaires et rejoignez-moi.

– À vos ordres.

– Ça, ce n'est pas nécessaire. Contentez-vous d'obéir.

Matt acquiesça.

– Dernière chose. Votre solde sera de quarante dollars par semaine.

Il remercia. Le capitaine tourna les talons.

L'aube allumait à l'est les cimes enneigées d'une lueur tirant sur le rouge. Matt, neuf dans sa tenue d'homme d'équipage, semblait briller d'un éclat qui le dépassait et, plutôt que d'emprunter le pont de tribord où quelques passagers admiraient le lever du soleil, il longea celui de bâbord, désert. Du moins le croyait-il car, alors qu'il était déjà engagé, la jeune fille dont il avait aperçu les boucles blondes dans le lit du docteur sortit d'une cabine de première classe.

En entendant des pas, elle se retourna et Matt se noya dans ses grands yeux d'un beau bleu clair qui le dévisageaient. Il la salua en bredouillant un salut inaudible et accéléra. Il sentit le regard de la jeune fille planté dans son dos et fit volte-face.

– Comment va ce pauvre lieutenant ?

Elle sursauta et ses joues s'empourprèrent. C'était bien elle.

– Je... je... comment dire...

– Excusez-moi, dit Matt d'une voix maintenant assurée.

Il allait partir quand il ajouta :

– Ah oui, au fait, le soleil se lève de l'autre côté, vous devriez changer de pont.

– Vous me prenez donc pour une idiote... et une traînée.

C'était à lui d'être déstabilisé.

– Je... je disais juste...

– J'ai bien compris. Regardez ce ciel, ces nuances de bleu et de mauve, cette étendue sur laquelle, à l'horizon, on peut distinguer l'arrondi de la terre. Cette beauté-là est subtile, nuancée, je la préfère au flamboiement du soleil.

Ses yeux s'étaient allumés d'une petite lueur espiègle et malicieuse qui en accentuait encore le charme.

– Superbe, votre costume tout neuf !

Matt s'inspecta avec une mine contrite.

– Trop flamboyant, je suppose... comme le soleil.

– Vous êtes très beau.

Sur ce, elle traversa le pont étroit et disparut dans sa cabine dont la porte était restée ouverte, laissant Matt en proie à un délicieux désespoir.

8.

– Mais... Nom de nom, qu'est-ce... ?

Reid ouvrait des yeux exorbités alors que Hoxey balbutiait. Ils ne l'avaient tout d'abord pas reconnu avant de se rendre compte qu'ils s'étaient endormis avec un associé et se réveillaient avec un autre, qui n'avait rien à voir avec l'ancien. Matt exploita son avantage.

– Plutôt que de dormir, j'ai cherché du travail. Je me suis dit qu'un peu d'argent de poche ne me ferait pas de mal. Je vous ai dit que je voulais acheter des chiens.

Ils ouvraient la bouche sans pouvoir proférer la moindre parole. Tout cela paraissait tellement extravagant.

– Du... du travail ? Tu veux dire que tu travailles sur le bateau ?

– Ouais.

Retrouvant quelque peu ses esprits, Reid affermit sa voix.

– Mais tu y connais quelque chose en bateau ?

– J'apprends vite.

Matt regarda sa montre.

– Il faut que j'y aille. Le déjeuner est servi à sept heures au cercle.

– Au cercle ?

– Le carré des officiers.

– Parce que tu... tu manges là-bas avec eux ?

– Je leur ai rendu service. Ils ont apprécié.

– Un service ?

– J'ai tué un gars qui voulait détourner le bateau.

– ...

– Arrête de te foutre de nous !

– Faut que j'y aille. À plus tard...

Avec une pointe de satisfaction, Matt les laissa comme la belle jeune fille l'avait laissé, pantois, sur le pont.

Le capitaine l'attendait dans sa cabine lambrissée. Il avait rédigé un texte qui relatait dans le détail les événements de la nuit. Comme Matt ne savait pas lire ou tout du moins pas bien, le capitaine lui en fit la lecture. Il avait un peu exagéré sur la férocité des bandits, mais cela créditait d'autant son intervention et il signa.

– Après le déjeuner, tu iras avec Album en capitainerie. On va s'éloigner de la côte dans quelques milles et il s'agit de repérer les icebergs. Voilà ton boulot ce matin.

– Ça me va.

– Que ça aille ou pas, c'est du pareil au même. Signe ici.

– C'est quoi ?

– Ta lettre d'engagement.

Matt signa sans essayer de lire.

– Maintenant, j'ai le droit de vie ou de mort sur toi, comme sur le reste de l'équipage.

– Juste retour des choses !

– C'est ma façon de me venger...

Il avait l'air sérieux. Matt lui emboîta le pas. Tous les membres gradés de l'équipage, à l'exception de ceux qui, de quart, gouvernaient le vapeur, étaient là. Une douzaine de personnes qui attendaient que le capitaine s'assoie pour faire de même.

– Pour ceux qui ne le connaissent pas, voici Matt, qui nous a sortis cette nuit d'une bien fâcheuse situation. J'ignore s'il tire droit ou s'il a eu de la chance, mais il a tué le bon... (Le capitaine marqua un temps.) Si l'on considère bien entendu que je suis le bon comparé à ce bandit, Dieu ait son âme.

Il se signa et l'ensemble de l'équipage avec lui. Matt, impressionné par ce protocole, l'imita.

– C'est lui, continua le capitaine, qui ce matin matera les icebergs et donc à lui qu'il faudra s'adresser si on coule.

Matt ignorait s'il s'agissait là d'un poste de confiance ou non mais promit de faire de son mieux. À table, les conversations allaient bon train pendant que les deux mousses servaient, avec du café, les épaisses crêpes préparées par le cuistot. Plus personne ne s'occupait de Matt qui s'appliquait à manger le plus élégamment possible, ayant remarqué la façon, fort différente de la sienne, avec laquelle, par exemple, les officiers portaient leur tasse de porcelaine aux lèvres.

– Notre docteur est en retard, constata le capitaine en montrant la place restée vide.

Un des officiers pouffa.

– Il a travaillé cette nuit.

– Vous voulez parler de ce pauvre lieutenant que ce bandit a assommé et qu'il a dû soigner en pleine nuit ou d'autre chose ?

Les officiers, qui étaient apparemment tous au courant de la liaison du docteur avec la jolie blonde, s'esclaffèrent.

– C'est le genre de travail qu'il faudrait nous distribuer plus souvent, capitaine.

Le capitaine apprécia.

– Vous remarquerez tout de même, mes amis, que le nombre de dames à voyager sur le *Second Best* augmente régulièrement. Nous en avons douze sur celui-ci.

– Mettons quatorze, capitaine, les deux sœurs de la cabine 4 comptent double.

Ils éclatèrent de rire.

– Allez !

Le capitaine se leva et les officiers cessèrent brusquement leurs commérages pour terminer au plus vite leur assiette.

– Rejoins-moi en capitainerie, dit le lieutenant Album.

– J'arrive tout de suite, promit Matt.

Matt vida sa tasse et sortit de la longue cabine garnie de cuivre en même temps qu'y entrait le docteur. Matt lui adressa un regard en coin, plein d'une froideur qu'il ne put dissimuler.

Il rejoignit la capitainerie en passant par le pont qui distribuait la cabine de la jolie blonde dont il ignorait encore le nom. Les rideaux de celle-ci étaient tirés. Il éprouva une certaine colère en devinant qu'elle se reposait après ses ébats de la nuit.

« Mais je deviens complètement fou, pensa Matt. Qui suis-je ? Un rien du tout comparé à ce docteur. Un vulgaire petit chercheur d'or qui ne connaît rien de la vie et va s'y brûler les ailes... »

Le grincement de la porte le tira de ses rêveries. Mais ce n'était pas elle. Il s'agissait vraisemblablement de sa mère, une élégante dame d'une cinquantaine d'années qui jeta sur le pont et les personnes qui s'y tenaient un regard désabusé et assez condescendant. Elle rajusta son chapeau et se dirigea vers le petit salon où, derrière le gaillard d'avant, on servait les repas aux occupants des cabines de première classe. Matt se retint pour ne pas pénétrer dans la cabine, mais les icebergs l'attendaient, aussi bleus et transparents que les yeux de cette jeune fille, aussi dangereux sans doute.

À la barre, le lieutenant Album donnait des ordres dans une sorte de tuyau de cuivre aux chefs des machines qui se trouvaient dans la cale, en dessous et en arrière. Ce même tuyau que les pirates avaient utilisé pour donner leurs instructions à la place des hommes de quart qu'ils avaient ligotés.

– Réduction de quatre nœuds.

On entendait, étouffé et déformé par la distance :

– Quatre nœuds. Quatre.

– Tribord de 8.

– Tribord de 8.

Album se redressa, l'air anxieux, tout à son affaire.

– S'agit pas de mollir. On va pénétrer dans le chenal qui conduit à la pleine mer. Tu vas prendre la longue-vue ici et te positionner là-bas sur la dunette avant. Au moindre glaçon, tu me préviens en levant un bras, jusqu'à ce que je te fasse signe.

– D'accord.

– Un iceberg, c'est fourbe. Il y a quatre-vingt-dix pour cent de son volume immergé. Un petit iceberg de rien du tout en a assez sous lui pour défoncer notre quille de bronze, alors mate sans fléchir.

– Je vais faire de mon mieux.

– J'en suis sûr.

Matt allait atteindre l'escalier quand il s'arrêta brusquement.

– Mais la nuit ?

– On réduit encore de quatre nœuds, à moins que la nuit soit claire et la lune bonne, c'est-à-dire de plus d'un quartier.

– On y voit assez ?

– Mieux qu'en plein jour, tu verras, on est de quart demain soir. La glace piège la lumière, et la brillance des icebergs attire le regard.

Album disait cela avec gravité, solennité et sans emphase aucune, sur le ton du secret, tout à la réminiscence de souvenirs anciens.

– Vous aimez la nuit, n'est-ce pas ?

– Le capitaine m'a parlé de tes qualités de combattant, mais j'ignorais que tu étais aussi un fin psychologue.

Le ton était un peu ironique.

– J'imagine qu'il y a une certaine grandeur à se retrouver seul dans la nuit à la barre d'un navire. Seul face aux éléments...

– Demain.

Matt sourit et alla prendre son poste.

Au terme de quatre heures d'une exténuante observation, Matt avait les yeux rougis et il n'arrivait plus à distinguer une île d'une mouette posée sur l'eau. D'iceberg, il n'en avait pas vu un seul. Pas le moindre glaçon, à croire qu'il n'en existait aucun à la surface de cette mer qu'il avait l'impression d'avoir traversée dix fois.

– À droite, cet iceberg !

Il se retourna vivement, horrifié.

Elle éclata de rire.

– Ce n'est pas drôle, vraiment pas !

– Il n'y aura pas d'icebergs avant au moins deux jours.

– Qu'est-ce que vous en savez ?

– Je suis une fille de marin, nous n'en verrons pas avant d'avoir dépassé les îles Kunghit.

– Fille de marin et future femme de docteur.

Elle ne répondit pas, se contentant d'observer la mer, fixant un point imaginaire en plissant les yeux, ce qui en accentuait la beauté. Coiffée d'un chapeau à rebord, elle avait un air de petite fille qui fit fondre Matt de tendresse.

– C'est la deuxième fois que vous me parlez, et vous ne vous êtes même pas présenté.

– Je m'appelle Matt Herson.

– Nome.

Elle lui tendit la main, effleura la sienne comme si elle avait peur de se salir et s'en alla.

– Eh là, ne partez pas !

Elle montra du doigt l'étendue de la mer devant lui.

– Je vous laisse à vos icebergs !

Et elle s'éloigna en riant.

– Quelle garce ! Elle se moque de moi.

Il termina son quart en regardant distraitement la mer.

Album vint lui-même le chercher pour lui signifier qu'une autre équipe prenait le relais et qu'ils pouvaient aller déjeuner.

– Belle mer, hein ?

– Parfaite. On trouvera les icebergs plus tard, à partir des îles Kunghit, osa Matt.

– C'est ce que dit le lieutenant Kirby, mais on ne sait jamais. Les courants tournent tout le temps, comme les vents. Des égarés, on en a vu partout.

Matt acquiesça. Maintenant, il saurait comment répondre à cette petite garce qui s'était moquée de lui et de son travail dont il avait jusque-là tiré beaucoup de fierté. Est-ce que le capitaine et Album le laisseraient à ce poste quand on aborderait les zones à icebergs, ou l'avait-on mis ici au cas où, pour lui donner quelque chose à faire ? C'est avec cette incertitude qu'il rejoignit le cercle des officiers, sans se préoccuper de ses associés qui prenaient l'air sur le petit pont arrière, le reste du navire et des coursives avant étant interdit aux passagers de classe économique.

9.

La lune diffusait sur les vagues une lumière irréelle accrochant les crêtes moutonneuses. À l'avant du vapeur qui ronronnait comme un animal de bonne humeur, Matt scrutait l'étendue de la mer, se reposant les yeux en regardant par moments le spectral tourbillon d'écume que rejetait l'étrave du *Second Best*.

Une petite lampe à pétrole, la mèche protégée du vent par une cloche de verre dépoli, gisait à ses pieds. C'est elle qu'il devrait agiter à l'intention d'Album, s'il venait à apercevoir un iceberg, car on entrait maintenant dans la zone à risque.

Matt eût aimé en voir un, ne serait-ce qu'un, pour mettre enfin un visage sur cet ennemi qu'il ne connaissait pas, pour cesser d'imaginer et parce qu'il aurait une référence à laquelle s'accrocher. Est-ce que sa luminescence permettait de le repérer aussi bien la nuit qu'Album le disait ? À quelle distance pouvait-il les discerner ? Leur forme ne risquait-elle pas d'être aplatie par l'érosion des vagues au point de s'y confondre ? Autant de questions auxquelles Matt eût aimé opposer une réponse. Car on lui faisait confiance et il voulait se montrer à la hauteur. À la ferme, son grand-père, bien qu'il ait travaillé dur sans jamais renâcler, ne lui laissait pas prendre la moindre initiative ni assumer la moindre responsabilité au motif qu'il ressemblait trop à son père. Il détestait ce gendre qui avait cherché à lui arracher sa fille, à l'écarter de cette ferme à laquelle il avait donné sa vie et que son fils aîné ne reprendrait jamais car il était mort de la malaria, en Afrique, pendant son service militaire.

Matt en était venu à se demander si la mort de son père n'avait pas été organisée par son grand-père. Elle était intervenue quelques mois après que sa mère se fut enfin décidée à quitter la ferme familiale pour aller vivre avec son mari. Une regrettable coïncidence ou le mobile d'un meurtre ? Matt se rappelait la joie du grand-père quand, par la force des choses, sa fille était revenue, et son opiniâtreté à vouloir faire rentrer le meilleur ami de son fils, enrôlé dans l'armée lui aussi, afin qu'il reprenne avec elle la ferme, pour l'écarter lui, Matt, le fils d'un renégat. Qu'allait-il advenir de sa mère ? Succomberait-elle au mirage de cette union organisée et encouragée par le grand-père ?

« Je rapporterai de l'or, beaucoup d'or, et j'arracherai ma mère à cet odieux patriarche », jura-t-il entre ses dents.

Deux mains, dont il sut tout de suite à qui elles appartenaient, se posèrent sur ses yeux. Il ne bougea pas, seul son souffle trahissait l'émotion qu'un tel contact suscitait. Nome les fit glisser doucement comme une étoffe dont on apprécie le velouté contre la peau.

Il se retourna et vit les grands yeux clairs qui le regardaient en souriant, impudiques, effrontés.

– Belle nuit !

– Vous ne dormez pas ?

Il regretta aussitôt cette remarque idiote.

– Bien sûr que si, je suis en train de rêver à une rencontre romantique en pleine nuit avec un prince charmant.

– Vous avez... quitté votre docteur ?

Elle soupira.

– Encore ce docteur. C'est une idée fixe chez vous.

– Je peux être franc avec vous ?

Il allait enchaîner sans attendre sa réponse, mais elle cingla :

– Non, ne le soyez pas !

De surprise, il ouvrit la bouche sans émettre le moindre son. Elle se tourna vivement, face à lui, et l'embrassa avec fougue, lui maintenant fermement la tête de ses bras passés autour de son cou. Il ne résista pas, bien au contraire. Il sentait ce corps et ses rondeurs collés à lui, accentuant le désir qu'il avait ressenti dès la première rencontre, lorsqu'il avait deviné, dans le lit d'un autre, ce corps abandonné. Et il lui en voulait. Le besoin de la posséder prévalait même sur le désir qu'il avait de la prendre dans ses bras, d'aller plus avant dans l'exploration de ces formes généreuses qui s'offraient à lui. Il était brusque, tout autant qu'elle était douce, et il la coucha sur le pont de teck contre les cordages, lui arrachant ses vêtements plus qu'il ne les lui enlevait. La violence de son étreinte ne semblait pas gêner la jeune fille, qui haletait maintenant. Quand le sexe chaud et dur de

69

Matt entra en elle avec violence, elle eut un cri de douleur qui ne le freina pas.

Elle demandait, suppliait :

– Doucement ! Doucement !

Mais il n'en avait que faire et donnait de véritables coups de boutoir, la faisant, à chaque coup de reins, glisser sur le pont. Il alla vite au plaisir, alors que coincée sous lui, contre les cordages, elle gémissait à la fois de douleur et de plaisir. Lui ne voulait pas se retirer et la maintenait sous lui, à lui. Le lent mouvement du corps de Nome lui fit retrouver peu à peu sa vigueur. Elle s'assit sur lui et alors seulement, les mains posées sur ses hanches, sous sa robe qu'il avait relevée en la déchirant par endroits, il se laissa aller, accompagnant simplement le doux mouvement de houle du corps sensuel et magnifique.

Plus rien n'existait d'autre que cette étreinte. Ils se sentaient entraînés sur la pente exquise du plaisir partagé, enfin maîtres de leur désir, déjà à moitié assouvi, et tout à la conquête de sensations plus subtiles.

Une sonnerie stridente retentit, aussitôt suivie d'un terrible choc et d'un horrible grincement qui les fit basculer sur le côté. Le sang se retira immédiatement du visage de Matt, contracté par l'effroi.

– Non ! Non !

Il était debout, les yeux hagards, halluciné, tel un fou. Il se mit à courir, d'un côté à l'autre du pont, tandis que le vapeur prenait de la gîte, et que partout des gens criaient, couvrant presque le hurlement de la sirène.

– Matt !

Elle s'était ruée dans ses bras. Il la repoussa.
– C'est ta faute !

Les fanaux s'allumèrent sur le pont. Plusieurs membres de l'équipage, mêlés à des passagers hagards, couraient vers l'avant. Le lieutenant Album stoppa sa course à la hauteur de Matt et le dévisagea de la tête aux pieds avec mépris. C'est alors seulement qu'il se rendit compte qu'il était sans pantalon, grotesque avec sa chemise de flanelle bleue qui lui tombait au-dessus des genoux.

L'officier ne dit rien, mais le regard dont il le gratifia, les mâchoires serrées, avant de repartir sans un mot, glaça Matt de honte. Il eût préféré mourir. Jamais il ne pourrait l'oublier.

Il trouva son pantalon et se rhabilla, se rattrapant au bastingage. Une nouvelle secousse donna au vapeur encore plus de gîte. Des officiers jetaient des ordres, les passagers se rassemblaient sur le pont, près de canots de sauvetage que les membres d'équipage détachaient en vérifiant les poulies qui permettaient de les descendre. Le chargement commençait déjà. Un officier avait sorti son arme et tenait en joue les hommes affolés qui voulaient forcer le barrage formé par les membres d'équipage pour laisser passer les femmes et les enfants. Ce fut vite fait, elles n'étaient qu'une douzaine avec sept enfants. Le pont prenait de plus en plus de gîte et Matt aperçut dans le gaillard d'avant le capitaine qui lançait des ordres afin que l'on remette en marche les moteurs. Il comprit que c'était pour essayer de compenser l'effet de la gîte.

Plusieurs canots de sauvetage descendaient et Matt aperçut dans l'un d'eux la mère de Nome.

– Du monde, vite !

Un officier appelait et Matt se rua.

– Les canots de tribord ne peuvent plus descendre par là, trop de gîte ! Il faut couper les cordes et les transborder sur l'autre pont. Répartissez-vous !

Matt entraîna quatre hommes avec lui.

– Avec moi sur celui-là !

Il s'empara d'une hache et escalada la rampe d'accès au canot, puis il commença à couper les cordages. Le canot, déséquilibré, se coinça entre la rampe et le bastingage, retenu encore par deux cordes. Matt en trancha une.

– Mettez-vous de l'autre côté. Il faut le faire basculer sur le pont.

– Trop lourd ! Il nous faut des renforts.

Mais ils étaient seuls. La plupart des hommes, malgré les appels lancés par les officiers, étaient sur l'autre pont à se battre pour monter dans les derniers canots.

– Matt !

Cramponnée au bastingage, Nome progressait vers eux.

– Qu'est-ce que tu fais là ? Va aux canots ! tonna Matt.

Soudain, le vapeur gîta encore plus et Nome trébucha. La dernière corde cassa et le canot s'affaissa. Un hurlement strident s'éleva au-dessus du tumulte, alors que les fanaux, se brisant les uns après les autres, faisaient sombrer le pont du vapeur dans l'obscurité totale.

– Qu'est-ce qui se passe ?

– Il y a un homme coincé.

Matt manqua de glisser à la mer quand un nouveau soubresaut secoua encore le vapeur qui se couchait sur le flanc. Il se rattrapa à une corde et parvint à descendre. Nome était près de l'homme dont la jambe était prise, écrasée sous le canot.

– Vite !

Il ne restait plus qu'un type sur les trois qui l'avaient aidé à manœuvrer. Ils essayèrent de soulever le canot.

– Nom de Dieu, on coule !

En jetant un regard par-dessus son épaule, Matt vit de nombreuses personnes nager dans la mer vers les canots qui tentaient de les récupérer. Il n'y avait plus de cris mais des appels, ici et là, angoissés, parfois désespérés.

– Faut le faire basculer dans l'eau !

– On va lui arracher la jambe !

Ils n'eurent pas le temps de tergiverser. Un autre mouvement du vapeur, vers l'arrière cette fois, débloqua le canot, qui piqua du nez dans la mer où il se retourna.

– Nome, fais comme moi !

Matt prit l'homme qui avait perdu connaissance dans ses bras et sauta à l'eau en se laissant glisser sur la coque.

Il était temps, le *Second Best* coulait, emportant avec lui le capitaine et le chef des machines restés jusqu'au bout à leur poste pour maintenir le vapeur à flot le plus longtemps possible.

L'eau était glaciale. Matt nagea jusqu'au canot retourné et essaya de s'y accrocher. Dans ses bras, l'homme n'avait pas repris connaissance.

– Nome !

Gênée par le poids de ses robes, elle nageait vers lui en suffoquant à demi.

– Accroche-toi !

Il voulut tirer à lui l'homme, mais il semblait attaché, retenu par quelque chose. Nome parvint à s'agripper au canot.

– De l'autre côté ! Va de l'autre côté, je vais faire contrepoids. Tu pourras monter.

Elle contourna le canot et se hissa non sans mal sur la coque retournée.

Elle hurla d'épouvante.

– Matt !

Elle regardait le corps que Matt tenait encore. Il se retourna et vit la gueule énorme d'un orque arracher la jambe ensanglantée, et il en vit d'autres, ici et là, qui nettoyaient la surface de la mer. Il lâcha aussitôt l'homme et se jeta sur le canot en hurlant lui aussi. Il réussit à y grimper et resta allongé contre Nome un bon moment, immobile, le corps agité de tremblements, incapable de retrouver son souffle, alors qu'autour d'eux s'agitaient les orques avec des bruits de mâchoires effroyables.

Incapables de maîtriser leur panique, des hommes à la mer avaient retourné un canot qui tentait de les sauver. Alors les autres avaient fui en abandonnant vivants et morts. Aucun n'avait essayé de monter sur le canot renversé dont les orques interdisaient l'accès.

Repus, les monstres se dispersèrent peu à peu. Un silence de mort s'ensuivit. C'est à ce moment-là seulement que Matt s'aperçut que Nome pleurait. Il la prit dans ses bras, cherchant dans cette étreinte un peu de chaleur et de réconfort.

10.

Au lever du jour, Matt et Nome étaient à peu près secs, mais ils étaient glacés. Aussi accueillirent-ils le soleil avec joie. Emportés par le courant, ils dérivaient doucement vers le sud, longeant les côtes à plus de six milles sans jamais s'en approcher. Ils burent l'eau douce qu'un fleuve déversait dans l'eau de la mer. Des multitudes de saumons gobaient les insectes à la surface et ils en ramassèrent un qui, attaqué par un requin ou quelque autre prédateur, nageait sur le flanc. Matt força Nome à en manger un peu, puis, épuisés, ils s'endormirent, l'un contre l'autre. La mer était calme et la houle légère.

Une sirène tonitruante les tira de leur torpeur, alors que, écrasés par un soleil maintenant trop chaud et desséchés par le vent, ils commençaient à terriblement souffrir de la soif.

– Un bateau, Nome ! Un bateau !

C'était un vapeur qui venait droit sur eux. Matt, debout sur la quille, s'était mis à hurler en agitant les bras.

– Matt, calme-toi ! Tu as bien vu qu'il nous a repérés.

Matt se sentit tout à coup idiot. Comment faisait-elle pour maîtriser ainsi ses émotions ? Bien sûr que le vapeur les avait vus, mais il ressentait le besoin de clamer sa joie et le flegme de sa compagne l'irritait.

Le vapeur ralentissait. Matt lut son nom : *Hal-ki*. De nombreuses têtes se penchaient depuis le gaillard d'avant surpeuplé.

– Mais il est plein à craquer !

– Jamais vu ça !

Le vapeur fit machine arrière pour s'arrêter à peu près à hauteur du canot renversé. On leur lança une échelle de corde, mais la houle repoussait le canot du vapeur. Ils ne pouvaient, sans rame, approcher plus. Avec le courant qui emportait le vapeur plus que le canot, du fait de son faible tirant d'eau, le sauvetage paraissait des plus compromis.

– Il faut plonger, dit Matt, vite.

– Jamais ! Les orques !

– Le vapeur et ses moteurs les tiendront éloignées.

– Que tu dis, il n'y...

Elle n'eut pas le temps de terminer sa phrase. Matt avait fait basculer le canot. Le vapeur redonna un peu de moteur et ils purent l'atteindre en nageant. Matt ne pouvait s'empêcher de jeter de fréquents coups d'œil en arrière pour vérifier qu'aucune orque ne les attaquait. Les passagers du *Hal-ki* criaient pour les encourager. Ils atteignirent l'échelle de corde, mais Nome n'avait plus assez de force pour la gravir jusqu'au pont. Alors Matt attacha la corde qui pendait du bout de l'échelle autour de sa taille, puis monta. Parvenus sur le pont, de solides gaillards la hissèrent en plaisantant.

– Ho, la belle prise !

– Je veux bien continuer la pêche, moi, disait un autre.

On les conduisit devant le capitaine, un homme au regard froid et inamical.

– Naufragés du *Second Best*, je suppose ? demanda-t-il.

– Heu... oui... Vous êtes déjà au courant ?

– Y en a-t-il d'autres ?

– D'autres quoi ?

Le capitaine haussa les épaules, comme excédé.

– Les survivants ont regagné la côte, intervint Nome, les autres ont été dévorés.

Un murmure parcourut la foule de curieux qui faisait cercle autour d'eux.

– Dévorés ?

– Par les orques.

Le capitaine plongea son regard dans celui de Nome. Il ne semblait pas sensible à cette mort atroce, mais son visage se détendit quelque peu en détaillant les charmes de la jeune fille mis en valeur par ses vêtements qui lui collaient à la peau.

– Vous vous sécherez dans ma cabine.

– Viens, Matt.

Elle le prit par la main et le capitaine masqua son irritation.

– C'est votre frère ?

– Mon amant.

Matt, qui ne s'attendait pas à ce qu'elle lui cloue le bec de la sorte, sursauta.

– Vous ne semblez pas très d'accord ?

– C'est que je suis, nous sommes un peu secoués par les événements.

Ils longèrent les coursives envahies de monde, de paquets, de marchandises de toutes sortes, et se frayèrent un chemin jusqu'à un escalier qui conduisait directement dans la cabine du capitaine, une pièce octogonale, basse de plafond et lambrissée d'un bois exotique d'un beau brun strié de veines plus noires.

– Déshabillez-vous, je vais vous trouver quelque chose de sec.

Il souleva un panneau de bois et fouilla dans la malle. Matt se dévêtit après avoir pris soin de sortir de sa poche sa liasse de billets mouillés. Le capitaine se releva et, voyant Nome qui n'osait pas un geste, esquissa un sourire.

– J'aime la pudeur. Décidément, vous avez tout pour me plaire.

Il leur tendit quelques affaires, vieilles mais propres.

– En attendant que les vôtres sèchent.

Il appela un mousse et lui remit les vêtements de Matt.

– Lave-les à l'eau douce.

Il se retourna vers Nome.

– Donnez-lui vos vêtements.

Elle regarda Matt, perplexe, et se résigna. Elle grelottait et le sel lui collait à la peau. Elle se cacha comme elle put derrière lui et se déshabilla, s'enroulant aussitôt dans les frusques que Matt lui présentait.

Le capitaine prit ses affaires et les donna au mousse, ravi du petit spectacle auquel il avait assisté.

– Bon. Ce bateau est plein à ras-bord. Il n'y a même pas une cabine pour dix personnes, et pas assez à manger pour tout le monde, alors, si vous ne voulez pas finir en cale avec les rats, je vous conseille de trouver un moyen de payer le passage jusqu'à Skagway.

– Vous allez à Skagway ?

Le capitaine qui s'apprêtait à quitter la cabine grogna.

– Bien sûr que je vais à Skagway. Tout le monde va à Skagway. Tout le monde.

– Mais pourquoi ?

Il haussa les épaules.

– Parce que tout le monde est devenu fou.

Il ajouta :

– Mademoiselle, vous êtes invitée à déjeuner au carré des officiers.

– Et Matt ?

– Qu'il se débrouille, je ne peux pas inviter tous les passagers de ce bateau !

– Dans ce cas, je ne viendrai pas.

– Comme il vous plaira. Si vous changez d'avis, le déjeuner est dans quinze minutes.

Il sortit de la cabine en s'adressant au mousse.

– Que ma cabine soit libre dans dix minutes.

– Bien, mon capitaine.

Matt entraîna Nome.

– Viens, ne restons pas plus ici. Il te prend pour de la marchandise !

Ils quittèrent la cabine douillette pour se retrouver sur l'entrepont où s'entassaient des pyramides de ballots. Ils se cherchèrent une place, mais il n'y en avait pas et ils se firent éjecter sans ménagement de plusieurs endroits que certains gardaient pour d'autres, partis faire un tour.

– J'ai très faim, dit Nome.

– Allons voir à l'avant.

Elle ne le suivit pas.

– Non ! Je vais aller à ce déjeuner voir ce que je peux soutirer.

– Tu n'obtiendras rien d'autre que des avances.

– Je mangerai en tout cas.

Il ne voyait pas comment la retenir d'autant plus qu'elle paraissait tout à coup très décidée.

– On se rejoint après. Je vais essayer de te trouver quelque chose à manger.

Matt la regarda s'éloigner avec une certaine amertume. Il alla jusqu'à la cambuse où un Chinois vendait à prix d'or quelques victuailles.

– Donne-moi tes billets, je vais les faire sécher.

Comme Matt hésitait, le visage du Chinois se barra d'un large sourire qui découvrait des dents blanches et inégales.

– Tu me prends pour un voleur ?

Matt le jaugea.

– Non.

Mais il n'était pas si sûr de lui.

Il lui tendit la liasse, puis, en attendant que l'homme les fasse sécher sur le petit poêle, il but un café et mangea du pain fourré de viande.

– Qu'est-ce qu'ils vont faire à Skagway, tous ces gens ?

Matt désigna le pont où s'entassait un ensemble hétéroclite de passagers.

– Tu n'es pas au courant ? Ils partent pour le Klondike. Il y a des tonnes d'or là-bas !

– Ils y vont tous ?

– Tous et bien d'autres...

– Comment ça, d'autres ?

Le Chinois montra la mer derrière lui.

– Quand on a quitté Seattle, c'était la folie. Des dizaines de bateaux déchargeaient les marchandises et s'affrétaient pour Skagway. Les places s'arrachaient à prix d'or. Toutes les personnes ici ont payé soixante dollars leur passage, et dix *cents* de la livre de marchandises !

Matt était abasourdi.

– Si tu avais vu ça ! Un sacré foutoir !

– Mais... mais comment est-ce arrivé ?

– À cause d'un bateau qui a débarqué avec une tonne d'or.

– Le *Portland* ?

C'était au tour du Chinois d'être surpris.

– Tu sais ça ? Oui, c'est le *Portland* !

Ainsi Hoxey avait raison. Tout ce qu'il avait prédit se produisait. Matt remercia le Chinois, ramassa ses billets et se trouva une place inconfortable où il put s'asseoir. C'est à ce moment-là, seulement, qu'il prit véritablement conscience de la tragédie qu'il venait de provoquer. En fermant les yeux, il revit les gueules énormes et ensanglantées des orques dévorant ceux qu'il avait précipités dans l'eau et il sut que cette vision le poursuivrait jusqu'à son dernier souffle.

– Mais qu'ai-je fait ? Oh, mon Dieu, qu'ai-je fait ?

Il revit le bateau sombrer et le regard froid du lieutenant sur le pont. Il revit le capitaine qui avait coulé avec son bateau et tous ces hommes qui se jetaient à la mer.

Et il se mit à pleurer, caché entre deux ballots, le corps agité de tremblements incontrôlés.

11.

Lorsqu'il se réveilla, il se croyait encore sur la coque retournée du canot, entouré d'orques rétrécissant les orbes qu'elles décrivaient autour de l'embarcation.

C'était la nuit et un inhabituel silence régnait sur l'entrepont. Il entendit un enfant gémir alors que plusieurs hommes mêlaient leur ronflement à celui des machines. Il voulut aller chercher à boire, mais il y renonça vite. Il aurait dû enjamber les corps qui, tête-bêche, s'étalaient sur toute la surface du bateau. Il aperçut une bouteille posée à côté d'un homme caché sous une bâche et y but quelques gorgées, puis il regagna sa place. Nome n'était pas là. Elle l'avait sans doute cherché, en vain.

Courbaturé, il eut du mal à s'endormir et l'aube le trouva encore fatigué, las et découragé. Il déambula un peu sur le pont où les membres d'équipage avaient fait aménager une voie de passage entre les marchandises, puis alla chez le Chinois boire un café, sans manger, car il n'avait pas faim. Les hommes qui étaient là ne parlaient que du Klondike, et échangeaient les informations qu'ils avaient pu dénicher ici et là.

Matt écoutait d'une oreille distraite car il acquit vite la conviction que les rumeurs les plus folles circulaient, amplifiant les rares renseignements qui auraient pu être valables, mêlant allègrement mensonges et inventions.

Vers midi, il n'avait toujours pas revu Nome quand le vapeur ralentit et s'approcha de la côte où il se mit à l'ancre à l'entrée d'une baie. Peu après, plusieurs canots apparurent et chargèrent des vivres et de l'eau. C'est à ce moment-là que Matt remarqua Nome dans la dunette en compagnie du capitaine et de deux autres membres de l'équipage. Elle riait et le capitaine, plein de verve, semblait développer des trésors de courtoisie.

Il se dirigea vers eux et la héla depuis le pont inférieur. Il avait la désagréable impression d'être un manant quémandant sa part au roi. Elle parut ravie de le voir. Elle dévala les marches et le rejoignit aussitôt.

– Oh, Matt, que je suis heureuse !

Elle brandissait une feuille.

– Quoi ?

– Maman est saine et sauve.

– D'où vient cette liste ?

– De Port Simpson. Ils l'ont apportée.

Elle montrait les canots amarrés au vapeur.

– Ils sont à Port Simpson ?

– Non, un peu plus au nord, à Wrangell. À une journée à cheval.

– Combien y a-t-il de morts ?

Le sourire de Nome se figea.

– Je ne sais pas exactement. Le capitaine parle d'une quinzaine.

– Mon Dieu !

Matt serrait les dents, incapable de maîtriser ses nerfs. Il en voulait à Nome. Il s'en voulait. Il en voulait à la terre entière.

– Et où as-tu dormi ?

Elle releva le menton et le toisa d'un air de défi.

– Qui es-tu pour me parler sur ce ton ?

– Je ne suis rien... rien du tout. Un meurtrier, rien de plus. Comme toi qui sembles faire bien peu de cas de la catastrophe que nous avons provoquée.

Matt baissa les yeux, soupira et s'en alla. Nome ne chercha pas à le retenir et regagna la petite cabine de la dunette où l'attendait le capitaine qui les avait observés attentivement. Maintenant il souriait. Cette nuit, il n'était pas de quart et elle ne résisterait pas. Elle n'avait aucun endroit où aller et il lui offrait la plus belle cabine de ce maudit vapeur, sans parler de sa table où on servait les meilleures victuailles. Par ailleurs, elle n'était pas insensible à son charme de vieux loup de mer autoritaire, il l'avait lu dans ses yeux lorsqu'il était allé la réveiller ce matin, après son quart, accompagné d'un somptueux petit déjeuner. Le poisson avait mordu. Il ne lui restait plus qu'à le ferrer.

Matt se repassait le film de ces derniers jours et surtout la catastrophe, indéfiniment. Il n'avait plus envie de rien, ni de Nome, ni d'or. L'envie de rentrer chez lui... mais il n'avait plus de chez lui et il lui fallait en construire un.

Le *Hal-ki* reprit sa route vers le nord et Matt fit comme le reste des passagers, cherchant à tromper la monotonie du voyage en admirant le panorama, ou en jouant à des jeux d'argent sur le pont. Il ne revit pas Nome. L'eau était rationnée et il se sentait sale. Skagway approchait. Il ne savait toujours pas ce qu'il y ferait.

Le vent passa à l'ouest et une épaisse couche nuageuse s'étendit sur le ciel qui ne laissait rien présager de bon. Lorsqu'il se mit à pleuvoir, tout le monde descendit dans les cales. Plus de deux cents personnes s'y entassèrent. Matt, le visage creux, mangé par une barbe de plusieurs jours, avait maigri et toussait.

Il resta deux jours à somnoler en fond de cale, fiévreux et déprimé.

Dans un demi-sommeil, il entendit un membre de l'équipage crier :

– Dyea !

Et la cale se vida.

Il était arrivé.

Matt monta sur le pont. La pluie avait cessé, mais le plafond était bas. De nombreux chalands faisaient des allers-retours entre les bateaux et la berge encombrée de tentes et de marchandises.

C'est à ce moment qu'il aperçut Nome, sur le pont supérieur, éclatante de beauté dans sa robe impeccable. Il n'aurait pas supporté qu'elle pose son regard condescendant sur sa personne crasseuse. Il se cacha et sauta dans un premier chaland, trop plein, puis dans un second qui accepta de le transporter contre un dollar parce qu'il n'avait pas de bagage. La houle, assez forte ce jour-là, n'aidait pas au déchargement. Les hommes et les chevaux pataugeaient dans la boue et rares étaient ceux qui arrivaient à maintenir leurs marchandises au sec. Sur la plage, c'était un immense capharnaüm, une véritable fourmilière au sein de laquelle Matt retrouva, par l'émulation qui se créait ici entre les hommes habités d'une même fièvre, un regain d'énergie.

Debout sur la plage léchée par les vagues, il faisait face aux montagnes entre lesquelles s'engageait une file de chevaux et d'hommes. Derrière tout cela, loin dans l'immensité sauvage, on disait que de l'or brillait et que des fortunes se faisaient. Et il était là, lui, le petit Matt, parmi les premiers. Allait-il rester les bras ballants ou se battre pour conquérir la place que cette chance lui offrait ?

Maintenant, il avait très faim. Il se dirigea vers l'une des tentes où l'on servait des repas chauds pour deux dollars et s'assit à une table déjà encombrée d'hommes qui parlaient haut et fort des prix pratiqués par les Indiens pour le transport des marchandises.

– Ils sont rendus à vingt-cinq *cents* la livre. Je te parie que, sous peu, il faudra en débourser cinquante.

– C'est la loi de l'offre et de la demande, disait un autre en hochant la tête, convaincu que le prix irait encore au-delà.

– La police montée prépare un convoi. Ils vont s'installer en haut, au col du Chilkoot, pour interdire le passage à ceux qui n'emportent pas assez de vivres.

– Sage décision.

– Tu parles comme un politique. La police n'a rien à foutre ici ! C'est notre droit le plus strict de nous engager là-dedans sans vivres si on en a envie. Si ça continue, j'irai par le White Pass.

Celui qui avait dit cela, un grand costaud aux cheveux noirs, cracha sur le sol de mépris.

– Il paraît qu'il n'y a rien là-bas.

– D'autres disent qu'il y a beaucoup de viande et du poisson en masse. Les Indiens le

86

pêchent à l'automne et le fument pour le conserver. Je suis sûr qu'il y aura de quoi se débrouiller...

– Excusez-moi, intervint Matt.

Ils le regardèrent.

– Quel est l'avantage de passer par le Chilkoot par rapport au White Pass ?

– On raconte que ça devient un sacré merdier là-bas. Nous, on préfère passer par ici. Toi, tu fais comme tu veux.

Matt hocha la tête pour remercier.

Les gars reprirent leur conversation comme s'il n'existait pas. Ils parlaient maintenant de la façon dont ils s'organiseraient avec les chevaux, de la répartition des charges. Matt termina son repas et alla traîner entre les tentes. Il vit quelques chiens. On lui assura qu'il y en avait encore à Skagway, alors il s'y rendit par le chemin qui longeait la baie sur une dizaine de miles. Celui-ci était emprunté par une foule qui, à cheval, à pied ou en charrette tirée par des mules, transportait des stocks impressionnants de marchandises.

– Hé, toi ! T'as l'air costaud. Je t'emmène à Skagway et tu m'aides à décharger.

Matt étudia le contenu de la charrette arrêtée à côté de lui et sauta dedans.

Le type qui l'avait interpellé, un certain Frank, un grand blond aux yeux bruns presque noirs, habitait Skagway et travaillait pour une scierie. Pour une fois, les quelques renseignements qu'il donna à Matt ne lui parurent pas dénués d'intérêt.

Pour descendre le Yukon, à partir du lac Linderman, il fallait construire un bateau susceptible de naviguer jusqu'au Klondike où une ville était en train de naître : Dawson.

– Pour l'instant, c'est une bourgade de quelques cabanes et d'une douzaine de tentes, mais ça va devenir un sacré bled d'ici peu, à voir ce qui débarque chaque jour! lui dit Frank en dépassant une charrette chargée de ballots de foin, plus lente.

Au lac Linderman – Frank était bien placé pour le savoir car il y était allé chasser l'oie l'automne précédent – le bois pouvant servir à construire des embarcations était rare et serait épuisé en quelques jours.

– Il faudra alors contourner le Linderman jusqu'au lac Bennett, ça prendra du temps. Je te conseille d'arriver dans les premiers.

– Il suffit de fabriquer un petit radeau, non?

– Non, il faut une embarcation maniable, sinon tu ne passeras pas les rapides. J'ai des plans, si tu veux, et les outils. Le tout pour trente dollars.

Matt nota l'adresse de la scierie et promit de revenir après avoir acheté un chien à cet Indien qu'on lui avait indiqué. Un vague pressentiment lui conseillait de suivre les conseils de ce fameux Dinsmore dont Michener lui avait parlé. Et il avait besoin d'une compagnie. Un chien ferait l'affaire, en attendant mieux.

12.

Aucun des chercheurs d'or qui étaient rentrés du Yukon n'avait prévu la tempête de publicité suscitée par leur retour. Ils pensaient tous que la nouvelle avait filtré depuis longtemps.

Il n'en était rien. Parce qu'ils étaient coupés du monde par l'hiver et la distance, leur secret avait été préservé. Les indices qui auraient pu déclencher l'hystérie avant l'heure n'avaient pas été pris en compte.

Le miracle doré n'avait donc été révélé au monde qu'à l'arrivée du *Portland* grâce aux preuves concrètes que ces hommes avaient rapportées dans leurs sacs, chargés d'or. Dès le lendemain, ces mots barraient la une de la plupart des journaux du continent américain : « Des tonnes d'or en Alaska ».

Ces mots « tonnes d'or » agirent comme un véritable détonateur et provoquèrent la plus incroyable ruée vers l'or que les États-Unis connurent. Ces mots étaient un enchantement, un appât irrésistible. Du jour au lendemain, les villes côtières, en émoi, se vidèrent pour se concentrer sur les quais d'où partaient les vapeurs à destination de l'Alaska. Tous les bateaux susceptibles de naviguer jusqu'à Skagway arrivaient et chargeaient, au double du prix habituel, des passagers hystériques. Il y avait là, sur les quais noirs de monde, des vaisseaux de ligne pareils à ceux qui franchissent les océans, des bateaux à roue, mais aussi des remorqueurs de rivière aménagés à la hâte. Tout ce qui flottait était réquisitionné. Et les places étaient retenues avant même qu'un bateau n'accoste. Les gens partaient, quels que soient les risques de la traversée sur des bateaux inadaptés. Des hordes d'hommes arrivaient en train ou par tout autre moyen de transport de tout le pays, de l'ouest mais aussi de Montréal ou de Chicago. Ils étaient tous devenus fous.

Et cette folie, par émulation, générait la folie. Dans toutes les villes du Canada et des États-Unis, des hommes quittaient femme, enfant, travail, sans réfléchir, sur un coup de tête. Des villes se retrouvèrent sans un docteur ou sans maire, comme Seattle... Même des juges démissionnèrent.

Ils étaient tous loin, très loin, de se douter de ce qui les attendait dans le pays d'en haut.

Car on ne savait rien de ce pays racheté pour une bouchée de pain par les États-Unis aux Russes en 1867. À cette époque, bien entendu, personne n'imaginait les trésors que recelait son sous-sol. On savait seulement qu'il y faisait froid et que les loups et les grizzlys l'habitaient.

Depuis que l'Alaska était devenue possession américaine, plusieurs centaines de prospecteurs étaient partis à l'assaut de ce pays neuf. Ces intrépides aventuriers de « l'âge d'or » pensaient fort justement que le filon aurifère traversant les Amériques depuis le cap Horn jusqu'en Californie s'étendait vers le nord. Et ils se lancèrent dans ce pays de plusieurs centaines de milliers de kilomètres carrés aussi mystérieux et inexplorés que les régions les plus reculées de l'Afrique ou de l'Asie.

Pendant un quart de siècle, ces aventuriers revinrent au mode de vie des hommes primitifs, s'habillant de la peau des bêtes qu'ils tuaient pour subsister. Pour se déplacer dans les solitudes blanches, ils suivaient en été le cours des innombrables rivières dans des canoës indiens faits avec de l'écorce de bouleau ou avec des peaux graissées cousues ensemble. L'hiver, ils sillonnaient le pays sur des raquettes, parfois sur des luges tirées par quelques chiens. On ignore à peu près tout de ces hommes qui écrivirent dans la neige et les ténèbres des pôles l'histoire fascinante de l'exploration de ce pays sauvage. On sait simplement qu'ils y découvrirent un peu d'or, ici et là, mais en quantité en rien comparable à ce que Henderson et Carmacks mirent au jour au cours de l'été 1897.

Le premier homme blanc à franchir le col du Chilkoot fut un certain Holt. À quarante-cinq kilomètres seulement de l'océan, il atteignit les sources du Yukon, ce fleuve qui traversait tout l'Alaska puis revenait se jeter dans le même océan, après avoir couvert plus de quatre mille kilomètres ! Il est l'un des rares pionniers de l'Alaska dont le nom nous soit parvenu. La plupart, mangés par des loups qui retrouvaient leurs corps roidis par le gel, ou rejetés par les courants tumultueux d'une rivière dans laquelle ils s'étaient noyés, disparaissaient dans l'indifférence. Possédés par le Nord, ces hommes, envoûtés par le romanesque de ce pays et de leur quête, s'acharnaient souvent jusqu'au bout. Ils savaient que l'or était là, quelque part. Ils le sentaient. Alors ils cherchaient avec une opiniâtreté et une foi incroyables. Et ils avaient raison, car à force de retourner la boue, de creuser, de fouiller, l'un d'entre eux tomba sur le plus fabuleux filon qu'on puisse imaginer, celui du Klondike qui allait transformer le pays et le sortir de son anonymat.

On avait découvert des tonnes d'or en Alaska !

13.

Sardaq était l'un de ces Indiens Chilcats qui regardaient avec un certain amusement teinté d'admiration tous ces hommes blancs devenus fous et qui allaient se lancer à l'assaut d'un pays dont il savait, lui, qu'il en retiendrait beaucoup dans ses griffes.

Sardaq ne comprenait pas qu'on puisse se jeter avec une telle frénésie dans un pays impitoyable pour creuser la terre, fouiller la boue à la recherche de cailloux jaunes, sans intérêt aucun. Mais plus rien ne l'étonnait depuis que son peuple avait rencontré l'homme blanc, un être à part, si bizarre, capable du pire et du meilleur. Un homme dont il faut se méfier comme de la pire des maladies, fourbe, vicieux mais parfois tellement impressionnant dans sa capacité à créer, inventer, produire des armes qui tuent à distance ou des bateaux de fer propulsés par des hélices.

Alors Sardaq se rendit compte avec beaucoup d'autres que cette ruée allait être l'occasion pour lui d'accéder aux richesses qu'il convoitait depuis longtemps. Car l'homme blanc pouvait payer cher les services des Indiens, les seuls ici susceptibles de les aider à accéder au pays de l'or.

Dès qu'il vit Matt, Sardaq comprit qu'il avait affaire à l'un de ces ignares capables de mettre la main à la poche pour se procurer ce dont ils avaient besoin. Et Matt avait besoin de chiens. L'Indien en possédait douze. De solides mala-mutes avec lesquels il effectuait en hiver, pour le compte des magasins Ross & Raglan, du transport de marchandises depuis Skagway jusqu'au dépôt de Juneau.

– C'est cher. Très cher !

– Pourquoi ? demanda Matt.

– Tout le monde en veut.

– Les gens cherchent des chevaux, pas des chiens. Qu'en feraient-ils en plein été ?

– Et toi ?

L'Indien riait. Matt, piégé, ne répondit pas.

– C'est une femelle qu'il me faudrait.

– J'en ai une qui est pleine.

Il la lui montra. Une chienne à la fourrure de la couleur de l'or, ce qui parut à Matt un signe de bon augure.

– Je peux te la vendre pour le prix de trois chiens.

– Trois ?

– Les chiennes, c'est plus cher et elle va avoir des petits.

– Combien ?

– Ça, je ne peux pas te dire, entre trois et huit.

– Non, je voulais dire quel prix ?

– Deux cents dollars.

Matt sursauta.

– Deux cents !

– C'est le prix.

– On m'a parlé de quarante dollars pour un chien.

– Soixante pour un bon.

– Qui me dit que c'est un bon chien ?

– Moi.

– Si elle était si bonne que ça, tu ne me la vendrais pas.

– Tous mes chiens sont bons, les mauvais sont morts. Je ne garde pas de mauvais chiens.

Matt apprécia cette argumentation.

– De toute façon, trois fois soixante, ça fait cent quatre-vingts.

– Si tu veux.

– Je t'en propose cent vingt, c'est déjà un sacré prix.

Largement ce que Sardaq espérait, mais il sentit que Matt pouvait en lâcher plus, alors il fit la moue.

– À ce prix, je préfère garder la chienne, élever les chiots et les revendre soixante dollars pièce, cet hiver. Peut-être plus cher encore, car les prix ne cessent de monter, aussi sûrement que la couche de neige s'épaissit en hiver.

Sardaq tourna le dos à Matt, et ouvrit la porte du chenil où il ramassa les gamelles qu'il voulait nettoyer, non pas qu'elles en avaient besoin mais parce que c'était la seule occupation qui lui traversa l'esprit. Il savait d'expérience que le temps était venu de laisser mûrir l'acheteur, tout en le surveillant. S'il partait ou feignait de le faire, il le retiendrait et accepterait cent vingt. S'il restait, il en tirerait plus.

Or Matt, de son côté, suivait le même raisonnement.

« S'il me laisse partir, c'est qu'il est sincère et que la chienne vaut bien ce prix-là ; s'il me retient, c'est qu'il m'a pris pour un pigeon, que le prix est trop élevé ou que la chienne ne vaut rien. »

— Bon ! eh bien, merci. Je vais chercher ailleurs.

Sardaq grogna un vague « au revoir » bougon.

Matt prit la direction du petit chemin qui permettait de rejoindre la piste de Skagway. Mais d'un pas lent, hésitant, ce qui n'échappa pas à Sardaq qui le surveillait, prêt à intervenir.

Matt se retourna au moment même où l'Indien ouvrait la bouche pour le rappeler. Pris à son propre jeu, le visage de Sardaq se barra d'un sourire.

— Coupons la poire en deux, suggéra Matt.

— La quoi ?

— Coupons le saumon en deux, si tu préfères.

— Qu'est-ce que tu proposes ?

— Cent cinquante dollars avec ces deux sacs de portage.

— Je ne m'en suis jamais servi avec elle, mais je suis sûr qu'elle apprendra vite, assura l'Indien, qui se dirigea vers la cabane où il stockait les saumons séchés pour ses chiens.

Il décrocha deux de ces sacs de cuir avec lesquels on bâtait les chiens. Matt en déduisit qu'il avait accepté l'arrangement.

Il lui tendit des billets. L'Indien les prit et les fourra dans sa poche sans les recompter. Il rentra dans l'enclos, passa une laisse au cou de la chienne. Elle le suivit docilement hors de l'enclos. Matt s'apprêtait à la caresser quand l'Indien l'arrêta.

— Pourquoi veux-tu la récompenser ? Elle n'a rien fait !

— Je voulais juste me présenter.

– Alors ce n'est pas comme ça qu'il faut procéder.

Matt recula d'un pas. La chienne le fixait curieusement.

– Laisse-la sentir ta main et, quand elle aura enregistré ton odeur, accroupis-toi et parle-lui en présentant ta main plutôt qu'en la lui imposant.

Matt obéit.

La chienne flaira sa main, puis, quand Matt s'accroupit, elle la lécha, le laissant ensuite lui masser le cou. Elle le regardait et Matt aima ce regard.

– Ça se passe bien, lui dit Sardaq en lui donnant la laisse.

– J'espère, répondit Matt.

– Est-ce que tu as besoin de chevaux pour aller jusqu'à Sheep Camp ? Mon cousin fait du portage pour vingt *cents* de la livre.

– Où se trouve Sheep Camp ?

– À une quinzaine de kilomètres de Skagway.

– Et ensuite ?

– Les chevaux ne peuvent pas aller plus loin. Trop de rochers. Trop de pente. Le portage se fait à dos d'hommes, pour trente *cents* de la livre.

– Je vais voir comment je m'organise.

– Tu ferais bien de faire vite.

– Pourquoi ?

Matt s'attendait à ce qu'il lui dise, comme les autres, qu'il fallait arriver le premier là-bas, mais sa raison était différente. Sardaq lui montra le ciel.

– Bientôt les pluies qui marquent la fin de l'été. Le passage sera glissant et difficile. Mais

c'est surtout le Yukon qui va devenir dangereux. Le rapide de Miles Canyon risque de couler ton bateau.

– Je n'ai jamais entendu parler de ce rapide.

– Tu ne l'oublieras pas après l'avoir passé ou
bien tu seras mort.

Et Sardaq partit dans un grand rire. Il était
content. Il avait vendu au prix fort une chienne
dont il se serait séparé de toute façon. Elle
semait la pagaille dans son attelage car elle était
en concurrence avec la chienne dominante de la
meute.

Matt s'apprêtait à prendre congé quand il
s'aperçut qu'il n'avait pas demandé le nom de la
chienne.

– Comme tu voudras, lui répondit Sardaq en
haussant les épaules.

– Elle s'appellera Or, décida Matt.

L'Indien secoua la tête plusieurs fois. Il ne
regarda même pas s'éloigner Matt et sa chienne.
Les Indiens ne s'attachaient pas aux chiens. Ils
leur étaient utiles, rien de plus. Un chien ne
valait que par ce qu'il était capable de faire. S'il
ne travaillait pas assez pour ce qu'il consommait
de nourriture, il le tuait, de préférence l'hiver
car la fourrure servait à confectionner des
chaussettes chaudes, des moufles ou des chap-
kas.

Matt maintenait fermement la laisse dans sa
main. Il l'enroula autour de son bras, sa veste
protégeant sa peau car Or tirait comme une for-
cenée. Elle paraissait ravie de sortir de l'enclos
où les chiens passaient un été oisif, en attendant
avec une impatience mal contenue l'hiver et les
grandes courses dans le scintillement de la neige
immaculée.

Le soir venu, Or et Matt avaient largement fait connaissance. Il l'avait nourrie avec de la viande, ce qu'elle apprécia particulièrement, tout comme ces marques de tendresse auxquelles elle n'était pas habituée.

Pendant ce temps, sur la plage de Dyea et sur le port tout proche de Skagway, la vague ininterrompue de navires continuait de déverser des flots de chercheurs d'or. Il y en avait de toutes sortes, de tous les milieux, et ils composaient un ensemble des plus hétéroclites. Matt ne put s'empêcher de se demander ce qu'il adviendrait de cette foule lorsque l'hiver étendrait sa chape de froid et de neige sur ce pays impitoyable et se sentit soudain plus fort. Combien de ces hommes avaient son expérience de la forêt, de la chasse en montagne, de la conduite d'un canoë, de la construction en bois rond et de bien d'autres choses encore apprises à la ferme ? Très peu. La plupart quittaient la ville parce que les places financières étaient en crise. Beaucoup n'y retourneraient pas. Et ces morts qu'il pressentait, il les espérait presque car il lui semblait qu'elles lui permettraient d'oublier plus vite la tragédie qu'il avait provoquée. Elles la noieraient dans la masse.

14.

Matt se sentait de taille à lutter contre les forces naturelles de l'Alaska. Cette aventure exaltante était faite pour lui et si un homme sur mille devait tirer son épingle de ce jeu insensé, il ferait partie de ceux-là. Rien ne pouvait ébranler cette conviction.

Avec l'insouciance de la jeunesse et la force que la foi procure, Matt s'était lancé dans l'aventure et maintenant il n'avait plus qu'une envie, arriver au plus vite.

Mais il n'était pas le seul.

Tous ces hommes rassemblés sur les plages de Dyea et Skagway voulaient la même chose. Pour eux, le Klondike était un gros tas d'or dans lequel les premiers arrivés se serviraient, ne laissant que des miettes aux retardataires. Alors on se hâtait. Mais tous les coups n'étaient pas permis, bien au contraire. Une loi, écrite nulle part mais appliquée partout, régissait les us et coutumes de ces ruées où la racaille pullulait. Œil pour œil, dent pour dent. Le voleur était fouetté devant tout le monde, on pendait directement ceux qu'un tribunal, organisé à la hâte et sur les lieux mêmes du crime, désignait coupables de

100

forfaits plus graves. C'était comme si ces hommes, victimes de toutes sortes d'agressions dues au climat et au pays barbare, voulaient, par un tacite accord, se prémunir au moins contre les méfaits que leurs semblables perpétraient ailleurs. Ici, la loi des hommes primait sur la légalité. Et rien n'était possible sans cette impitoyable justice. Ici, il fallait pouvoir laisser un tas de marchandises sans surveillance, personne ne le volerait, ou presque.

Matt errait, Or dans ses jambes, entre les tentes dressées par douzaines sur la plage de Dyea mais ne trouva pas de trace de ses associés. Pourtant, plusieurs bateaux étaient arrivés de Wrangel. De toute façon, il était décidé à ne plus travailler avec eux.

Il acheta une partie de ce qu'il jugea nécessaire au grand magasin Ross & Raglan de Skagway : des allumettes et des bougies, des clous, un marteau, une hache, une scie et plusieurs lames, une moustiquaire, de l'huile contre les moustiques, une boussole, deux gamelles, une chaudière, un pic et une pelle, un poêle en tôle et une petite tente, et enfin une batée, ou « pan », qui était offerte pour toute dépense de plus de deux cents dollars, ce qui était largement son cas.

Le magasin, approvisionné tous les jours depuis le dépôt de Juneau, était littéralement envahi de clients. Il y régnait une atmosphère de fête, quelque chose d'incroyable comme une foire de Noël. Les gens n'achetaient pas. Ils s'offraient un rêve. Ils oubliaient complètement qu'ils allaient devoir porter tout cela sur leur dos. Ils oubliaient qu'ils ne devaient rien oublier, que l'oublier maintenant c'était s'en passer pour toute une année. Ils étaient des enfants qui allaient monter dans un arbre sans même savoir comment ils en redescendraient.

Matt hésitait sur la nourriture à acheter. On lui disait que le pays regorgeait de poisson et de gibier, mais il n'en perdait pas pour autant son bon sens paysan. Il savait mieux que quiconque que le gibier est une denrée rare et qu'il serait vraisemblablement sur-chassé sur les zones où il allait se rendre, pleines de ces hommes qu'il voyait débarquer par centaines, chaque jour. Alors il s'acheta quatre cents livres de nourriture : de la farine, du lard, des fèves et du bacon salé, vendu un dollar la livre, sur le port.

Après tous ses achats, il ne lui restait plus que cent cinquante dollars en poche.

« Et presque huit cents livres de matériel et de nourriture à emporter jusqu'au lac Linderman », pensa Matt en regardant Or qui le dévisageait avec affection.

Il entreposa tout son chargement, soigneusement marqué de son nom et enveloppé dans de gros sacs de jute, près de la tente d'un Canadien chargé d'organiser le convoyage des marchandises à cheval avec les Indiens, en prenant son pourcentage bien sûr.

Matt effectua à pied et en une seule journée le voyage jusqu'à Sheep Camp où il déposa ce qu'il avait transporté sur son dos. De là, avec sa scie, sa tente et quelques victuailles, il entreprit l'ascension du Chilkoot dont la toute dernière partie, juste après un petit replat, marquait trente-cinq degrés de pente. Le tout dans un inextricable chaos de rochers glissants où les hommes ahanaient sous le poids de leur chargement.

En haut du col s'entassaient des lots de marchandises à n'en plus finir. À partir de là, il était facile de rejoindre le lac Crater. Matt y dormit à même le sol, Or lovée contre lui, puis repartit à l'aube et atteignit enfin le lendemain après-midi les rives du lac Linderman.

Il n'y avait là qu'un campement d'Indiens Athapascans et quelques tentes. La plupart des chercheurs d'or demeuraient en arrière, occupés à convoyer des tonnes de matériel.

Matt avisa le petit bois dont on lui avait parlé. Effectivement, il n'y avait pas assez de pins pour construire plus d'une trentaine de bateaux. Il monta sa tente et se mit aussitôt au travail. Or le suivait partout, attentive à ce qu'il disait tout haut et à ce qu'il faisait comme si elle cherchait à mieux cerner celui qui s'occupait maintenant d'elle avec autant de sollicitude.

Matt avait déjà abattu et ébranché onze pins quand il se coucha à la nuit, vers dix heures du soir. Au petit matin, il loua les services d'un Indien et de son cheval afin de transporter les fûts jusqu'à sa tente. Matt en abattit dix de plus et, le soir venu, décida de rester une journée de plus que prévu afin de couper encore une trentaine de pins.

Non loin de lui, un groupe de trois Américains en provenance de Wrangell installait deux portiques, placés à deux mètres l'un de l'autre, sur lesquels ils posaient les grumes. Un homme se plaçait en dessous et actionnait la scie, la faisant aller et venir de concert avec son camarade placé au-dessus. C'était la meilleure technique pour scier des planches avec ces grandes scies de près de deux mètres de long.

Il les observa un moment et profita d'une pause qu'ils s'accordèrent pour se présenter. La discussion s'engagea aussitôt. Les gars voulaient savoir le nombre de prospecteurs qui étaient arrivés après eux.

– Nous, on était dans le premier bateau en provenance de Seattle. Il s'est arrêté à Wrangell pour faire le plein de charbon et on a pu monter en graissant la patte au mécanicien.

– Le bateau devait être plein ?

– À craquer. Mais de Wrangell à Skagway, il n'y a que vingt heures de mer, ça se fait bien, même en cale. Tu es seul ?

– Pour l'instant.

– Tu ne pourras pas construire ton bateau et encore moins le conduire tout seul.

– Je sais.

Les trois gars se regardèrent d'un air entendu.

– Si tu veux, on peut te prendre avec nous. Toi et ton chien.

– Contre quoi ?

– Quarante dollars la place, un dollar les vingt livres de bagage.

– Trop cher !

– Comme tu veux. À ce prix-là, on trouvera deux gars !

– J'en suis certain, mais y a un gars sur dix capable de scier une planche et encore moins qui soit capable de conduire un tel bateau.

– C'est pour ça que tu nous intéressais, t'as l'air costaud.

– Trop cher, je vous dis.

– Où sont tes bagages ?

– En arrière.

– Au col ?

– Non, derrière.

Ils contemplaient le bois empilé près de sa tente.

– T'es costaud et t'es malin. Bientôt, il n'y aura plus de bois.

– Je sais.

– Pendant que tu vas rechercher ton matériel, on va surveiller ton bois. Quand tu seras ici avec tout ton bagage, on aura presque fini le bateau. Plutôt que d'en construire un, vends ton bois et viens avec nous. Tu gagneras du temps et le temps, il va valoir très cher à ce qu'on dit car des concessions, il n'y en aura pas pour tout le monde. Mieux vaut être parmi les premiers...

– C'est vrai.

– Tu es d'accord alors ?

– Je ne sais pas si je pourrai vendre le bois le prix que vous me demandez et puis j'ai près de huit cents livres de marchandises.

Celui qui semblait être le chef de la bande, un certain Mac Greg, au visage anguleux, presque chauve, réfléchit un instant.

– Nous, on a mille sept cents livres. Avec toi, ça fait deux mille cinq cents livres à embarquer et quatre gaillards, ça tiendra.

– Mais pour le prix ?

– À ton retour, on se débrouillera toujours pour vendre le bois. Regarde ! Il n'y en aura bientôt plus.

La proposition paraissait honnête. Matt l'accepta. Il repartit aussitôt avec un Indien, Or et quatre chevaux, et négocia pour près de quatre-vingts dollars le transport de l'intégralité de ses ballots depuis Dyea jusqu'au lac Linderman. Il ne lui restait plus que cinquante dollars.

« Vivement que je trouve de l'or », se dit-il, un peu effrayé, en constatant l'état de ses finances.

Ils firent en une seule journée le voyage jusqu'au col où ils laissèrent les chevaux, incapables de descendre et de monter le Chilkoot, véritable chaos de rochers anguleux et pointus, à plus de trente degrés de pente. C'était à dos d'homme qu'il fallait charrier les ballots et, déjà, toute une file d'Indiens payés pour cela et quelques Blancs effectuaient l'ascension, courbés sous la charge.

En haut, le campement s'étendait d'heure en heure, et la police montée organisait le passage, le refusant à ceux qui tentaient de passer sans le minimum de matériel et de nourriture. Mû par son instinct, Matt se dirigea vers l'agent.

– Je suis déjà passé avec huit cents livres de marchandises, mais je retourne chercher le complément resté à Dyea.

– Comment vous appelez-vous ?

– Matt Herson.

L'agent le nota sur un cahier et le fit signer.

– Destination ?

– Le Klondike.

Mais l'agent n'avait pas attendu sa réponse pour noter « K » dans la case. Il n'y avait que des K dans la colonne « destination ».

– Pourquoi as-tu fait cela ? lui demanda son porteur, un Indien du nom de Kairka.

– On ne sait jamais.

Ils passèrent la nuit au col puis rejoignirent Sheep Camp le lendemain matin, croisant des hordes d'hommes et de porteurs. Kairka refusa de quitter Sheep Camp si Matt ne majorait pas ses prix.

– On s'est mis d'accord pour un prix. Tu ne peux pas le changer maintenant.

– Les prix ont augmenté.

Kairka montra les Indiens qui passaient avec des mules chargées de marchandises.

– Maintenant tous les autres prennent trente-cinq *cents* de la livre.

– Mais une fois le prix conclu, ils emportent la marchandise sans augmenter en cours de route.

– Je n'augmenterai pas.

– C'est pourtant ce que tu fais !

– C'est le prix.

Exaspéré, Matt lui demanda de rendre l'acompte qu'il avait versé, mais il avait confié l'argent à l'un de ses cousins, rencontré en haut du col.

– De toute façon, cet argent est à moi. J'ai effectué tout le voyage jusqu'ici.

La mauvaise foi de Kairka stupéfiait Matt, furieux.

– Le voyage à vide ne compte pas.

– Il compte.

L'impasse. Matt était prêt à étrangler l'Indien qui le regardait comme s'il était un demeuré, mais cela n'aurait servi à rien d'autre qu'à libérer ses nerfs.

– Tu vas monter ce tas-là jusqu'en haut du Chilkoot, on verra ensuite.

– Il faut des mules !

Quand Kairka revint avec deux mules louées pour quinze dollars, Matt avait lui-même traité avec un autre loueur pour dix dollars. S'ensuivit une discussion animée. Finalement, Matt dédommagea l'Indien trouvé par Kairka de deux dollars et le différend se régla. Mais Kairka qui avait négocié en sous-main sa commission bougonna tout le temps du trajet et, le lendemain matin, il avait disparu !

– Putain d'Indien !

Matt était bon pour effectuer seul le transport de ses vingt-quatre ballots de trente-cinq livres jusqu'en haut du col, soit une douzaine d'allers-retours, à raison de deux ballots par voyage. Il

107

n'était plus question de louer les services d'un porteur, il ne disposait plus d'assez d'argent.

Il fit aussitôt la première ascension, alors qu'il s'était mis à tomber un mélange d'eau et de neige, espérant rattraper Kairka, mais celui-ci avait filé. La plainte que Matt déposa contre lui à l'agent de la police montée ne servait à rien, sinon à lui interdire l'accès du col. L'agent doutait qu'il y revienne de sitôt.

Matt avait perdu bêtement quarante dollars et cela le mettait dans une humeur noire.

L'ascension sur les roches glissantes devint infernale même pour Or qui, malgré la rugosité de ses coussinets, dérapait souvent. Matt croisa trois blessés que l'on redescendait à dos d'homme. Pour eux, l'aventure s'achevait ici. Il y avait aussi de nombreux illuminés en costume de ville, certains même accompagnés de femmes et d'enfants qui, devant le spectacle effrayant de ce col à franchir, repartaient en sens inverse. La sélection commençait ici.

Une deuxième sélection était faite en haut par les « Montés », comme on les appelait, qui refusaient maintenant le passage à ceux qu'ils jugeaient incapables de surmonter les épreuves du Klondike.

Grâce à sa présence d'esprit de la veille, Matt figurait sur la liste de ceux qui étaient déjà passés et ne fut pas inquiété. Il pensait pouvoir monter tout son barda en deux jours, mais la neige mouillée avait rendu la pente presque impraticable. Ils se mirent à plusieurs pour installer des cordes, mais celles-ci, constamment en mouvement car utilisées par des douzaines d'hommes en même temps, n'empêchaient en rien les glissades. Matt cessa bientôt de les utiliser alors qu'il était de ceux qui avaient passé le plus de temps à les installer. Sans cesse il fallait s'arrêter pour porter secours à un pauvre bougre qui s'était cassé une jambe ou une cheville entre deux blocs, pour laisser passer ceux qui redescendaient à vide, souvent gelés car le vent s'était mis à souffler, accentuant l'effet du froid. Toutes ces glissades et chutes martyrisaient les chaussures et vêtements, souvent inadaptés et peu résistants au froid. Certains redescendaient en haillons, les pieds en sang car le mauvais cuir ou la toile de leurs bottes déchirées, ouvertes, était irréparable. Ces hommes, contraints à l'abandon avant même d'avoir eu à affronter l'hiver, pouvaient remercier le ciel de leur avoir dressé pareil obstacle. Ils s'en tiraient à bon compte. Plus tard, rien n'aurait pu les empêcher de rencontrer la mort.

Matt croisa même une famille qui redescendait avec deux enfants à moitié gelés. L'un était tombé à la renverse dans les cailloux et saignait abondamment. La femme pleurait en silence. L'homme, hagard, titubait, les yeux dans le vide, comme étranger à ce qui lui arrivait. Ils se mirent à plusieurs pour descendre les deux enfants qui furent chargés sur des mules.

Si la solidarité fonctionnait encore, on voyait bien que cela n'allait pas durer. Il fallait choisir. Monter ou aider, car partout des hommes gelés, blessés, éreintés avaient besoin d'aide. Certains, prostrés quelque part dans la montée, ne bougeaient plus. Matt les secouait, les aidant à se relever, mais de plus en plus souvent, au fur et à mesure que le vent augmentait et que la sensation de froid s'accentuait, les hommes avançaient pour eux, sans plus se soucier des autres, attentifs à leur propre survie.

Matt mit quatre jours à hisser l'ensemble de ses ballots de nourriture et de matériel jusqu'en haut du Chilkoot. Attachée à une tente sommairement montée, Or l'attendait. Il lui avait expliqué qu'elle devait rester là et garder son tas, et elle avait compris, ou du moins n'avait-elle pas essayé de le suivre quand il lui avait ordonné de demeurer sagement couchée.

Durant l'ascension, alors qu'il aidait un pauvre bougre à fixer une attelle sur sa jambe brisée, il fit la connaissance d'un notable de Seattle qui avait vendu une grande partie de ses affaires pour se lancer dans l'aventure du Klondike avec son fils. Matt le retrouva en haut qui négociait avec un Indien le transport de ses marchandises jusqu'au lac Linderman. Il alla le voir.

– À l'heure qu'il est, il n'y a plus de bois au bord du Linderman, il vous faudra aller jusqu'au lac Bennett.

– C'est vrai, confirma l'Indien. Tous les pins bons pour de la planche ont été abattus, mais un bateau pourra vous transporter jusqu'à une bonne place.

– Il n'y a que deux bateaux qui effectuent le voyage, vous allez attendre plusieurs jours votre tour.

– C'est vrai, admit encore l'Indien, mais il existe un sentier le long du lac et, moyennant cinquante dollars de plus, je peux emmener votre stock jusqu'à cette place.

– J'ai mieux à vous proposer, dit Matt, jugeant le moment propice. J'ai coupé du bois au lac Linderman, de quoi construire deux beaux bateaux. Je vous en laisse la moitié si vous transportez mon stock. Il y a un peu moins de huit cents livres.

Méfiant, le dénommé Georges Murdock observait tour à tour le porteur et Matt.

– Et pourquoi avez-vous coupé assez d'arbres pour construire deux bateaux et non un ?

– Parce que j'étais dans les premiers là-bas et que je me doutais que ça intéresserait quelqu'un. Quand on n'a pas de dollars, il faut bien trouver des idées de ce genre.

Georges, qui s'y entendait en affaires, apprécia.

– Qu'est-ce que tu en penses, Bill ? demanda-t-il à son fils.

– Tu devrais accepter, en espérant que le bois soit bon.

– À cet endroit, il est compact. C'est du vieux bois, dense, parfait pour la construction.

– Alors c'est d'accord !

Georges négocia aussitôt avec l'Indien un aller-retour de plus, qu'il ferait après avoir emporté le reste. Matt empila donc son stock à l'extrémité de l'immense pile de marchandises et fit consigner le nombre de ballots sur le registre de l'agent chargé de l'organisation du Chilkoot. Le jeune homme s'inquiétait du retard que tout cela engendrait mais il ne pouvait faire autrement. Ils atteignirent le lendemain soir le vaste campement du lac Linderman qui s'était installé à un mile de là où Matt avait coupé ses pins. Matt s'y rendit directement, laissant Georges, son fils et les deux Indiens dresser leur camp.

Il n'y avait plus personne, pas de bateau, pas même ses fûts, rien que de la sciure et, dans la boue, la trace d'un bateau qu'on avait poussé jusqu'à l'eau.

15.

Fatiguée par la longue journée qu'elle avait passée à courir dans les jambes des chevaux, Or se coucha aux pieds de son nouveau maître, assis sur une souche de pin, peut-être l'un de ceux qu'il avait lui-même coupés.

– Les salopards, ils me le paieront !

Il se mit à pleuvoir et Matt alla s'abriter sous la tente qu'il avait dressée non loin de là. Il se coucha dans son sac, éreinté, après avoir mangé une tranche de lard avec un reste de pain. Il s'endormit aussitôt, contre Or...

C'est elle qui, en aboyant, le réveilla à l'aube. Les chevaux, entravés aux pieds afin qu'ils ne s'éloignent pas trop, broutaient à quelques mètres de la tente, ce qui énervait la chienne.

– Or, calme-toi !

Elle obéit à contrecœur et étouffa encore quelques grognements.

L'aube était grise et froide ; l'air, chargé d'humidité, voilait la surface du lac dont on ne distinguait plus les contours. Matt alluma un feu alors qu'il se mettait à pleuvoir un mélange d'eau et de neige qui traversait les habits. Matt releva le col de sa grosse veste de laine et regretta son petit poêle à bois resté en haut du col et qui lui eût permis de préparer un café dans sa tente.

Il recomptait les billets qu'il gardait précieusement dans la poche intérieure de sa veste lorsqu'il vit Georges et son fils approcher.

– Alors ce bois ? demanda Georges en écarquillant les yeux.

Matt fit un geste vague de désespoir.

– Plus de bois. Plus de bateau. Plus de dollars. Plus rien.

– Vous vous êtes fait rouler, c'est ça ?

– Deux fois. Une première fois par un Indien qui m'a demandé un acompte pour effectuer le transport jusqu'ici et qui a foutu le camp avec, et une seconde fois par ces salopards qui m'ont volé mon bois.

– Si au moins ça vous sert de leçon !

– Sûr que je vais faire attention maintenant.

– Je reviens.

Matt le vit discuter avec son fils. Pendant ce temps, Matt rassembla ses affaires et se prépara à quitter l'endroit pour retourner au col.

– Pas la peine. J'ai envoyé les Indiens chercher votre stock, comme convenu.

– Comme convenu ? Je n'ai plus rien à donner en échange !

– Si, votre travail.

– Comment ça ?

– Je suis seul avec mon fils et, comme vous pouvez le voir, je suis un peu âgé. On a besoin d'un gars costaud comme vous.

– Vous êtes un chic type !

– J'y trouve mon compte.

Sans hésiter, Matt lui serra la main.

– Il n'y a pas de bateau pour nous emmener et le vent va se lever, paraît-il. On va donc marcher jusqu'au lac Bennett, où les Indiens transporteront la marchandise. Je me suis mis d'accord avec eux.

Sur un signe de son père, Bill s'approcha.

– Je suggère que vous partiez tous les deux en avant réserver une bonne place et peut-être commencer à couper quelques fûts. Je vais attendre ici la marchandise et arriverai avec elle.

– Parfait.

Matt démonta aussitôt sa tente et chargea dans son sac la nourriture que Georges avait sortie de ses ballots pour eux.

– Je peux en prendre aussi, dit Bill en constatant la maigreur de son sac comparé à celui de Matt.

– Prends la scie et les deux haches, ça pèse bien assez lourd.

– On pourra apporter la scie avec les mules, proposa Georges.

– Il vaut mieux l'avoir avec nous. On pourra commencer à débiter de la planche.

– D'accord.

Ils se mirent en route une heure plus tard. Ils n'étaient pas seuls. Des dizaines d'équipes apparaissaient, avec déjà le sourire victorieux de ceux qui ont franchi un premier obstacle, à l'image de celui que Matt entendit déclarer à ses compagnons :

– Et voilà, maintenant à nous les mines d'or, il n'y a plus qu'à descendre.

Matt se doutait bien que ce ne serait pas si facile. De dangereux rapides jalonnaient le début du parcours et, ensuite, Dieu seul savait ce qui les attendait encore.

Il fallait contourner le lac en suivant un étroit sentier, taillé tantôt dans la broussaille, tantôt dans la roche qui le surplombait au nord. Un sentier boueux où les fers des chevaux s'arrachaient et où les hommes glissaient. Matt et Bill doublèrent de nombreux convois et aidèrent à dégager une mule, coincée dans un resserrement, qui refusait d'avancer.

Quand ils arrivèrent enfin au bord du lac Bennett, la nuit était bien avancée et la pluie redoublait d'intensité. Ils virent la lueur de quelques tentes éclairées de l'intérieur et se dirigèrent vers elles. À la hâte, ils montèrent la tente de Matt dans le prolongement de celles qui étaient déjà là et se partagèrent quelques tranches de lard froid avec des biscuits. Matt appréciait le jeune Bill, volontaire et toujours de bonne humeur. À seize ans, il faisait déjà preuve d'une belle assurance.

– Je suis content que mon père vous ait choisi pour nous accompagner, lui confia le jeune homme alors qu'ils s'enfouissaient dans leurs sacs de couchage.

– Et moi, je suis très heureux d'avoir enfin trouvé des gens de valeur avec qui faire ce périlleux voyage. Mais je t'en prie, Bill, tutoyons-nous.

– Je veux bien. Bonne nuit, Matt.

– Repose-toi bien, Bill. Demain, il faut abattre et scier.

Matt vit le feu allumé lorsqu'il s'éveilla à l'aube. Bill revenait, Or derrière lui, avec une brassée de bois dans les bras.

– J'ai trouvé un peu de bois sec sous les branches, dans cette forêt épaisse de pins.

– Je vois qu'Or t'a adopté.

– Cette chienne est adorable.

Elle s'approcha de Matt, qui la gratifia d'une caresse tout en observant les alentours. Seules une vingtaine de tentes étaient dressées. Finalement, malgré tous ses déboires, il ne s'en tirait pas si mal. Il était ici dans les premiers et en construisant vite le bateau il gagnerait encore quelques places.

Ils se mirent immédiatement au travail, abattirent des pins et utilisèrent pour les scier le système de ceux qui avaient escroqué Matt. Ils abattaient un pin, le rapportaient et le sciaient en planches, plutôt que de tout abattre et de tout scier ensuite. Ainsi ils solliciteraient tour à tour des muscles différents.

Bill était adroit et costaud. Au début, ils manquèrent quelques planches, mais les suivantes étaient régulières. La position la plus inconfortable était pour celui qui se plaçait en dessous de la grume ; alors, ils se relayaient souvent.

– Ne jouons pas aux durs, dit Bill. Toi comme moi, on est capables de scier en dessous pendant longtemps, mais il faut nous économiser.

Matt apprécia le bon sens du jeune homme. Ils n'avaient rien à se prouver. Il fallait œuvrer ensemble, le mieux possible.

Georges n'arriva que le lendemain. Un éboulis avait rendu le sentier impraticable. Il avait fallu le dégager pendant toute une journée.

– Il paraît que, dans le White Pass, il y a eu de grosses avalanches de pierres et plusieurs morts, les informa Georges.

– C'est pour cela qu'on m'avait conseillé le Chilkoot.

– Ça semble être la meilleure route. Regarde, tous ceux-là sont arrivés par le Chilkoot.

– Oui, mais les premiers venaient du White Pass.

– Au début, ça passait bien, plus maintenant.

– C'est ce qui se dit.

Georges, harassé par sa longue route, jeta un regard circulaire sur les chantiers.

– Vous avez pu couper quelques arbres ?

Bill l'entraîna jusqu'à la clairière où ils avaient fini de débiter la quantité de planches nécessaire et où ils commençaient à équarrir les madriers. Georges s'approcha du tas de planches, en souleva une qu'il flatta du plat de la main et s'arrêta devant le tas de madriers. Il paraissait stupéfait.

– Bon Dieu ! Vous n'êtes pas des feignants !

Et il les gratifia tous les deux d'une grande claque dans le dos.

Ils allèrent visiter un chantier où cinq bûcherons de Seattle finissaient un bateau identique à celui que Matt voulait construire. Il leur demanda quelques conseils, mais, avares de leur temps comme de leur savoir-faire, ils répondirent à contrecœur et en bougonnant. Matt n'insista pas et se contenta de prendre quelques mesures.

– J'ai avec moi des ciseaux à bois, confia Georges.

– Ils vont nous être d'une grande utilité pour assembler les planches le plus justement possible.

– Et le calfeutrage ?

– Du coton et du goudron. On a ce qu'il faut. C'est un gars de Juneau qui nous a recommandé d'en emporter.

– Il a bien fait, répondit Matt, ravi de cette bonne nouvelle.

Le soir, l'ambiance était excellente. Bill avait pêché une douzaine de truites dans l'un des petits ruisseaux qui se déversaient dans le lac et ils les mirent à griller sur la braise, alors que le ciel, lavé de tous les nuages dont il était chargé jusque-là, offrait un magnifique dégradé de couleurs. La fumée éloignait quelque peu les moustiques et moucherons, mais ils étaient tout de même obligés de s'enduire de pommade.

Quant à Or, elle s'était réfugiée dans un coin de la tente où Matt installa le petit poêle et la moustiquaire.

Le lendemain, le vent faisait se ployer la cime des grands pins que l'on retrouverait bientôt débités en planches. Le lac, moutonneux, lançait de hautes vagues sur les rives où les embarcations avaient été reculées jusque dans la forêt.

Mais personne ne restait inactif pour autant. La forêt abritait une ruche où les hommes travaillaient sans relâche, aiguillonnés par la perspective d'une fortune facile qui maintenant leur tendait la main.

Matt ne pensait pas à cela. Certes, il avait envie d'aller vite, mais c'étaient surtout le bateau et le désir de bien faire qui aujourd'hui l'occupaient tout entier. Bill et lui assemblèrent les différents éléments de la quille avec soin, puis taillèrent les madriers de sorte à les enchâsser jusqu'à former un squelette sur lequel restait à joindre les planches. Matt était tout naturellement devenu le maître d'œuvre tant son habileté à tailler le bois était incontestable.

– Tu aimes le bois, n'est-ce pas ? lui dit Georges, le soir, alors qu'ils étaient réunis autour d'un feu.

– C'est une belle matière à travailler.

– C'est ce que mon père disait aussi. Il était charpentier.

– Les ciseaux à bois étaient à lui ? demanda Matt.

– Exact.

– Ce sont de bons ciseaux.

– L'acier vient de Laponie. Le meilleur. Ils nous porteront chance.

– Et nous en aurons besoin !

16.

Presque immobile, l'eau du lac avait la couleur de la brume. Il avait un peu neigé pendant la nuit et les montagnes alentour s'étaient noyées dans le ciel d'une même blancheur. L'automne achevait de dépouiller les aulnes et les bouleaux, alors que les maringouins et moustiques se faisaient plus rares.

En quatre jours, les bords du lac Bennett étaient devenus un immense chantier où plus d'une centaine de personnes travaillaient, abattaient, sciaient, écorchaient, assemblaient, chevillaient, calfeutraient... Et des hommes continuaient d'arriver.

Les tentes en toile s'alignaient méthodiquement et formaient une sorte de village de part et d'autre de ruelles boueuses où chevaux et mules tiraient des charrettes montées sur skis, car les roues enfonçaient et bloquaient dans le sol spongieux.

Un restaurateur de Skagway avait dressé une vaste tente équipée d'un gros poêle en tôle, à l'intérieur de laquelle il proposait pour un dollar café et beignet frit dans l'huile et trempé dans du sucre. Un charpentier avait installé un atelier de sciage de planches. Plus loin, un artisan vendait des outils. Hier, il n'y avait rien. Demain, ce serait une véritable ville.

Depuis cinq heures du matin, Matt dégrossissait les planches et les assemblait. Vers dix heures, il se dirigea vers la tente-restaurant pour s'offrir un café. Une trentaine de personnes s'y trouvaient déjà. On n'y parlait que de bateaux, d'or, de franchissement de rapides et de chevaux.

Matt entrait quand il stoppa net, comme frappé de surprise.

– Oh non ! Dites-moi que je rêve.

Plusieurs prospecteurs s'étaient retournés.

Elle était de dos, occupée à charger le poêle avec des petites bûchettes de bouleau qui crépitaient dans les flammes. Mais il l'avait reconnue.

– La Blanquette !

– Matt !

Ils tombèrent dans les bras l'un de l'autre. Incapable de se remettre de sa surprise, Matt bégayait à moitié.

– Mais... que... qu'est-ce... ?

Elle riait.

Autour d'eux, les hommes s'étaient remis à discuter. Quelques-uns regardaient avec un certain amusement ces retrouvailles incongrues.

– Moi aussi, j'avais envie d'aventure, besoin de changer d'air.

– Mais qu'est-ce que tu vas faire ? Tu vas aller chercher de l'or ?

Elle lui chuchota à l'oreille :

– Je ne vais pas aller le chercher dans la terre mais dans les poches de ceux qui en trouveront.

Il ouvrait de grands yeux et elle lui adressait un clin d'œil entendu.

— Regarde tous ces hommes qui se ruent vers ce Klondike où il n'y a rien ! Ni magasin, ni restaurant, ni hôtel, rien... Regarde ce café. À un dollar le café et le beignet, le patron ramasse plus de cent dollars par jour et des milliers d'hommes arrivent qui en dépenseront chacun dix ici.

Matt commençait à comprendre.

— Ces milliers d'hommes qui seront bientôt au Klondike dans une ville de tentes...

Et elle ajouta, plus bas :

— Sans femmes...

— Tu veux dire que..

— Tu as bien compris. J'ai pas les bras assez costauds pour creuser la terre, mais je suis assez jolie pour que ceux qui en trouveront m'en donnent une partie. Et il y aura assez d'hommes pour que je puisse choisir ceux qui me plaisent et écarter les autres...

— La Blanquette, tu es... tu es géniale !

— S'il te plaît, Matt, appelle-moi Marie. Blanquette est restée là-bas.

Elle montrait le sud.

— Bon, d'accord... Marie !

— À moins que je ne me trouve un nom de scène ?

Et elle tourna sur elle-même, à la façon d'une danseuse. Elle était métamorphosée. Son regard avait la brillance de l'or.

Matt partit dans un grand rire et la prit de nouveau dans ses bras.

— Qu'est-ce que je suis content que tu sois là ! Comment es-tu venue ?

— Par l'un des premiers bateaux. Je connaissais le capitaine. Il m'a trouvé une place. Et toi, quand pars-tu ?

– Le plus vite possible, notre bateau devrait être terminé demain.

Un petit trapu, à la trogne rouge mais néanmoins sympathique, appela Marie pour servir. Elle se dégagea avec douceur des bras de Matt.

– Je viendrai te voir ce soir, après le service.

Il la regarda s'éloigner vers le coin de la tente où, sur des tréteaux de bois, étaient servis les déjeuners. Bill arrivait. Ils burent rapidement un café ensemble et retournèrent au travail. Comme ils avaient bientôt terminé, beaucoup venaient voir comment ils avaient procédé, prenaient des mesures, posaient quelques questions. Matt y répondit avec patience et bienveillance, et, à la fin de la journée, une dizaine de prospecteurs l'avaient invité à visiter leur campement pour partager une bouteille, un morceau de viande, une galette. Il passa la soirée à droite et à gauche, et quand il rentra sur son chantier, un peu éméché, il trouva Marie en grande conversation avec Georges.

– Votre Marie est un vrai conte de fées, lui dit Georges, conquis.

– Ma Marie, c'est un bien grand mot. Marie s'appartient. Elle n'est à personne.

– Celui qui saura se l'attacher sera chanceux, admit Georges.

– Je vois que le charme a opéré !

– Marie veut se rendre au Klondike et je pensais... enfin, je me disais que nous pourrions facilement être un de plus sur le bateau, qu'en pensez-vous ?

Matt partit dans un grand éclat de rire dont Georges ne sut tout de suite s'il était de dépit ou de satisfaction.

– Sacrée Marie ! Qui aurait pu prévoir que j'allais un jour me retrouver en route pour l'Alaska en train de descendre des rapides en ta compagnie ?

– Ça n'a pas l'air de te réjouir !

– Détrompe-toi, j'en suis ravi. Et de toute façon, Georges est notre chef.

– Il n'y a pas de chef, rien qu'une équipe, précisa Georges en levant son verre de rhum, et je porte un toast à notre nouvelle recrue.

– À notre équipe qui a le plus beau bateau et la plus jolie femme du lac Bennett ! dit Bill, qui ne voulait pas être en reste.

– Quand partons-nous ? demanda Marie. Je dois prévenir le patron. Il faut qu'il trouve un remplaçant car je doute qu'il en trouve *une*.

– Demain après-midi. Nous irons camper en haut des rapides afin de pouvoir les étudier.

Matt se rendit compte qu'il venait de décider cela tout seul. Il se reprit, gêné :

– Enfin, je veux dire... c'est ce que l'on m'a conseillé de faire et ce que je voulais proposer.

Georges le regardait avec une indulgence amusée.

– Il faut un capitaine à ce bateau et tu es le plus expérimenté d'entre nous puisque tu as descendu quelques rivières en canoë. C'est toi qui le dirigeras.

– Il faut baptiser ce bateau, dit Bill, montrant ainsi qu'il acceptait la proposition de son père.

– Alors là, je revendique le droit de choisir, dit fermement le père.

Ils étaient tous d'accord.

– Il s'appellera la *Belle Marie*... ou plutôt : *Marie-Belle*, ça sonne mieux, oui c'est ça, le *Marie-Belle*.

– Au *Marie-Belle* ! dit Matt en levant son verre.

Et Bill alla graver les lettres sur la proue du bateau qu'il noircit ensuite avec du goudron.

Ils en profitèrent pour admirer leur bateau qu'ils avaient rempli d'eau afin que le bois ne se fende pas en séchant et firent l'inventaire de ce qu'ils avaient à charger. Environ huit cents kilos de nourriture et un peu plus d'une tonne de matériel. C'était beaucoup et en même temps ridicule si l'on considérait qu'ils allaient vivre un an au moins avec si peu, dans l'un des pays les plus rudes qui soit.

L'excitation était palpable, contagieuse. Tout autour d'eux, les hommes travaillaient, se pressaient. L'air lui-même semblait chargé de cette sorte d'électricité qui exaltait et levait les plus paresseux dès l'aurore. Une émulation se créait entre ces hommes animés de la même foi et que la perspective d'une richesse vite acquise transcendait, les rendant étourdissants d'activité. Une vraie ruche dans laquelle Matt se sentait à sa place.

17.

Deux autres équipes avaient terminé leur bateau dans la nuit et se mirent en route en même temps que le *Marie-Belle*. Par le sud, des centaines de personnes continuaient d'affluer après avoir franchi le White Pass ou le Chilkoot, grossissant les rangs de ceux qui construisaient des barques et des radeaux au bord du lac Bennett. La forêt reculait et les loups, effrayés par le tapage que faisaient les haches, les marteaux et les scies, fuyaient sans vraiment comprendre ce qui pouvait bien bouleverser leur pays de silence.

Après les intempéries des jours précédents, un vent d'est froid et mordant avait chassé les nuages et le firmament était pur. Pourtant, un impénétrable voile semblait s'étendre sur la surface du lac et tamisait le plein jour.

Matt, à la gouverne, maniait la pale en essayant de garder le cap, malgré le vent de côté qui repoussait le bateau vers les berges. La voile carrée en toile goudronnée se gonflait fièrement. Debout à la proue, hiératique, Or avait l'air sculptée dans le bois. Le *Marie-Belle* avait fière allure.

Bill, son père et même Marie s'étaient mis aux rames et souquaient ferme, autant pour se réchauffer que pour compenser la dérive et maintenir le cap. Ils avaient le sourire. La grande aventure commençait vraiment. À partir de là, ils franchissaient le point de non-retour. C'était rassurant même si cela paraissait paradoxal car, jusqu'ici, une part d'eux-mêmes leur avait soufflé d'abandonner ce projet fou. Maintenant ils étaient tout entiers consacrés à sa réalisation. Ils avaient fait leur choix et c'était aujourd'hui devenu irrévocable.

Ils avaient conscience d'abandonner ici une partie d'eux-mêmes et ils restaient silencieux. Ils vivaient tous intérieurement un moment fort qui ne se partage pas. Une autre vie commençait, avec d'autres échelles de valeur, d'autres références, d'autres perspectives.

Matt scrutait l'horizon et pensait à ce qu'il serait quand il repasserait ici, dans un an ou plus. Un autre personnage modelé par ce pays où il s'apprêtait à pénétrer. Qui serait-il ? Il se douta que le grand voyage qu'il allait faire à l'intérieur de lui-même serait au moins aussi enrichissant que celui qu'il s'apprêtait à effectuer en territoire inconnu.

« Qui suis-je aujourd'hui ? »

Matt n'en savait rien. Un jeune homme de dix-huit ans, bagarreur et costaud, tout juste sorti de la ferme familiale et qui aurait pu devenir un paysan comme des milliers d'autres si les circonstances ne l'avaient pas poussé hors de l'exploitation familiale.

Mais il avait eu de la chance. Derrière eux, des milliers d'hommes se précipitaient vers des richesses qu'ils seraient les premiers à atteindre.

Dans quelques jours, les eaux sur lesquelles ils voguaient lécheraient les rives du Klondike et laveraient l'or qu'ils allaient extraire de cette terre d'Alaska.

De la chance ? Il n'en était pas si sûr. Après tout, ils étaient des centaines de dockers occasionnels sur le port et c'était à lui qu'on était venu proposer une association. Matt repensa à ses deux associés, Reid et Hoxey. Qu'étaient-ils devenus ? Les reverrait-il au Klondike ? Il en doutait et ne l'espérait pas vraiment. En revanche, il comptait bien retrouver les salopards qui lui avaient volé son bois.

— Tu as l'air bien pensif, Matt, remarqua Marie, toujours d'excellente humeur.

Il se contenta de sourire. Elle était belle malgré son visage rougi par le froid et il ressentit un petit pincement au cœur à l'idée que ce corps allait servir à d'autres. Serait-il assez riche pour la couvrir d'or et la garder pour lui seul ? Oui, c'est ce qu'il ferait et cette idée lui arracha un sourire alors qu'ils rattrapaient une barque plus petite, partie avant eux, dont l'occupant leur faisait de grands signes.

Ils accostèrent le bateau, le maintenant avec les rames à un bon mètre de distance afin que la houle ne les cogne pas l'un contre l'autre.

— Vous passez Miles Canyon directement ? demanda celui qui barrait la barque équipée d'une voile un peu disproportionnée par rapport à sa modeste taille.

— Non ! On va s'arrêter avant.

— Sur quelle rive ?

— Si nos informations sont exactes, il faut échouer sur celle de droite.

— C'est ce qu'on nous a dit aussi, répondit le barreur, rassuré.

Ils se désunirent et les bateaux se remirent en route. Le *Marie-Belle*, plus large et mieux taillé, prit aussitôt de l'avance.

Miles Canyon! Un passage qui ressemblait à un examen, à une porte d'accès au fleuve Yukon qui déroulait ensuite le tapis de ses eaux tranquilles jusqu'à ce village en train de naître au confluent du Klondike. À l'exception du rapide de Whitehorse que l'on portageait, les passages de Squaw Rapids et de Five Fingers n'étaient que des formalités, de beaux endroits, pas dangereux si on prenait la bonne option. Mais Miles Canyon, situé au bout de l'entonnoir dans lequel se blottissait le lac Bennett, étroit et profond, c'était autre chose. Les Indiens disaient que ce rapide retiendrait dans ses doigts des centaines de *cheechackos*, ces Blancs ignares qui s'élançaient dans le pays du silence avec outrecuidance. C'était là que le Grand Nord commencerait à faire payer l'irrespect avec lequel certains prétentieux appréhendaient ces terres de l'esprit.

En fait, cela avait débuté plus tôt, mais Matt et ses amis ne le savaient pas. Alors que l'hiver approchait, que cette main d'acier se refermait doucement mais implacablement sur le pays, tout le monde se hâtait et le Grand Nord prélevait déjà son tribut. Une avalanche terrible avait eu lieu dans le défilé du White Pass, un blizzard avait balayé le Chilkoot au changement de lune. On comptait déjà des dizaines de morts. Épuisées et découragées par les obstacles, des centaines de personnes faisaient demi-tour, ramenant vers le sud des souvenirs qui noircissaient les colonnes des journaux. Dans le monde extérieur, un autre que celui où entraient Matt et ses amis, on racontait les histoires les plus surprenantes. Les journalistes rivalisaient d'excentricité pour construire des récits sur les péripéties de cette fameuse ruée vers l'or. La moindre bourrasque de neige devenait un effroyable blizzard capable de coucher un train, la moindre baisse de température était exagérée, commentée, et se transformait en coup de froid impitoyable gelant sur pied les chevaux et les hommes qui le bravaient.

Mais, dans leur aptitude bien connue à exagérer la vérité, les journalistes décrivaient le mirage de l'or sous des aspects hyperboliques qui compensaient largement leurs récits dramatiques, et la ruée continuait. Quelques dizaines de milliers de personnes étaient maintenant en marche et allaient tenter au cours de l'hiver le passage du Chilkoot, puis la descente du Yukon.

S'ils l'avaient su, Matt et ses compagnons, qui allaient franchir les rapides de Miles Canyon dans les premiers, auraient sans doute manifesté encore plus de joie et de jubilation. Ils les devanceraient tous de plusieurs jours, de plusieurs semaines, de plusieurs mois même car, à l'heure où ils voguaient sur les eaux du lac Bennett, d'autres se mettaient seulement en marche, de l'autre côté du Canada.

Mais il fallait prendre en compte la ruée qui avait déjà eu lieu à l'intérieur même de l'Alaska et à laquelle personne ne semblait prêter attention. On parlait d'une découverte si importante que des milliers de personnes pensaient pouvoir se servir. Il n'en était rien. Certes, il restait des places, et l'on pouvait encore enregistrer une concession dans le secteur du Klondike, mais les meilleures places étaient prises par les Alaskans eux-mêmes, par ceux de Forty Miles, de Sixty Miles, de Circle City et de tous les campements alentour qui, à des époques différentes, en fonction de leur éloignement et de leur scepticisme à croire en une pareille découverte, s'étaient rendus un jour ou l'autre sur le secteur et y avaient piqueté une concession : un *claim*.

Ceux-là formaient un bel aréopage de chercheurs d'or du cru, des hommes tannés par le froid et les privations d'une vie passée à chercher le filon et qui l'avaient enfin trouvé. Ils regarderaient arriver avec une certaine condescendance ces *cheechackos* du Sud, venus de si loin pour ramasser des miettes. Mais des miettes d'or.

18.

Sur la berge étaient échoués une douzaine de bateaux, ce qui surprit Matt et ses amis.

– On n'est pas les premiers, dit Bill, un peu dépité.

– On n'est pas les derniers non plus et il vaut mieux laisser les autres essuyer les plâtres, répondit Georges, qui trouvait que son fils faisait preuve d'un pessimisme malvenu.

Or fut la première à sauter du bateau que des hommes halèrent sur la berge avant même que l'équipage ankylosé ne se lève. Matt nota tout de suite le changement d'état d'esprit des hommes rassemblés ici, dans un certain recueillement dû à la proximité du danger. Ils étaient solidaires les uns des autres, prenant tout à coup conscience de la futilité de la concurrence qui primait jusqu'ici. Devant la mort, l'homme gagne en humilité, chasse le superflu. Le Nord les marquait peu à peu de son empreinte.

Tous ceux qui étaient là avaient surmonté les mêmes épreuves dans un même but. Nombreux seraient ceux qui ne parviendraient jamais jusqu'ici. Au-delà, c'était le Yukon, le pays du silence où ils ne seraient plus des hommes noyés

132

dans une masse mais Bill, Matt, Marie, Georges, des individus marqués du sceau de ce qu'ils auraient vécu et de comment ils l'auraient vécu. À partir d'ici, on ne volait plus car le voleur n'avait nulle part où aller, on ne trahissait pas car le traître ne pouvait fuir, on ne refusait pas d'aider car demain, chacun le savait, le pressentait, il faudrait s'entraider pour survivre.

Les visages commençaient à se ressembler, ils avaient pris les couleurs de ce voyage : un teint hâlé par le soleil, un visage creusé et ridé par le vent et la froidure, des bouffissures sous les yeux dues à la fatigue et au manque de sommeil, le regard lucide de ceux qui vont jouer leur vie sur un remous, une vague, un rocher.

Marie détonnait. Elle avait certes le visage rougi par le froid et les traits un peu tirés, mais elle restait fraîche et avait ce teint de fruit mûr dans lequel on a envie de croquer à pleines dents. Parce qu'elle était ici, les hommes la traitaient avec un respect qui lui redonnait une dignité à laquelle elle n'était ni préparée ni accoutumée. On ne lui avait jamais témoigné la moindre considération. Pour son corps, oui, mais jamais pour elle en tant que personne. Ici, elle était une reine. La reine du Grand Nord. Aucun des soixante hommes réunis ici n'ignorait son nom une heure après qu'elle eut débarqué. Elle en souriait comme on s'excuse, en baissant le front, timide et un peu inaccessible, accentuant d'autant son charme qui n'avait plus besoin de cela.

Cette notoriété, cette considération rejaillissaient sur les trois hommes avec lesquels elle faisait équipe et Matt riait de cette blague que leur faisait l'Alaska.

Or jouissait elle aussi d'une certaine considération car parmi tous les chiens qui étaient ici, une douzaine de malamutes et de huskies, elle était la seule femelle. Elle régnait, loin des exercices de soumission et de hiérarchie auxquels sont habitués les mâles, sans arrêt en train de se défier, en perpétuelle situation de rivalité. Mais, contrairement à Marie, elle s'en accommodait fort bien et parcourait hautainement le campement, sa cour autour d'elle, servile et soumise.

Plusieurs bateaux, cinq ou six, avaient tenté le passage que les averses de ces derniers jours avaient rendu plus dangereux encore. Deux avaient été retournés par les vagues, un troisième s'était fracassé contre un rocher qui s'évitait facilement à condition de bien prendre à gauche sur la fin et de ne pas se laisser entraîner ensuite dans un remous qui pouvait vous repousser vers lui. Tous les naufragés n'étaient pas morts, quelques-uns avaient été repêchés plus loin, mais les chances d'en réchapper restaient faibles.

– Un bateau sur deux, dit Georges avec une moue résignée.

– Mais ils n'avaient aucune expérience, répliqua Matt, qui ne pouvait s'empêcher de penser à ceux qui lui avaient dérobé son bois.

Faisaient-ils partie de ceux qui avaient échoué ? Il n'allait pas jusqu'à espérer qu'ils se soient tués. Il avait surtout envie de les retrouver, de plonger son regard dans celui de l'un de ses voleurs pour voir la peur décomposer son visage. Il jouirait de cet instant-là.

– Il vaudrait peut-être mieux portager, comme s'apprête à le faire le groupe de Donald Ross, proposa Bill.

Ce n'était pas l'avis de Matt. Le portage qui s'effectuait dans la forêt sur un sentier de plus de quatre kilomètres prendrait au moins trois jours. Puis il faudrait cordeler le bateau, c'est-à-dire lui faire descendre le canyon en le retenant au moyen d'une corde depuis le haut, sans le fracasser contre la paroi vers laquelle le courant, les vagues et les remous l'entraîneraient inéluctablement.

– À vide, le bateau serait plus maniable et deux d'entre nous pourraient le conduire plus facilement, insista Bill.

– Au cas où je ne serais pas sélectionné, je viendrai de toute façon prêter main-forte à ces deux-là, répliqua Georges, qui n'approuvait pas cette idée.

– Et moi, je vous accompagnerai, dit Marie en guise de conclusion.

– La décision est donc prise, nous tenterons tous le passage.

Ils acquiescèrent, conscients de l'engagement qu'ils prenaient, au risque de leur vie.

Dès lors, Matt se renseigna sur les circonstances des accidents, les options choisies par ceux qui avaient échoué et ceux qui avaient réussi, la taille, la forme et le chargement des bateaux, et il acquit peu à peu la conviction qu'ils avaient toutes les chances de passer. Le poids était bien réparti dans leur bateau tout en longueur et donc plus maniable, et ils bénéficiaient de l'expérience des autres.

Le lendemain, Matt partit en reconnaissance à pied. Après s'être rétréci jusqu'à former un méandre, le lac se lançait entre des murs rocheux escarpés, séparés par une distance d'à peine quatre-vingts mètres. Cette énorme quantité d'eau comprimée dans un passage aussi étroit prenait une vitesse terrifiante se manifestant par de gigantesques bouillonnements et d'immenses vagues qui se dressaient avec la rigidité de murailles. La pression des falaises et l'action combinée du courant et des vagues soulevaient le centre des rapides qui prenait la forme d'une épine dorsale, une sorte de « crinière » sur laquelle il fallait tenter de se maintenir sous peine d'aller se fracasser contre les parois. À cela s'ajoutait le risque d'être submergé par le chaos déchaîné ou retourné par une vague.

C'est ce qui faillit arriver à ceux qui ce jour-là tentèrent le passage. Ils réussirent à se maintenir à peu près où il fallait, mais leur barque, trop chargée, mal équilibrée, embarquait de l'eau de toutes parts et ils parvinrent quasi submergés à la sortie du goulet.

– Au moins, ils sont sains et saufs ! fit remarquer Marie, alors qu'ils regagnaient difficilement la berge en écopant et en ramant avec le peu de force qu'il leur restait.

– Ils auront perdu pas mal de marchandises, dit Bill. Leurs sacs de farine sont dans l'eau.

– Allons voir.

Ils empruntèrent le sentier conduisant jusqu'à l'endroit où les bateaux accostaient après avoir franchi le rapide. C'était là aussi que les hommes déposaient les marchandises portagées puis repartaient, effectuant jusqu'à vingt allers-retours, parfois plus. Des Indiens Siswashs payés à la tâche, environ dix *cents* la livre, se faisaient embaucher par les plus fortunés. Ils dépassèrent un groupe qui roulait une barque sur le sentier grâce à des billes de bois.

Lorsqu'ils atteignirent la berge, des hommes étaient en train de haler la barque qui avait dérivé un peu en deçà du campement. Matt remarqua tout de suite l'un des hommes, à la moustache grise et au crâne presque chauve, qui contemplait le campement d'un air hagard, encore sous le choc.

À l'intérieur du bateau, la nourriture, le matériel, des sacs de farine gisaient pêle-mêle dans l'eau. Une rame était cassée, un aviron avait disparu, le mât qui permettait de carguer une voile était brisé et le flanc du bateau présentait une mauvaise fissure, sans doute due à un rocher.

– C'est bon, t'es passé, dit Matt au type à moustache.

L'homme leva les yeux vers lui et éclata de rire, d'un rire nerveux, amer et dur.

– Je suis passé ! Je suis passé ! Tu parles que je suis passé. On est à moitié morts, oui.

Ses compagnons le regardaient d'un air effrayé.

– On va crever ! On va tous crever !

Et il montrait du doigt ceux qui faisaient cercle autour de lui.

– Tous ! Vous allez tous y passer !

L'un de ses compagnons s'avança et le prit sous le bras, faisant signe à un autre de l'aider.

– Viens, Walt ! C'est bon. On va se reposer. On verra après.

Il se laissa faire en bougonnant.

– C'est tout vu ! Tout vu !

– Oui, Walt. On est d'accord.

Les hommes rassemblés là n'osaient pas se regarder. Un silence pesant suivit le départ des trois rescapés.

– Il y a ceux qui meurent et les autres deviennent fous, voilà ce qui attend ceux qui tentent le passage.

Matt leva les yeux pour voir celui qui avait parlé. Un homme bedonnant, l'air avachi par l'âge et l'obésité. Un type qui n'avait rien à faire ici. Matt le toisa.

– Et puis il y a ceux qui causent pour rien dire.

Et il s'en alla, Or sur ses talons. Bill, Georges et Marie, assis sur le bord de l'une des barques, se levèrent pour le suivre.

– C'est qui ce gamin encore au biberon pour me causer comme ça ? protesta le bedonnant.

– C'est celui qui va passer le rapide demain et je te parie qu'il ne sera ni fou ni mort en arrivant ici.

Marie souriait, fixant le type droit dans les yeux. Les autres observaient en riant eux aussi. Le bedonnant haussa les épaules et s'éloigna sans rien dire.

19.

Matt amarra solidement les deux avirons de manière à ce qu'ils ne puissent pas sauter de leurs attaches et attribua une place à chacun de ses amis, Bill à l'avant et lui à l'arrière, alors que Georges et Marie, qui ne savaient pas manier l'aviron, prendraient chacun une rame. Or irait où elle voudrait à condition de ne gêner aucune manœuvre.

Toute la marchandise avait été soigneusement arrimée avec des cordes et coincée avec des cales, les sacs de farine bâchés dans la voile goudronnée et mis sur le dessus de la cargaison.

– On y va !

Un autre bateau s'apprêtait à partir mais attendait que le *Marie-Belle* s'engage dans le goulet pour le suivre. Les spectateurs, une bonne centaine, car de nombreux bateaux étaient encore arrivés la veille, les observaient depuis les falaises.

Poussé par une dizaine d'hommes, le *Marie-Belle* quitta le campement sous les « Olé ! À bientôt, à Dawson. Bonne chance ! » et glissa un court moment, emporté dans sa lancée sur les eaux lisses et un peu huileuses. Un photographe posté à l'entrée de la passe prit un cliché.

Ils souquèrent dur pour rejoindre le centre de l'eau afin de rentrer dans la gueule du goulet en bonne position. Aussitôt, ils furent comme aspirés par les flots en furie. Matt poussa sur les avirons en criant à Bill de faire de même pour se positionner sur la « crinière » du courant. Les parois rocheuses défilaient déjà à une vitesse vertigineuse. Le courant était coupé de vagues de plus en plus hautes et le bateau, paralysé par son poids, piquait du nez et embarquait de l'eau par l'avant, alors que Bill maintenait fermement sa position malgré les paquets d'eau qu'il recevait. Georges et Marie concentraient toute leur énergie dans l'effort nécessaire pour ramer, ce que Matt leur avait ordonné de faire sans se poser de questions d'un bout à l'autre du canyon. En effet, Bill et lui ne pourraient diriger le bateau qu'avec un minimum de vitesse par rapport au courant.

– Bill, appuie !

Mais la voix de Matt se perdait dans le vacarme. Il appuya de toutes ses forces sur l'aviron, mais au même moment une lame souleva l'arrière du bateau qui s'écarta du haut de la crinière, pris dans un courant transversal. Emporté dans un chaos, le *Marie-Belle* menaçait maintenant de se fracasser contre la falaise dont il se rapprochait dangereusement. Il fit quelques cabrioles dans les courants contradictoires et embarqua encore de l'eau, tout en continuant de dévaler le torrent à pleine vitesse. Matt ne perdit pas son sang-froid, mais soudain le bateau tapa une vague plus haute que les autres et fit un demi-tour complet si bien que l'arrière se retrouva à l'avant, puis il continua de tourner, pris dans une sorte de tourbillon qui menaçait à tout instant de le faire chavirer. Bill cria quelque chose que Matt n'entendit pas. De toute façon, ils ne contrôlaient plus le bateau. Ils devaient à présent s'en remettre au destin. Au moment où ils se crurent perdus, une longue déferlante prit le bateau de côté et l'éloigna de la falaise vers un passage plus calme. Matt retrouva ses esprits en entendant hurler au-dessus de lui. L'un des spectateurs postés en haut de la falaise criait pour l'avertir de quelque chose qu'il ne comprit pas tout de suite.

– À gauche !

Devant eux, les courants se divisaient et, s'ils ne s'engageaient pas dans celui de gauche avant d'aborder la deuxième partie du goulet, ils iraient se fracasser contre les rochers. Matt prit une profonde inspiration et ordonna à ses compagnons de reprendre aussitôt leur place. Il appuya lui-même de toutes ses forces sur son aviron et parvint juste à temps à rejoindre une sorte de gros remous qui l'amena naturellement sur le bon courant. Ce parcours ne fut qu'une répétition de celui effectué sur la première moitié, et en moins d'une minute, à la vitesse d'un cheval au galop, alternativement ballottés de droite et de gauche, ils se retrouvèrent dans le lac. Les parois rocheuses et le vacarme des eaux déchaînées s'éloignèrent, aussitôt remplacés par les acclamations de ceux qui leur faisaient des signes de victoire depuis le bord. Marie se jeta dans les bras de Matt, bientôt rejointe par Georges et Bill. La peur qu'ils avaient éprouvée s'extériorisait dans de grands éclats de rire et des hurlements de joie que Matt lançait dans l'air clair de ce bel après-midi d'automne. Ils avaient joué leur vie et gagné. Matt connut un sentiment de triomphe qui le bouleversait de bonheur, l'exaltait. Jamais il n'avait ressenti une telle extase. Il ne pouvait se détacher du corps de Marie, serré contre le sien.

Ils accostèrent et furent pris dans un autre tourbillon. On leur tapait dans le dos, on les congratulait, d'autres plaisantaient. Matt prit Marie par la main et l'entraîna hors de ce remous humain. On ne faisait plus attention à eux car tous halaient le bateau sur la rive pour le vider de l'eau embarquée.

Matt courait maintenant.

– Viens, répondit-il seulement quand Marie s'inquiéta en riant de savoir où il l'entraînait.

Elle riait encore quand, essoufflé, il s'arrêta et la coucha sous lui dans les hautes herbes entre le lac et la forêt. Il l'embrassa goulûment en arrachant ses vêtements plus qu'il ne les enlevait. Il éprouvait un désir violent de faire l'amour, de jouer avec la vie après avoir joué avec la mort, de sentir sous lui battre un cœur et de s'oublier passionnément avec celle qui avait partagé cet instant sublime. Faire l'amour, c'était un hymne à la vie. La risquer, c'était prendre conscience de sa vulnérabilité en même temps que de sa grandeur.

Ils se fondirent dans une étreinte brève mais ardente et restèrent longtemps l'un contre l'autre, silencieux et graves, encore étonnés du flot de sentiments que cet après-midi avait déclenché en eux.

– Je crois que je t'aime bien, Marie, dit soudain Matt.

– Qu'est-ce que tu veux dire par là ?

– Que mes sentiments à ton égard m'étonnent.

– Ils t'étonnent parce que tu ne m'en trouves pas digne ou parce que tu n'as pas l'habitude d'éprouver cela ?

Il ne savait pas.

– Je crois que je n'ai pas envie de te voir passer sous des dizaines de chercheurs d'or.

Elle ne dit rien pendant un long moment, puis elle se rhabilla.

– Je t'aime bien aussi.

À son tour, il ne sut trop ce que cela voulait dire, mais il s'en contenta.

De retour au campement, ils furent aussitôt ramenés à la dure réalité. Une barque ramenait un cadavre et deux naufragés qu'on avait repêchés sur les cinq personnes que comptait le bateau ayant tenté de suivre le *Marie-Belle*.

– Je les avais oubliés, ceux-là, fit tristement Matt. Où sont les autres ?

Le gars qui était à côté de lui fit un geste vague. On ne les retrouverait pas.

Il s'avança pour apercevoir le cadavre. Il était salement amoché. Le pauvre type avait vraisemblablement heurté plusieurs rochers. C'était le risque. Quand le bateau chavirait, même si les naufragés résistaient au froid, échappaient à la noyade, ils avaient peu de chance de ne pas percuter un rocher ou la falaise. En regardant mieux, Matt reconnut l'un de ceux qui, hier encore, riaient autour du grand feu de camp dressé au milieu des tentes. Un sentiment de dégoût et d'amertume succéda à l'euphorie. Matt s'éloigna et marcha au hasard jusqu'à une petite crique où il observa pendant près d'une heure une famille de castors au travail. Tout à la réminiscence de souvenirs anciens et douloureux, il n'entendit pas la clameur qui s'éleva par-dessus les arbres quand un autre bateau, celui-là victorieux, sortit du goulet. Il rentra tristement au campement, hanté par tous ces naufrages qui lui rappelaient celui du vapeur.

20.

La police montée interdisait maintenant le Chilkoot à ceux qui ne franchissaient pas le col avec la quantité de nourriture nécessaire pour un an, estimée à 1 145 livres de vivres et on ignorait comment ils en étaient arrivés à ce chiffre! Les « montés » percevaient aussi un droit de douane de quinze dollars par mille livres de nourriture et de trois dollars pour le reste des marchandises, qui finançait les installations. Une corde fut ajustée pour rendre plus facile l'ascension du col enneigé dont les pierres angulaires éclatées et glissantes blessaient les hommes chargés, épuisés et empressés de parvenir les premiers au Klondike.

Et des petites fortunes commençaient à se faire : les Indiens qui transportaient les charges pour des prix de plus en plus exorbitants, ceux qui louaient des chevaux ou vendaient le matériel du parfait prospecteur, ceux qui s'étaient installés tout le long de la route et procuraient des repas hors de prix aux voyageurs éreintés.

À Dyea et à Skagway, sur la route qui menait au Chilkoot, bon nombre de voyageurs, découragés par les risques et les privations, par l'inconfort de cette vie aventureuse dans les pluies et les neiges, s'en retournaient déjà, estimant que leur vie ne valait pas le coup d'être risquée pour un Klondike dont ils ne savaient même plus eux-mêmes s'il existait vraiment.

Le lendemain, Matt retourna à l'entrée du goulet par le sentier de portage pour récupérer les munitions de la carabine de Georges qu'il n'avait pas voulu mettre dans le bateau. Il fut frappé de constater combien ces centaines d'hommes manquaient pour la plupart d'opiniâtreté.

Comme il avait franchi le goulet victorieusement, il était célébré en héros par ceux qui l'avaient vu partir. Ils lui demandaient toutes sortes de conseils, qu'il prodigua avec patience. Un homme marqué par les épreuves vint le trouver. Trois de ses équipiers sur huit abandonnaient ici. L'un deux souffrait du dos, l'autre s'était démis une épaule, le troisième était épuisé. Ils marcheraient le long du lac et reviendraient à Skagway en reprenant à l'envers cette route qui les avait découragés. Ils abandonnaient à leurs camarades, pour presque rien, leur stock de nourriture et de matériel.

Matt accepta de conduire leur bateau dans le canyon contre une partie du stock dont ils n'avaient pas vraiment besoin.

– Cent livres de lard, un sac de riz et deux de farine pour vous conduire là-dedans.

– Ça marche !

Ils estimaient que ce n'était pas trop cher payé pour retourner dans ce tunnel infernal. Matt vérifia le bateau, qui était bien construit, et modifia la longueur des avirons, trop longs et mal fixés, puis il fit rajouter des rames et rééquili-

146

bra le chargement. Des douzaines de curieux le regardaient faire et chuchotaient entre eux, commentant chacun de ses gestes, s'apprêtât à le copier. S'il était déjà passé une fois et qu'il s'apprêtait à recommencer, cela démontrait son assurance. Sa réussite n'était pas due au hasard, mais bien à sa connaissance de l'eau et à son talent.

Matt fit ses dernières recommandations aux cinq hommes auxquels il avait distribué les tâches et ils s'en allèrent sous les hourras.

Les hommes étaient costauds et adroits et firent exactement ce que Matt leur avait demandé. Ils donnèrent au bateau de la vitesse, ce qui permit à Matt de le maintenir à peu près où il voulait dans les flots déchaînés. Quatre minutes plus tard, il sortait du goulet, avec à peine cent litres d'eau dans le bateau.

Matt s'en voulut presque de sa peur rétrospective lors du premier passage. Il n'imaginait pas que cela pouvait être si facile. Au camp, on l'accueillit avec des vivats, à l'exception de Marie qui lui reprocha d'avoir risqué inutilement sa vie. Georges était parti, accompagné d'Or, pêcher en aval du camp.

– Notre peau, on la jouera bientôt pour un sac de nourriture, répliqua-t-il.

– Qu'est-ce qui te fait dire cela ?

– Regarde.

Il lui montrait l'étendue de la forêt autour d'eux et le fleuve noyé dans la brume.

– Tu penses que ce sera facile de se nourrir là-bas ?

– Dawson est ravitaillé par les vapeurs depuis la mer de Béring.

– Comment sais-tu cela ?

– C'était dans le journal à l'arrivée du *Portland*. Il y avait même un plan.

Matt fit une moue dubitative.

– Et tu crois que Dawson a prévu une arrivée aussi massive de gens ?

– Je pense que Matt a raison, intervint Bill. Il y a sans doute des vivres là-bas et nous serons dans les premiers, mais nous ne les obtiendrons jamais à ce prix-là.

– Ce prix-là ! Comment, ce prix-là ? Mais c'est avec sa vie qu'il paie. Tu l'estimes à combien pour trouver ça peu cher ?

Elle avait haussé le ton et Bill s'empourpra.

– Tu ne m'as pas bien compris.

– Si, j'ai très bien compris, et...

– Holà ! Holà ! Calmez-vous, l'interrompit Matt, que cette intervention protectrice amusait.

– Et le sac ?

– Il est resté là-bas. Je retourne le chercher.

Marie le regarda en plissant les yeux de colère.

– Tu ne vas pas en descendre un autre ?

Cette fois, Matt ne riait plus.

– Je ferai ce que je voudrai.

– Très bien !

Et elle s'en alla, furieuse.

– Je viens avec toi, asséna Bill.

– Pas question.

– Comment cela ?

C'était au tour de Bill de rougir de colère. Matt marmonna de vagues excuses, regrettant que Georges soit parti pêcher et ne puisse donner son avis.

– Après tout, tu es assez grand pour décider toi-même de ce que tu dois faire.

Sur le sentier de portage, ils rencontrèrent plusieurs groupes dont un constitué par un couple et leurs deux enfants d'environ treize et quinze ans. La femme, élégante et courageuse, l'air déterminé, portait deux sacs de farine sur son dos avec une courroie de cuir passée sur son front. Ses cheveux étaient retenus par un foulard de soie verte qui faisait ressortir ses yeux clairs. Elle croisa le regard de Matt, qui lui adressa un sourire encourageant.

– Vous ne serez pas seule ce soir, lui dit-il alors qu'elle s'arrêtait à sa hauteur. Une femme qui se prénomme Marie se trouve déjà au camp.

– On m'en a parlé, lui répondit-elle. Une femme ne passe guère inaperçue dans cette marée d'hommes.

Matt le savait.

– D'autres femmes suivent. Nous ne serons pas seules là-bas.

Elle montrait le nord.

– Tant mieux, lui répondit Matt, et ils se séparèrent.

En haut des rapides, la rumeur avait circulé. Les nouveaux arrivants savaient que Matt avait franchi le défilé très facilement et le nombre de ceux qui décidaient de tenter le passage augmentait. Matt fit savoir qu'il guiderait un dernier bateau. Il refusa de prendre les deux premiers qu'on lui proposa, les jugeant trop lourds et peu maniables.

Moyennant une rémunération de cent dollars, il accepta de conduire celui d'un groupe de pêcheurs de Seattle, une barque parfaitement équilibrée. Bill choisit un bateau plus large, à fond plat, mais qui semblait bien construit et surtout très solide. Il était payé le même prix.

– Tu n'as qu'à me suivre, proposa Matt.

– Tu as réussi deux fois sans suivre personne, je peux faire de même, non ?

Bill le défiait du regard.

– J'en suis sûr, mais autant limiter les risques, tu ne crois pas ?

Le jeune homme hésita.

– Non, je préfère passer seul. Suivre me déconcentrera. On ne peut pas surveiller à la fois un bateau devant soi et les pièges de ce rapide.

– En passant où je passe, tu éviteras les pièges.

– Rien ne prouve que tu arriveras à repasser par où tu es passé.

Cet argument désarma Matt.

– Comme tu voudras !

Dès lors, chacun se prépara de son côté. Un équipage demanda à suivre Matt dont chacun savait qu'il avait déjà réussi. Il accepta à condition qu'il conserve un écart de deux cents mètres pour éviter tout risque de télescopage au cas où l'un d'entre eux serait freiné par un remous ou un contre-courant.

– Tu es sûr de toi ? Tu ne veux pas suivre ? essaya Matt une dernière fois.

– À tout à l'heure, de l'autre côté, fut la seule réponse de Bill.

« Il a besoin de s'affirmer, pensa Matt, et cette occasion est trop belle pour lui. »

Il était tard et une lueur un peu mauve coulait sur le lac, prémices d'un crépuscule coloré qui plongeait déjà dans l'ombre certaines parties du canyon.

– Allons-y !

L'un des équipiers de Matt se signa, puis ils se mirent en position. Les hommes ramaient vigoureusement et Matt tempéra un peu leur ardeur de peur qu'ils ne relâchent leurs efforts lorsque cela serait vraiment nécessaire dans les tourbillons et les vagues. Mais ils étaient forts et endurants, et la peur faisait sécréter aux corps de l'adrénaline qui multipliait leur puissance. Ils passèrent le premier défilé en embarquant beaucoup d'eau, emportés deux fois par des lames de travers si bien que Matt eut toutes les peines du monde à replacer le bateau dans le bon courant. Tout se joua à quelques mètres près. Matt crut qu'il allait heurter le rocher baptisé depuis peu le « rocher de la passe », mais ils l'évitèrent. Les vivats les accueillirent de nouveau.

Derrière eux, le premier bateau, plus léger, passa encore mieux. En revanche, le bateau de Bill ne se montrait pas. Ils attendaient en ramant doucement pour se maintenir dans le contre-courant, à quelques centaines de mètres du campement, lorsqu'ils entendirent des cris. Matt leva la tête et aperçut un homme qui leur faisait de grands signes depuis le haut d'un rocher d'où on avait vue sur la seconde partie du canyon. Quelques secondes plus tard, ils virent les débris d'un bateau disloqué, qui roulaient dans la queue du courant puis, aussitôt, le corps d'un homme dont la chemise de toile gonflée faisait comme une grosse bulle.

– Vite !

Ils ramèrent de toutes leurs forces vers le corps, mais ils en avaient perdu beaucoup dans le passage et, même si le courant ici n'était pas fort, ils remontaient difficilement. Les débris et le corps tournaient dans un tourbillon.

– Un autre !

Celui-là vivait. Matt reconnut un des gars de l'équipage mené par Bill. Il s'accrochait par un bras aux restes du bateau. Ils halèrent le type dont l'autre bras, brisé, pendait dans le vide. Il était temps. Il respirait avec peine et perdit connaissance. Ils l'allongèrent dans le fond de la barque. Sur l'autre bateau qui avait suivi Matt, on avait aussi récupéré deux types. Mais pas de traces de Bill. Ils repêchèrent un dernier survivant, puis plus rien. Deux bateaux arrivaient à la rescousse, leurs occupants ramant vigoureusement vers la gueule du rapide.

– Il en manque combien ?

– Au moins quatre.

Happés par des lames de fond, les corps qui ne se maintenaient pas à la surface de l'eau étaient souvent rejetés bien plus loin par le fleuve. Ils s'échouaient sur une rive où les bêtes sauvages plongeaient leurs griffes dans les poitrines évidées.

Matt écarquillait les yeux, mais le canyon, telle la gueule d'un animal monstrueux dévorant ses victimes, ne rejetait plus rien, plus une miette. Le rapide avait terminé son repas.

Ils tournèrent un peu, puis les bateaux, un à un, rejoignirent le camp où se rassemblaient ceux qui, victorieux ou prudents, avaient franchi le passage par voie d'eau ou de terre. Deux sortes d'hommes qui, au-delà de leurs différences de tempérament, se respectaient.

Le crépuscule, funèbre, s'étendait sur la taïga, recouvrant le fleuve d'un voile sombre, étirant une couverture grise sur les morts qu'il avait engendrées. La mort était de ce pays, persévérante, pugnace, punissant ceux qui jouaient trop avec elle. Sur ces terres sans pardon, impitoyables, elle choisissait ses victimes. Elle était le garde du corps de la nature et l'aidait à défendre ses trésors.

21.

La sève s'immobilisait sous l'écorce des épinettes qui frangeaient le fleuve. L'automne s'achevait et le rouge des feuilles s'assombrissait. La pluie mêlée de neige noyait les marécages. Les eaux du fleuve devinrent boueuses, la surface se recouvrant des dernières feuilles jaunies que le vent arrachait aux bouleaux et aux trembles. Dans un ciel de cendre, des nuées d'oiseaux passaient, volant haut, sans s'arrêter. Ceux qui restaient s'habillaient pour l'hiver.

Chacun se hâtait.

Dès l'aube, tous les bateaux quittèrent la plage où d'autres arriveraient, tout au long de la journée.

Prostré, Georges s'était enfin endormi, épuisé.

— Pauvre homme, dit Marie, qui n'avait pas fermé l'œil de la nuit.

— Je me sens un peu responsable, je n'aurais pas dû le laisser partir, répondit Matt.

— Tu as essayé de le dissuader, tu ne pouvais pas faire plus.

Matt bougonna une vague réponse. Il ressassait la tragédie depuis des heures et ne savait même plus quoi en penser. Tous ces morts et d'autres, aujourd'hui, demain, encore, toujours. Tous ces hommes qui souhaitaient vivre de ce qu'ils arracheraient à la terre et qui y mouraient, souvent dans l'indifférence, sans sépulture.

Georges voulait continuer pour cela, pour retrouver le cadavre de son fils avant que les bêtes ne le dévorent, espérant secrètement un miracle. Peut-être était-il blessé un peu plus loin ? Espoir dérisoire auquel il se raccrochait pourtant.

Matt n'avait plus envie que d'une seule chose. Quitter cet endroit. Avancer toujours comme si la distance atténuait le mal. Mais c'était surtout l'action qui permettait d'oublier. Marie, Or dans ses bras, se blottit sous des couvertures, à l'arrière du bateau, pour échapper au froid et aux rafales de vent. Georges, à la proue, cherchait son fils. Matt suivait la rive contre laquelle le vent aurait pu repousser le corps. Mais il devait souvent s'en éloigner car des hauts-fonds risquaient d'échouer leur barque. Le père faisait peine à voir. Toute la tristesse du monde hantait son regard terni et Matt ne savait plus s'il voulait retrouver le corps ou non. De toute façon, les chances étaient infimes.

Trois fois, ils accostèrent. Une première fois parce qu'ils virent une nuée de corbeaux croassant au-dessus d'un buisson d'aulnes sur la rive, mais il s'agissait d'un reste d'élan tué par des loups. La deuxième fois, ils aperçurent un ours qui dévorait quelque chose sur la berge. C'était un saumon, un gros *king* qu'il avait attrapé dans un petit ruisseau où celui-ci allait frayer.

La troisième fois, ils découvrirent un corps ou du moins ce qu'il en restait, un cadavre vieux de plusieurs jours, des lambeaux de tissu accrochés à des os rongés, sans chair.

Georges le regarda avec une mine horrifiée. Matt l'entraîna.

– Viens. Ça ne sert à rien. À rien !

Marie, lui prenant la main, s'assit à côté de lui et ils repartirent. Matt ne longeait même plus les berges. À quoi bon ? Georges ne guettait plus. Épuisé, il s'endormit au fond du bateau, le corps agité de soubresauts trahissant ses cauchemars. Le vent d'ouest tourna au nord et effeuilla les arbres. Ils dépassèrent une barque surchargée qui peinait contre les risées et ils se mirent aux rames pour négocier un rapide facile. Georges dormait toujours, Or contre lui qui, de temps à autre, relevait la tête pour humer les odeurs que le vent lui apportait.

– Elle va bientôt mettre bas, jugea Marie en lui massant le ventre.

En effet, dans l'après-midi, Or se mit à geindre tout en allant et venant d'un bout à l'autre du bateau, comme si elle cherchait en vain quelque chose. Ils campèrent sur une sorte de presqu'île où, à la pointe, s'étaient échouées des quantités de bois mort. Dès qu'ils débarquèrent, Or s'en alla et se trouva une place à l'abri d'un rocher où elle creusa une sorte de terrier dont elle tapissa le fond de bourre de laine qu'elle arracha de son poil.

– Laissons-la tranquille, proposa Matt en entraînant Marie par le bras.

Ils rejoignirent Georges, assis au bord du feu qu'ils avaient dressé avant de partir à la recherche de l'endroit choisi par Or pour mettre bas. Celui-ci leva vers eux des yeux vides. Pleine de compassion, Marie s'installa auprès de lui,

155

essayant de le faire manger, mais il ne pouvait avaler une seule bouchée.

– Ce pays est impitoyable, Georges, et il te faut prendre des forces pour pouvoir le combattre, lui dit Matt.

– Je n'ai plus envie de me battre contre quoi que ce soit.

– Je comprends ce que tu ressens, mais tu ne dois pas te laisser aller.

Georges ne répondit pas. Il fixait indéfiniment les flammes, absent, enfui dans ses pensés.

Un deuxième bateau puis un troisième accostèrent l'île avant la nuit, attirés par le grand feu qui éclairait la tente de toile montée entre deux trembles près de la rivière. Ils se connaissaient. Dans le premier bateau, c'était Bertaud et Fazeau, deux gars de San Francisco, et, dans l'autre, un groupe de pêcheurs. Ils s'étaient arrêtés dans l'après-midi à la jonction avec un petit affluent du Yukon pour pêcher le saumon. Ils en avaient attrapé trois qu'ils firent griller aussitôt sur leur feu et qu'ils partagèrent avec eux.

– Demain, on arrivera aux rapides de Whitehorse, c'est pas de la tarte, à ce qu'on dit, déclara l'un deux. Est-ce que tu feras passer plusieurs bateaux ? continua-t-il en s'adressant à Matt.

– Non, il fera passer le sien, c'est tout, répondit Marie à sa place.

Les hommes levèrent les yeux vers elle et hochèrent la tête, d'un air entendu. Matt ouvrit la bouche pour protester mais se ravisa, amusé.

– On comprend, dit Fazeau en bourrant une pipe sculptée qui ne quittait pas le coin de sa bouche.

– Si le vent tient au nord, les vagues vont être hautes, fit Matt. Il faudra portager.

– On fera comme toi, assura l'un des pêcheurs. Nous, on n'est pas très à l'aise dans les rivières. C'est fourbe. C'est pas comme la mer.

– Sûr, fit simplement l'un d'eux.

– Moi, la mer me fait peur. C'est trop grand, ça m'écrase, confia Matt.

Un des hommes s'apprêtait à répondre quand ils entendirent un grognement, un feulement de colère terrible. Matt fut le premier à réagir car il comprit avant les autres ce qui se passait. Il arracha un morceau de bois au feu et se rua vers la tanière d'Or, d'où venaient ces rauquements.

Éclairée fugacement par la lune, la clairière était baignée d'une lueur diffuse. Matt stoppa net. Face à lui, un lynx, les crocs à nu, crachant et grognant, ramassé sur lui-même, sur le point de bondir.

Matt serra fermement le morceau de bois qu'il avait arraché au feu et agita le tison. Les crocs de la bête étincelèrent et la brillance de ses yeux furieux creva la nuit. Le voleur voulait attaquer la chienne et lui prendre ses chiots. C'étaient les gémissements des petits, que Matt entendait maintenant, qui l'avaient attiré. Face à lui, Or, malgré tout son courage, n'aurait rien pu.

– Sale bête !

Le lynx fixait d'un œil craintif le morceau de bois incandescent que Matt brandissait devant lui. Il se préparait à lui décocher un coup avec le tison, mais celui-ci se brisa et la braise retomba sur le sol humide avec un sifflement. Elle rougeoya un instant, puis s'éteignit. Alors le lynx retrouva toute sa haine et s'avança, les pattes raides, aplati, prêt à bondir, et Matt se rendit compte à cet instant de son effroyable puissance. Il allait se faire déchiqueter.

Un coup de feu claqua dans la nuit et l'animal s'affaissa en se tordant sous l'effet d'une balle qui lui avait transpercé le cou, juste sous la gueule qui s'apprêtait à mordre et que Matt fixait.

Il se retourna vivement pour voir qui avait tiré.

– Marie ?

– Mon père s'entraînait au pistolet et il m'a appris, dit-elle comme pour s'excuser.

Matt bouscula le lynx du pied. Il ne bougea même pas. Il était mort sur le coup. Un vrai tir de professionnel. Tout près, sous le rocher, on entendait distinctement le gémissement des chiots. Matt s'avança et, à la lumière de la lune, compta les chiots en s'aidant de la main pour les décoller du ventre de leur mère qui s'était recouchée en tremblant.

– Tu n'as plus rien à craindre, ma belle. Plus rien ne fera de mal à tes petits.

Il y en avait sept. Six mâles et une seule petite femelle toute blanche, alors que les autres étaient entièrement noirs ou tachetés.

– C'est bien, ma belle. C'est très bien.

Marie s'était penchée elle aussi et souriait. Matt la prit dans ses bras. Les hommes repartirent discrètement vers le campement en portant le lynx. Il lui fallait sentir contre lui la chaleur de son corps. Il caressa son visage où se dessinait un sourire et dont le regard trahissait l'orgueil.

– Merci, Marie, tu m'as tiré d'une fâcheuse situation.

– Récompense-moi !

Elle le renversa sur elle en ouvrant ses jambes pour l'accueillir. Ils enlevèrent juste ce qu'il fallait et Matt la pénétra avec douceur. Puis ils allèrent vite. Ils éprouvaient le besoin d'aimer et cette nécessité, cet appétit, se traduisait par la précipitation. Pourtant ici, plus que partout ailleurs, le temps s'écoulait sans repères, comme un animal de passage.

22.

Certains disaient que les rapides de Whitehorse étaient les plus dangereux de tous, mais
ce n'était qu'une apparence. Si la quantité d'eau
brassée dans l'étroit boyau qui étranglait le
fleuve à cet endroit produisait un bruit terrible,
un bateau bien conçu les passait sans trop de
difficulté. C'était du vent qu'il fallait se méfier
car il redressait comme la crête d'un coq les
vagues déferlantes et écumantes. Les bateaux
qui choisissaient mal leur heure ou qui, trop
pressés, s'élançaient sans apprécier la difficulté
étaient renversés, retournés, et allaient s'écraser
contre les rochers.

– On va attendre demain matin, décida Matt.
Le vent devrait tomber au lever du jour.

– Comme tu voudras, répondit Georges, qui
retrouvait quelques forces.

Matt avait ménagé à l'arrière du bateau une
sorte de niche où Or et ses petits avaient pris
place, confortablement installés dans une couverture repliée. Marie veillait sur eux, câlinait la
chienne, lui proposant sans arrêt à boire et à
manger. Au contact des chiots, Georges avait

esquissé un sourire. Il ne savait plus très bien ce qu'il voulait faire. Continuer ? De toute façon, il n'avait pas le choix. On ne remontait pas le Yukon. Maintenant, le plus court chemin pour rejoindre la civilisation était de le descendre jusqu'au détroit de Béring, plus de mille cinq cents kilomètres plus loin, en traversant Dawson, la cité de l'or surgie de terre comme un champignon en quelques semaines. C'est ce que Matt avait tenté de lui expliquer. Il avait opiné de la tête, tout le temps qu'avait duré la démonstration, sans même regarder la terre où Matt et Fazeau avaient tracé une carte à l'aide de tiges de bois.

C'est sur cette carte rudimentaire que Matt et Marie, ainsi que les sept hommes rassemblés là, s'étaient mis à rêver. Agenouillés dans cette terre qui nourrissait l'or, ils vibraient de convoitise. Le fruit n'était plus hors de portée. Ils avaient franchi tous les obstacles, ne restaient que les rapides de Whitehorse. Ensuite, il suffisait de se laisser glisser sur le fleuve en maintenant l'embarcation au centre du courant. L'or viendrait à eux et ils seraient les premiers. Ils étaient riches.

– On passera demain matin, comme toi, fit Fazeau, alors que Matt s'apprêtait à rejoindre sa tente.

– Je ne passerai que si le vent est faible.

Un des pêcheurs leva la tête vers les étoiles.

– Mon avis est que ça va tourner au froid. Y aura pas de vent.

Ils repartaient tous vers leur tente lorsque l'un des pêcheurs, un certain Albin, s'approcha de Matt et le retint en arrière.

– C'est à propos de Marie, commença-t-il. C'est avec toi qu'il faut voir ça ?

161

– De quoi veux-tu parler ?

Le ton s'était fait menaçant et Albin sembla hésiter, puis il se décida.

– Ben... on dit qu'elle est là pour faire le tapin et moi je...

Il n'eut pas le temps de terminer sa phrase. Matt lui décocha un coup de poing qui le fit chanceler. Mais Albin était costaud et rétablit son équilibre pour se ruer sur son agresseur. S'ensuivit un terrible corps à corps. Les hommes alertés par le brouhaha eurent toutes les peines du monde à les séparer, alors que le pêcheur, bien plus fort que Matt, prenait le dessus. Marie était là elle aussi.

– Qu'est-ce qui se passe ?

– Ce salopard t'a traitée de putain !

Marie les considéra froidement tous les deux.

– Et alors, il a raison. Je suis une putain. Tu en as honte ?

– Marie !

– Quoi, Marie ?

– Je t'interdis de...

Elle était devenue rouge de colère et l'empoigna. Son regard était de braise et s'était rivé au sien.

– Écoute-moi bien, Matt. Tu n'as aucun droit sur moi. Aucun ! Et si le fait de m'avoir baisée gratis te donne des idées, ravale-les parce que maintenant tu feras comme tout le monde. Tu paieras.

Puis elle le lâcha. Matt se retourna vivement et, d'un furieux coup de pied, envoya rouler au loin une bouilloire, qui éclata sur les rochers.

Hors de lui, Matt ne trouva le sommeil que bien plus tard. Marie ne rentra pas de la nuit et il ne la vit pas le lendemain matin dans le bateau où il croyait qu'elle avait dormi. Elle réapparut alors qu'il rangeait sa tente et elle ne détourna pas le regard quand il la fixa. Fazeau et deux pêcheurs assistaient à la scène.

– Quoi encore ? Tu veux savoir ce que je faisais ? Ou peut-être quel prix j'ai demandé ? Quinze dollars. Et ferme-la !

Les hommes présents ne firent pas de commentaires. Les joues de Matt virèrent au rouge. Il se demanda comment une femme pouvait faire preuve d'autant de dignité en claironnant qu'elle était une putain. Matt n'en éprouva que plus de frustration. Marie lui échappait parce qu'il n'avait pas su préserver le fil fragile qui le liait à elle. Elle serait à tous ou plutôt à personne. Elle était là, comme eux, pour faire fortune et elle n'appartenait qu'à elle.

Georges et lui chargèrent le bateau. À son habitude, Marie empaqueta les ustensiles de cuisine et plia la tente. Ils ne se parlaient pas et Matt évitait son regard tout comme celui d'Albin qui restait prudemment à l'écart, près de son bateau.

Matt jugea le vent, vérifia les rames une dernière fois et donna l'ordre de larguer les bouts. Un des pêcheurs s'était joint à eux pour remplacer Bill aux rames. Dans leur bateau, ils étaient assez nombreux, sans doute même un peu trop vu leur chargement. Cet arrangement d'un jour satisfaisait tout le monde.

Le rapide de Whitehorse était le plus rapide de tous et les embarcations le passaient en à peine deux minutes. Deux minutes de cauchemar durant lesquelles on voyait défiler à une vitesse vertigineuse les parois de part et d'autre de l'embarcation. Le bateau restait assez facilement au centre. C'étaient les vagues qui étaient dangereuses et engloutissaient ceux qui ne gardaient pas le bon axe.

Tous les bateaux passèrent sans encombre, à l'exception de celui de Fazeau qui, ayant pris une vague de travers, embarqua beaucoup d'eau. Devenu incontrôlable, ballotté par les vagues, il se retourna à la sortie du rapide. Les pêcheurs récupérèrent les deux malheureux, mais une grande partie de leur équipement et de la nourriture était perdue.

Ils avisèrent un éperon rocheux en amont duquel se lovait une petite plage et accostèrent. Fazeau était furieux et accusait son compagnon de ne pas avoir obéi à son ordre.

– Je savais bien qu'il fallait redresser ! Encore fallait-il pouvoir !

– Mais tu as viré à contresens.

– Pas du tout !

– Écoutez ! les arrêta Matt. Vous nous cassez les oreilles avec vos chicaneries. Votre bateau a sombré, un point c'est tout, et si vous continuez à vous chamailler, on vous laisse là !

– Ça veut dire que... que vous proposez de nous emmener ?

Matt chercha le regard de Georges, qui lui fit un signe de tête affirmatif.

– Maintenant la rivière est facile et on a de la place, dit Matt.

– On vous rendra ça !

– Pour ça, on verra plus tard.

– Et moi, je n'ai pas mon mot à dire ?

Ils se retournèrent vers Marie. Matt, de marbre, ne bougea pas d'un pouce.

– Tu n'es pas d'accord ? demanda Georges.

– Si, mais j'aimerais qu'on me consulte ou qu'on me dise clairement si je ne fais pas partie de l'équipe.

– Tu fais partie de la mienne en tout cas, promit Georges.

– Et si tu en as marre de ce bateau, on a une place pour toi, continua l'un des pêcheurs, qui lui fit un clin d'œil entendu.

– Merci à vous. Et toi, Matt, qu'est-ce que tu en dis ?

– Je ne dis rien.

Bourru, il s'en alla vers le bateau.

– Qu'est-ce que tu fais ? s'enquit Fazeau.

– On va le décharger entièrement et le retourner sur ces pierres pour le faire sécher.

– Maintenant ?

Il était à peine midi. Matt montra le ciel.

– Il faut profiter du vent et du soleil. Il va vite sécher et ce que nous perdons en temps maintenant, on le regagnera plus tard, en étant plus léger.

– On va faire pareil, décida Albin.

Les pêcheurs acquiescèrent.

Pendant ce temps-là, Georges et Marie allumèrent un feu et préparèrent un repas. Ils virent deux bateaux passer qui ne s'arrêtèrent même pas et leur adressèrent des signes. Matt reconnut des embarcations qu'il avait déjà vues auparavant sur le lac Bennett et dans le rapide de Miles Canyon.

Les pêcheurs devinrent nerveux.

– On va se faire doubler comme ça tout l'après-midi ?

Lorsque deux nouveaux bateaux apparurent en amont, le malaise augmenta dans l'équipe de pêcheurs. Ils se lançaient à la dérobée des regards sondeurs, observateurs, et soudain, sans même qu'une seule parole fût prononcée, ils se mirent en marche, retournèrent le bateau, le rechargèrent et le mirent à l'eau.

– On n'est pas arrivés ici les premiers pour se faire doubler par tout le monde, dit le frère d'Albin en serrant la main de Georges.

Mais l'explication de leur départ précipité était surtout destinée à Matt, qui haussa les épaules.

– Vous faites ce que vous voulez...

Matt serra distraitement les mains tendues et se détourna quand Albin vint le saluer. Le visage de Marie s'éclaira d'un sourire ironique. Elle s'avança et se planta juste en face de lui.

– Soit tu me demandes de rester et tu arrêtes ton cinéma, soit je pars avec eux.

Elle montra les pêcheurs d'un signe de tête.

Matt fouilla dans sa poche, prit son canif et tailla le morceau de bois qu'il avait ramassé pour soutenir la théière au-dessus du feu.

– Tu fais comme tu veux !

Elle pinça les lèvres, refrénant sa colère.

– Très bien.

Elle ramassa ses affaires, alla caresser Or et ses chiots que Matt avait déposés dans leur couverture, à même le sol, au pied du bateau et embarqua après avoir embrassé Georges, Fazeau et Bertaud. À peine deux minutes plus tard, leur bateau disparaissait en aval, emporté par le courant, noyé par le bandeau sombre que faisait, près de la rive droite du fleuve, le reflet des épicéas.

– T'aurais pas dû la laisser partir, dit Bertaud, alors qu'un lourd silence avait suivi le départ des pêcheurs.

166

– Comment ça ? C'est elle qui voulait partir !

– C'était à toi de la retenir, intervint Fazeau en lissant sa fine moustache noire.

– Ça ne regarde que moi.

– Comme tu voudras. C'était pour toi qu'on disait ça.

– Ça ne regarde que moi, je vous dis.

Georges replaça quelques bûches dans le feu et releva la tête vers son compagnon qui, buté, n'avait toujours pas bougé et fixait pensivement le fleuve.

– On la reverra, va. Dawson ne doit pas être si grand.

– Je m'en fous.

Cette fois, Matt, n'y tenant plus, tourna les talons, attrapa la canne à pêche qui était posée contre un arbre et quitta le campement.

23.

Avant, il n'y avait rien d'autre qu'une sorte de marécage au confluent des rivières Yukon et Klondike.

Maintenant, il y avait une ville : Dawson.

Le marécage avait été comblé avec de la terre et des cailloux arrachés à la colline, et les hommes avaient construit des cabanes, des bars, des hôtels, des magasins, avec des planches de bois grossièrement équarries, non peintes et à peine sèches, qui crachaient encore de la sève. À côté de ces quelques maisons de bois s'alignaient des douzaines de tentes. Des rues, pleines de boue, traversaient la ville. Des rues dans lesquelles on enfonçait jusqu'aux genoux et où les chevaux arrachaient leurs fers. Des trottoirs de bois se construisaient pour aller d'un endroit à un autre. Des planches noires de boue, glissantes, et où se bousculaient des hommes affairés et pressés.

Et tous les jours apparaissaient d'autres hommes, barbus et crasseux, épuisés par une longue route, le visage en sang, ravagé par les maringouins. Des hommes déçus d'en trouver là tant d'autres. L'impression d'arriver après la bataille.

Matt et ses compagnons aperçurent Dawson, juste après l'île qui, dans un coude du fleuve, masquait la ville. Ils virent monter dans le ciel d'un beau bleu délavé de nombreuses colonnes de fumée au-dessus des douzaines de cabanes et de tentes. L'importance de la bourgade qu'on leur avait décrite comme un vulgaire campement les impressionna.

Un vapeur attendait sur le quai où se pressaient une centaine de personnes, aidant au déchargement de ses marchandises. On ne faisait même pas attention à eux. Des bateaux comme le leur, il en arrivait des douzaines chaque jour. On s'en fichait. Matt et Fazeau se regardèrent avec une moue dubitative.

– Ben, mon vieux, c'est un sacré bourg !

– Incroyable !

Ils accostèrent en arrière du quai, là où il restait de la place et remontèrent le talus, un remblai de terre et de cailloux recouvert de copeaux et d'écorces de pin.

Une grande tente surmontée d'une enseigne blanche où était inscrit *Le Monte-Carlo* donnait sur l'embarcadère.

– *Un dollar le verre de whisky*, lut Georges. Je vous offre une tournée pour fêter notre réussite.

Ils entrèrent dans la tente où se pressait une vingtaine de mineurs.

– Qu'est-ce qu'ils veulent, les *cheechackos* ?

– C'est comme ça qu'on appelle les nouveaux arrivants, leur expliqua l'un des mineurs.

Ils commandèrent un whisky.

– Si tu nous en offrais un aussi, tu te ferais bien voir, lança un autre alors qu'il payait.

Georges esquissa un sourire.

– Et passer pour un pigeon, non merci !

– T'en es déjà un !

– Comment ça ?

– T'es venu chercher de l'or, non ?

– J'étais venu pour cela.

Le mineur ne sembla pas saisir la nuance de sa réponse.

– Eh bien, tu sais sans doute que tout est pris ?

– Tout ? ne put s'empêcher de demander Fazeau en s'étranglant à moitié avec son verre de whisky.

– Non, pas tout, répliqua un des mineurs en adressant un clin d'œil aux autres. Il reste des concessions à prendre... Là où il n'y a pas d'or.

Ils éclatèrent de rire.

– Sérieux !

Bertaud avait viré au rouge.

– Mais il y a du travail. Ils embauchent sur les meilleurs claims. On m'a dit qu'ils cherchent une douzaine de types sur le placer de Tim.

Matt, accoudé à l'extrémité du bar, n'avait toujours rien dit. Il écoutait, sceptique, méfiant. Il vida son verre d'un coup.

– Je vous retrouve dans une heure près du bateau. Je vais faire un tour, dit-il aux trois autres.

Il sortit de la grande tente aux murs en planches et fit le tour de la ville, observant l'inhabituelle activité qui régnait dans ces rues noires de monde et où chacun transportait des marchandises, qui à dos d'homme, qui aidé d'une charrette tirée par des chevaux ou même des chiens. Il surprit quelques conversations, interrogea plusieurs personnes et se rendit dans la tente où le capitaine Constantine enregistrait les claims. C'était un grand moustachu presque chauve envoyé là par le gouvernement et qui tentait de faire régner l'ordre dans cette petite ville qui ne l'était plus. Il s'occupait aussi de l'enregistrement des claims et faisait cela dans l'une des toutes premières tentes, secondé par un jeune caporal de la police montée qui semblait moins à l'aise que lui. C'est lui néanmoins qui répondit assez cordialement aux quelques questions que Matt posa, alors que trois types tentaient de convaincre le capitaine Constantine de les suivre pour régler une affaire de limite de claim.

Matt acquit la conviction qu'il ne fallait pas traîner. Un bruit courait que des affluents du Klondike demeuraient libres. Il devait se hâter. En quelques jours, tout serait pris.

Il retourna à l'embarcadère et trouva Georges en grande conversation avec de nouveaux arrivants qui paraissaient complètement sonnés par ce qu'ils découvraient et apprenaient. L'un des types répétait :

– Ben ça alors ! Ça alors !

Matt entraîna Georges à l'écart.

– Écoute, je crois qu'il reste des concessions à prendre là-haut.

Il montrait le Klondike.

– Ça se passe comment ?

– Il faut y aller, poser des jalons aux quatre coins d'un terrain de cent soixante-deux mètres de long et large de deux cent seize, et revenir l'enregistrer auprès du commissaire du gouvernement.

– Il y en a un ici ?

171

– Oui, et il ne chôme pas. Il a déjà enregistré plus de huit cents concessions !

– Écoute, Matt, fais ce que tu veux, moi, ça ne m'intéresse plus. C'était une aventure que je voulais vivre avec Bill. Sans lui, ce n'est plus pareil. Je repartirai par le premier bateau.

– Je comprends, Georges, mais ne te décide pas trop vite. Tu pourrais regretter, après être venu jusqu'ici pour...

Georges l'arrêta d'un geste.

– Te fatigue pas. Va enregistrer une concession, je t'attends ici. Je surveille Or et le bateau.

– Merci, Georges.

Matt fit son paquetage, emportant le strict minimum, et se dirigea vers l'embouchure du Klondike. Sur le sentier boueux remontant le long de la rivière, des conducteurs de chevaux et des dizaines de mineurs se croisaient.

Matt marcha plus de trois heures sur les berges du Klondike, explora deux affluents et put constater à quel point tout était déjà réservé. On lui indiqua pourtant un secteur au-delà de la ligne de partage des eaux entre le Klondike et un affluent parallèle où les concessions n'étaient pas marquées jusqu'à la ligne de ciel, ce qui était le cas de tous les ruisseaux qu'il avait vus. Il s'y rendit le lendemain et trouva un ruisseau où la dernière concession : « 78 au-dessus », avait été marquée par un Suédois du nom de Gefferson. Il marqua la sienne : « 79 au-dessus », signa sur un piquet et redescendit à la recherche d'autre chose. Son terrain ne valait rien, il en était convaincu. Mais il n'y avait rien d'autre, à moins de s'écarter des lieux de la découverte où on avait à peu près autant de chance de dénicher de l'or qu'en allant piqueter n'importe où entre l'Alaska et la Californie !

Deux jours plus tard, il était de retour à Dawson, qui avait grossi d'une bonne vingtaine de tentes, et il y enregistrait sa concession en s'acquittant de la taxe.

Il retrouva Georges au *Monte-Carlo* en conversation avec un bûcheron prénommé Tom qui travaillait pour un certain Ladue à qui appartenait la moitié de la ville.

– C'est lui qui a eu l'idée de combler le marais et qui vend les terrains, lui expliquait Tom.

Matt leur raconta ce qu'il avait fait.

Tom fit la moue.

– Tous les bons ruisseaux ont été reconnus et piquetés par les anciens : le Bonanza, l'Eldorado et les autres sont pris d'un bout à l'autre. Ce qui reste, crois-moi, ça vaut rien. Les anciens sont allés partout. S'ils n'ont pas piqueté dans ton ruisseau, c'est qu'il n'y a rien ou si peu que tu dépenseras plus d'or que tu n'en sortiras.

– C'est qui, ces anciens ?

– Ceux qui sont arrivés les premiers. Ceux des petits villages de Forty Miles, de Sixty Miles, de Circle, et tous ceux qui à travers l'Alaska cherchent le filon depuis des années.

– Il y avait beaucoup de chercheurs d'or ?

– Pas tant que ça si tu raisonnes à l'échelle du pays, mais en un an ils ont tous rappliqué ici. Ça en fait un paquet quand même !

– Il y a tellement d'or dans ces ruisseaux ?

– C'est affreux tout ce qu'il peut y avoir dans certaines concessions du Bonanza et de l'Eldorado !

– On était là les premiers et on est déjà les derniers, soupira Matt.

24.

Pendant le premier milliard d'années de son existence, la Terre ne fut qu'un énorme chaudron bouillonnant où eurent lieu des réactions nucléaires en chaîne qui créèrent une centaine d'éléments distincts. Ceux-ci, en se combinant ou non, formèrent ce qui compose aujourd'hui notre environnement.

Un de ces éléments, produit au centre de la Terre, dans une chaleur incroyable et sous des pressions inconcevables, était un métal de couleur jaune que l'on appela bien plus tard de « l'or ».

La caractéristique la plus surprenante de l'or est son refus de réagir ou de s'associer à d'autres éléments tels que l'eau, comme s'il s'obstinait à rester un métal noble.

Du centre de la Terre où il naquit, l'or remonta par des fissures en se déposant ici et là, en des lieux fort éloignés les uns des autres : en Afrique, en Australie, ou au Canada.

On trouve de l'or de deux façons. La première consiste à creuser une mine, étayée par des poutres, qui s'enfonce en suivant les veines d'or généralement véhiculées par du quartz. Ce sont rarement des pépites que l'on voit à l'œil nu, plutôt d'infimes particules qu'un non-initié ne remarquera même pas. On pratique des trous et on remonte les roches à la surface pour les broyer avant de les tamiser à l'eau.

On se sert habituellement pour réaliser cette opération d'un courant en détournant l'eau d'un ruisseau, que l'on canalise dans une sorte de grande gouttière en bois. C'est là que le poids de l'or, l'une de ses caractéristiques essentielles, intervient. Comme il est plus lourd que la plupart des roches et que le quartz en particulier, l'or tombe au fond de cette grande gouttière alors que les particules de quartz sont emportées. Il ne reste plus qu'à récolter la poudre d'or ou les petites pépites amassées tout au long de la gouttière et retenues au fond de celle-ci par des petites languettes de bois clouées de loin en loin.

La seconde façon de trouver de l'or est plus connue, plus simple aussi. Il s'agit de l'image classique du chercheur d'or, un homme barbu avec une chemise à carreaux et un chapeau de cuir, penché au-dessus d'un ruisseau et qui avec une espèce de grande assiette secoue le gravier pour voir s'il contient de l'or.

La roche, exposée au gel, aux intempéries, érodée par les pluies, se fragmente, s'use et libère au cours des siècles les éléments qui la composent, dont l'or qui, ne s'oxydant pas, va peu à peu descendre, glisser, selon le bon vieux principe de la gravité, jusqu'à un ruisseau où il sera ballotté pendant quelque temps. Puis les particules se déposeront au fond du lit, en des endroits précis, calmes de préférence, dans une courbe ou un bas-fond, et elles y demeureront, même quand la rivière, semant au cours de sa vie des bras morts et des courbes inachevées, changera de lit.

Le mineur, pour trouver cet or, ne doit donc pas appréhender le torrent dans sa constitution actuelle, mais tenter de lire ce qu'il était il y a quelques milliers d'années, voire quelques millions d'années. Le lit d'une rivière se modifie même durant la vie d'un homme. Que dire des changements opérés en plusieurs siècles ? Une rivière aujourd'hui était peut-être une montagne hier ?

C'est là que l'on reconnaît le bon chercheur d'or, dans sa capacité à deviner ce à quoi un paysage pouvait ressembler autrefois.

Mais la nature joue des tours et se donne parfois à un sot ou à un fainéant, comme le font certaines princesses après avoir refusé les plus grands de ce monde.

C'est ce qu'a fait l'Alaska en laissant Carmacks, un prospecteur américain à la réputation incertaine, menteur et paresseux, découvrir le plus fabuleux filon de tous les temps. Et c'est pourquoi les durs à cuire de l'Alaska attendirent de voir l'or avant de se ruer là où ce bon à rien de Carmacks disait avoir dégoté un filon.

L'été suivant, quand Matt arriva et derrière lui des dizaines de milliers de chercheurs d'or, il ne restait plus que des miettes à se partager. Dès lors, les hommes qui s'étaient rendus jusqu'ici hésitaient entre trois solutions. Soit rentrer chez eux en continuant de descendre le Yukon jusqu'au détroit de Béring d'où ils pouvaient regagner le monde par une ligne régulière, mais, cela, avant l'emprise des glaces. Soit enregistrer une concession là où c'était encore possible et tenter d'en extraire un peu d'or. Soit se faire embaucher par ceux qui étaient tombés bien avant eux sur de riches concessions et cherchaient de la main-d'œuvre pour exploiter. Car, contrairement à ce que la plupart des nouveaux arrivants croyaient, il ne suffisait pas de se baisser pour ramasser l'or. Il fallait travailler dur, même sur les concessions les plus florissantes. Avant de remplir une caisse d'or, il fallait brasser des dizaines de tonnes de terre et de cailloux, détourner des centaines de milliers de litres d'eau, laver, filtrer.

L'été, le travail se faisait en pleine chaleur ou sous la pluie, harcelé par les maringouins. L'hiver, il fallait dégeler la terre en y faisant des feux avant de la creuser, travailler dehors par moins quarante degrés et dans les tempêtes de neige, supporter les privations les plus diverses et dormir dans des cabanes étroites et malodorantes.

Voilà quelle était la réalité du mirage doré et, en la découvrant, beaucoup n'aspiraient plus qu'à partir, quitter cet enfer au plus vite, oublier qu'ils l'avaient déjà traversé pour l'atteindre.

Mais l'hiver approchait. Bientôt, les hommes seraient bloqués ici, incapables de se déplacer. Matt comprenait tout cela, horrifié et en même temps assez enthousiasmé par l'idée de vivre une aventure aussi exaltante.

– Je suis sûr qu'il existe un moyen de tirer son épingle du jeu, dit-il à Georges alors qu'ils résumaient ensemble la situation.

– Tout est pris. La concession que tu as marquée ne vaut rien. Ils nous l'ont dit, répondit Georges avec lassitude.

– Je le sais, mais je sais aussi qu'il y a des choses à faire ici. Je le sens.

– Alors tu ne rentres pas avec moi ? Le *Flora* part demain.

– Non, je reste. Pour rien au monde je ne voudrais rater ça.

– Mais quoi ?

– Je l'ignore.

Georges le prit affectueusement par les épaules.

– T'es un drôle de type, Matt, mais je t'aime bien et je souhaite que tu réussisses. Je te laisse ce qu'il y a dans ce bateau à la condition que tu viennes tout me raconter à ton retour.

Il griffonna sur un papier son adresse à Juneau.

– Tu as pu trouver une place sur le *Flora* ? demanda Matt, ému.

– Oui, mais au prix fort. On part demain à l'aube et le capitaine dit que ça va être juste pour les glaces.

– Ça va aller, j'en suis sûr.

Il aida Georges à charger ses bagages dans le bateau où s'entassaient beaucoup de marchandises et même quelques caisses pleines d'or, puis ils allèrent dîner dans l'une des cabanes qui tenaient lieu de restaurants. On y servait un plat de fèves au lard pour deux dollars. Au cours de leur repas, Georges raconta que Marie s'était fait facilement embaucher dans le restaurant de Ladue, la plus grande bâtisse de la ville, au dos duquel le magasin général proposait outils, équipement et nourriture à des prix déjà exorbitants. Matt feignit l'indifférence. Il raccompagna son ami au bateau et le conduisit jusqu'à la cabine de huit personnes où il avait réservé une minuscule couchette.

– Je te souhaite bonne chance, Georges. Merci pour tout.

Matt allait partir quand il ajouta :

– J'aimais bien Bill. Un chic type... comme toi.

Il regagna son bateau à côté duquel s'alignaient maintenant une vingtaine d'embarcations. Il demeura un peu sur l'embarcadère, s'occupant d'Or et triant les différents sacs, caisses d'équipement et marchandises. Puis il héla un gars qui, avec une charrette et un cheval, vendait du transport, à un dollar les cent livres.

– C'est hors de prix !

– C'est l'offre et la demande, mon gars. Regarde autour de toi.

Il avait raison. Matt accepta.

– Je te rachète ton rafiot cinquante dollars. Ça paie ta course et d'autres.

Il avait déjà vu faire. Une équipe organisée sortait le bateau de l'eau et le désossait pour revendre les madriers et le reste du bois pour le chauffage. On en tirait un bon bénéfice. L'argent était partout. Tout s'achetait et se revendait. Matt refusa. Il se fit transporter, lui et son chargement, jusqu'à une place de tente qu'on lui attribua d'office. La place 23 dans le lot 6 pour la somme de cinq dollars la semaine, payable d'avance.

– À qui paie-t-on cette location ?

– À Ladue, c'est à lui qu'appartiennent ces terrains.

– Encore lui. Un malin, celui-là !

– Tu l'as dit.

Pour monter sa tente, il lui fallait du bois. Afin de préserver la forêt aux environs immédiats de Dawson, la municipalité interdisait la coupe à moins de un mile de la ville. Matt ne put faire autrement que d'acheter les sept tiges de bois qu'il lui fallait pour dresser son campement. À ce rythme-là, il n'aurait plus un sou avant la fin de la semaine.

Ses voisins, trois gars de San Francisco, restaient prostrés devant leur tente, assommés et déprimés. Ce n'était pas de l'or qu'ils trouvaient ici mais une arnaque organisée. On ne s'enrichissait pas. On était dépouillé.

Après avoir installé Or et ses chiots dans la tente, Matt retourna à l'embarcadère. Il aida des gars à décharger leur bateau, en échange de quoi ils halèrent ensemble le sien sur la grève.

La brise du nord amenait un temps froid et sec, et la livarde des bateaux était toute frangée de glace. Dans les anses calmes du fleuve, la glace prenait. Les lacs gèleraient bientôt. Il faudrait attendre les premiers grands froids pour que le fleuve remué par un courant constant prenne aussi. Durant ce laps de temps, des centaines d'embarcations continueraient de descendre le Yukon vers Dawson et la désillusion.

25.

Il voulait la voir et cette envie-là occultait toutes les autres. Il avait passé la journée à errer dans la ville et aux alentours de l'embarcadère dans l'espoir de rencontrer Marie, mais elle demeurait invisible.

Du fleuve Yukon continuaient d'arriver, par vagues, des centaines de *cheechackos* sous l'œil dédaigneux ou apitoyé des anciens. Matt croisa un des groupes au moment où il débarquait. Un des gaillards, un grand blond dégingandé, le héla aussitôt.

– C'est où? C'est où?

Il était essoufflé et jetait autour de lui un regard de chien affolé.

– Quoi?

Le blond regardait Matt avec de grands yeux ronds.

– Comment ça, quoi? L'or!

– L'or?

– Ben oui, l'or, c'est où?

Le blond impatient expliqua, en montrant le Yukon :

– Il en vient des centaines. Vite!

181

Un petit groupe de curieux s'était formé autour d'eux. Matt esquissa un sourire.

– Il faut faire vite ! Il ne reste presque plus rien, lui dit-il.

Le blond ouvrait des yeux horrifiés. Excédé, il hurla plus qu'il ne parla.

– Mais c'est bien pour ça que je demande où c'est, bordel de merde !

Matt lui indiqua l'embouchure du Klondike.

– Par là. Tu remontes sur cinq cents mètres et tu verras une cabane derrière laquelle un sentier part sur la gauche. En haut, tu trouveras un bon secteur où il reste des places !

Le blond ne remercia même pas. Il jeta son sac sur son dos et se mit à courir. Il n'avait pas passé l'angle de la rue que tout le monde éclata de rire. On tapait dans le dos de Matt pour le féliciter du tour qu'il avait joué à ce *cheechackos* impatient auquel il avait indiqué la décharge. Le plus étonnant était que les coéquipiers du grand blond riaient aussi.

– Ce n'est pas votre ami ? s'enquit un des gars rassemblés là.

– Émile ? Non, c'est un passager qu'on a embarqué au lac Bennett. Sous prétexte qu'il avait payé, il n'a pas bougé le petit doigt pendant tout le voyage. Ce fils de notaire méritait bien une leçon !

Le groupe se dispersa bientôt et Matt rejoignit la rue principale dans laquelle se dressait la bâtisse à étage où Marie travaillait. Il hésitait. Qu'allait-il lui dire ? Elle lui rirait au nez. Il pourrait prétexter une raison quelconque, mais elle était tout sauf naïve. Pourtant il fallait qu'il la voie. Pourquoi ? Il n'en savait rien. Mais il ne pouvait rien décider, rien entreprendre avant de l'avoir vue, et cette réalité l'énervait. Marie n'était qu'une putain. Elle avait couché avec lui parce qu'il s'était trouvé là au moment où elle en avait eu envie. Rien de plus. Dès qu'elle en avait eu l'occasion, elle était partie avec un autre. Oui, mais elle avait fait payer l'autre. Matt ressassait tout cela en allant et venant devant la maison. Il était six heures du soir et une lumière douce coulait dans la rue boueuse où les badauds s'échangeaient nouvelles et informations. Ici, tout se savait en un rien de temps. L'histoire du *cheechackos* qui s'en était allé en courant marquer une concession à la décharge avait déjà fait le tour de la ville, tout comme celle de Ladue qui s'était bagarré avec le capitaine Constantine pour une cabane construite sur ses terres sans son autorisation.

Matt fit encore deux allers-retours. Il vit deux hommes entrer dans le bar et plusieurs autres en sortir, dont un gars qu'il connaissait pour l'avoir croisé sur le ruisseau où il avait marqué sa concession, mais il n'osa pas l'aborder. Que lui demanderait-il ?

Enfin, il se décida. Il entra dans le bar. L'intérieur était bien arrangé, les murs lambrissés de bois peint et l'escalier menant à l'étage orné d'une belle rampe sculptée. Matt commanda un whisky tout en engageant la conversation avec un gars auquel il avait fait passer le rapide de Miles Canyon et qui lui offrit un second whisky.

Au bout de quelques minutes, Matt osa une question.

– Tu sais où est Marie ?

L'autre lui adressa un clin d'œil entendu.

– Ben tiens, si je sais. Elle est avec mon patron.

– Ton patron ?

– Ouais, Émile Jensen, un ancien qui a la 18 au-dessus du Bonanza. Une sacrée concession. Il en a déjà sorti pour treize mille dollars.

– Alors, il a de quoi se payer Marie ?

– Il aurait tort de s'en priver, non ?

Matt opina de la tête sans que l'on puisse déchiffrer ce qu'il pensait.

– Ça a pas l'air de te rendre joyeux de la savoir en train de donner du plaisir au patron !

Matt détourna la conversation.

– Tu t'es fait embaucher quand ?

– Le lendemain du jour où je suis arrivé ici. Aussitôt que j'ai compris.

– Compris quoi ?

– Ben, que toutes les mines étaient prises et que bientôt toutes les places d'embauche le seraient aussi... avec tout le monde qui s'en vient.

– T'as eu raison.

– Et toi, qu'est-ce que tu vas faire ?

– Je sais pas encore. J'ai quelques idées...

– Tiens, voilà le patron.

Matt se retourna. Un homme robuste descendait lourdement les marches. Il aperçut son ouvrier et s'approcha du bar. Jensen était ce genre d'homme qui imposait le respect du premier coup d'œil. On sentait que le pays l'avait imprégné et que sa chance n'était que la conséquence d'une longue quête. Sa vie de prospecteur dans les ombres du cercle polaire lui avait façonné un visage dur. Pourtant, ses traits se détendirent lorsqu'il serra la main de Matt que son ouvrier lui présenta.

– C'est lui qui a amené la Marie jusqu'ici.

– Voilà qui mérite récompense !

184

Il commanda une bouteille. Il n'était pas homme à consommer modérément. Tout chez lui était excessif. Il parlait haut et chacun de ses mouvements brassait de l'air. Matt se sentit écrasé par son charisme, sa prestance, son aisance. Il se rappela Marie lui disant qu'elle « choisirait » ses clients.

– Alors, comme ça, c'est toi la tête brûlée qui passe plusieurs fois les rapides ?

– Vous... on vous en a parlé ?

– Tout le monde parle de tout ici. Ta concession sur la Rabeez Creek ne vaut rien.

Matt n'en revenait pas. Il savait déjà où était sa concession.

– Je sais.

– Alors pourquoi l'as-tu enregistrée ? T'as perdu quinze dollars.

– Le coin me plaît. Je vais sans doute aller me construire une cabane par là-bas.

– Drôle d'idée ! En tout cas, si tu veux bosser, viens me voir sur la 18 au-dessus du Bonanza. J'ai besoin de gars comme toi.

Sur ce, il entraîna son ouvrier après lui avoir serré la main.

– Vous oubliez la bouteille !

Jensen ne se retourna même pas.

Matt but encore deux verres avant de se décider. Il commençait à être un peu éméché et manqua de tomber en gravissant les marches. C'est le barman qui le rattrapa en haut de l'escalier.

– C'est pour Marie ?

– Je suis un ami.

– Un ami... tu veux dire que tu ne vas pas la voir pour... ?

– Un ami, je te dis.

– Alors, je vais aller la prévenir.

Huit chambres numérotées donnaient sur le couloir au sol recouvert de grosses planches de pin grinçantes.

– Marie ?

Quelques secondes s'écoulèrent, puis une porte, celle du fond, s'ouvrit. Elle apparut, vêtue d'une belle robe de soie blanche.

– Il dit qu'il est un ami et...

– C'est bon, Michael, laisse-le.

Elle fit signe à Matt d'entrer.

La pièce était joliment décorée, confortable et assez vaste.

Matt s'approcha de la fenêtre qui donnait, au-delà d'une première rangée de cabanes, sur le fleuve. Elle s'était assise sur le lit, les jambes croisées, et attendait, un sourire malicieux, un peu railleur, aux lèvres. Matt restait silencieux, observant toutes les tentes qui formaient un véritable village de toile. Il était incapable de reconnaître la sienne, une aiguille dans une botte de foin.

– Comment tu t'en sors ?

– Bien.

– Qu'est-ce que tu veux ? Faire l'amour ?

– Je suppose qu'il faut payer.

– Bien supposé.

– Alors je m'en vais.

Il n'avait pas prémédité cette réaction, mais elle s'imposa à lui. Il ne pouvait pas rester une minute de plus dans cette pièce où défilaient ceux qui se vautraient sur elle. Il traversa la pièce en serrant les dents et ouvrit violemment la porte qu'il claqua derrière lui. Il descendit les escaliers tandis que Marie interpellait Michael depuis la balustrade.

– La prochaine fois que cet « ami » se présente, surtout fais-le payer avant de monter !

Matt claqua aussi la porte de la bâtisse. L'air frais lui fit du bien. Il marcha d'un bon pas jusqu'au lot 6 où il retrouva sa tente bien gardée par Or qui en interdisait l'entrée à toute personne qu'elle ne reconnaissait pas. Son voisin le lui confirma.

– J'ai voulu m'approcher des chiots. Elle m'aurait bouffé !

– Faut faire gaffe, reconnut Matt.

Il l'invita à pénétrer dans sa tente pour voir la portée. Le gars, un jeune bûcheron des environs de Juneau, siffla d'admiration devant les sept chiots qui jouaient sur le sac de couchage de Matt.

– Sont superbes. Tu en vendrais pas un par hasard ?

– Pour rien au monde.

– Vrai ?

– Disons qu'il faudrait me payer son poids en or.

– Ils valent tant que ça ?

– Cet hiver, ils vaudront même plus que ça.

– Ah bon ?

– Un pressentiment.

Le bûcheron le regardait d'un air sceptique.

– Je te le souhaite.

Il caressait les chiots qui le mordillaient. Or, rassurée par la présence de Matt, surveillait d'un air las le manège de ses petits.

– Je vais te laisser. J'ai rendez-vous avec un gars au *Monte-Carlo*.

Le bûcheron remercia et s'en alla dans la nuit alors que la neige commençait à tomber. Une neige fine qui courait sur toute l'étendue des tentes et s'amoncelait déjà contre elles. Au loin, dans la ville naissante, les lueurs s'éteignaient, comme les étoiles que les nuages lourds de neige masquaient. Matt ressortit une dernière fois pour retendre sa tente et s'enferma. Il se dit qu'il était seul dans la froideur de cette tente humide et que, s'il avait été un peu plus malin, il aurait pu coucher dans un lit douillet, lové contre le corps chaud et doux comme une pêche de Marie. Il soupira, s'allongea entre ses chiens et s'endormit, encore ivre, plein de regrets et d'amertume.

26.

Lorsque Matt se leva, la tête lourde et la bouche pâteuse, il n'eut pas envie d'allumer le poêle, de faire chauffer de l'eau ni de se préparer un café. Alors il s'habilla et sortit pour aller prendre son petit déjeuner dans la tente du *Monte-Carlo*.

Une couche de neige de plus de vingt centimètres recouvrait le paysage. Seules les ruelles, où la boue avait été mêlée à la neige par le passage des chariots, restaient noires.

Devant le *Monte-Carlo*, un attroupement s'était formé. Matt s'approcha et vit le capitaine Constantine passer les menottes à un individu qu'il avait déjà vu traîner sur le débarcadère.

– Qu'est-ce qu'il a fait ?

– Vol, lui répondit-on, alors que d'autres criaient : « À mort ! »

– Qu'est-ce qu'il a volé ?

– De la nourriture dans la réserve du *Monte-Carlo*. Ce type a tout perdu au cours du naufrage de son bateau.

– Alors, il ne mérite pas la mort.

– Il n'a qu'à travailler. Il y en a qui embauchent et ce ne sont pas tes affaires !

Matt haussa les épaules. Il en savait assez. Il pénétra dans la tente et demanda un café et une crêpe au sucre. Les clients de la tente-restaurant ne parlaient que du larcin comme s'il s'agissait du hold-up de l'année. Matt se mit dans un coin et expédia son petit déjeuner en quelques minutes. Puis il alla désosser son bateau. Il empilait les morceaux de bois quand un type se planta en face de lui. Malgré la barbe, il le reconnut aussitôt.

– Hoxey !

– Salut, Matt.

Ils se dévisagèrent. Hoxey paraissait fatigué. De profonds cernes s'arrondissaient sous ses yeux pâles.

Matt arbora un sourire un peu moqueur.

– Alors, ce Klondike où l'on marche sur l'or ?

Hoxey haussa les épaules et fit un geste vague, indéfinissable. Il semblait terriblement déçu.

– Viens ! Allons boire un coup.

Hoxey le suivit jusqu'au *Monte-Carlo* où des hommes débarquaient de lourdes billes de bois d'une charrette engoncée jusqu'aux essieux dans la boue. La tente allait devenir une belle cabane.

– Ce sont ceux-là qui font de l'or, dit Matt en montrant la tente où s'entassaient tous les prospecteurs dépités et où venaient boire ceux qui avaient de bonnes concessions.

– Tu as une idée ? demanda Hoxey.

– Aucune.

– On va tous crever ici, cet hiver !

– Tu es bien pessimiste.

Il l'était.

Hoxey raconta comment Reid avait fait demi-tour après l'accident. Hoxey ignorait que Matt

190

en était en partie responsable. Il savait seulement qu'ils avaient heurté un iceberg, sans plus de détail. Lui-même avait failli abandonner après s'être foulé une cheville dans le Chilkoot Pass, mais il avait rencontré de chics types qui l'avaient pris dans leur équipe. Puis leur bateau s'était retourné dans les rapides de White-horse. Il était le seul survivant.

– Vous étiez combien ?

– Six. On m'a repêché alors que je me noyais.

Matt se tut, pensif, en opinant doucement de la tête. Que de morts pour rien !

– Qu'est-ce que tu vas faire ?

– Je ne sais pas, admit Matt. Et toi ?

– Je vois un type tout à l'heure qui va peut-être m'embaucher.

– Sur une concession ?

– Non, à la scierie.

– La scierie va marcher à plein. Avec tout ce qui se construira...

– C'est pour ça. Je vais y passer l'hiver et je rentrerai. Viens avec moi. Ils t'embaucheront peut-être.

– Non. Je cherche autre chose.

– Mais tu viens de me dire que tu ne savais pas quoi faire.

– Justement, je cherche.

Hoxey le dévisagea d'un air dubitatif.

– Tu ne me caches pas quelque chose ?

Matt le regarda droit dans les yeux.

– Je te jure que non. Je veux juste prendre le temps de comprendre comment marche tout ça.

Il montrait du doigt la ville et les étendues neigeuses qui l'entouraient.

– C'est simple. Il y a les premiers qui gagnent beaucoup d'argent et tous les couillons comme nous qui ont dépensé des fortunes pour venir moisir dans ce merdier. Il n'y a rien d'autre à comprendre !

– Le pays. Il y a ce pays à comprendre, répondit Matt.

– Un pays de merde où les pierres gèlent neuf mois sur douze et où les moustiques t'arrachent la gueule le reste du temps.

– T'as peut-être raison !

Ils se quittèrent là-dessus après avoir échangé quelques banalités. Hoxey partit vers la scierie et Matt retourna sur le débarcadère où continuait d'arriver à un rythme de plus en plus effrayant un flux ininterrompu de voyageurs fatigués et aussitôt déçus.

Le village était devenu une ville de tentes. Une ruche où des milliers d'abeilles allaient et venaient en un incessant mouvement qui s'accélérait à l'approche de l'hiver. Matt héla une charrette, qui transporta son bois jusqu'à la tente. Là, il le vendit le triple du prix qu'on lui en proposait à l'embarcadère. Avec cet argent, il paya le transfert de tout son stock jusqu'aux sources de la petite rivière en haut de laquelle il avait sa concession. Puis il chargea la tente de toile sur son dos et se rendit à son claim. Il y installa Or et ses chiots qui l'avaient suivi sur l'étroit sentier entretenu par les propriétaires des concessions. Pourtant, il ne croisa presque personne, à l'exception d'un groupe de trois jeunes prospecteurs qui redescendaient.

– Il n'y a rien à faire sur ce ruisseau, lui dirent-ils en chœur.

– Je m'en doutais.

– Alors, pourquoi montes-tu tout ce stock ?

– Pour m'installer. J'aime pas la promiscuité.

– Là-haut, tu seras tranquille. Très tranquille même. Il n'y a plus personne. Tous les claims sont à toi.

Ils se séparèrent. L'un des gars, le dernier, se retourna.

– Ah si, tu verras peut-être un ours.

– Un ours ?

– Il s'appelle Mersh. Il vit de l'autre côté du col avec ses chiens.

– Avec des chiens ?

– Ouais, des chiens.

– On le voit souvent ?

– Jamais.

Et il s'en alla dans la pente en suivant le petit sentier que la neige rendait glissant.

Matt transborda plus de la moitié de son stock, se prépara un solide repas car il avait terriblement faim, et reprit le portage. Il effectua encore trois voyages, les épaules meurtries par les courroies. Puis il prit sa hache et abattit les arbres qui, sur le petit replat où il avait dressé sa tente, gênaient la vue. Il monta son poêle à bois et alluma un feu alors que, dans le ciel du crépuscule, une lueur mauve irisait la crête des montagnes en face. La température chuta brutalement. La surface boueuse du sentier gelait et des paillettes de glace s'accrochaient sur le sol qui rendait de l'eau.

Il alluma sa lampe à pétrole et les chiots vinrent se blottir contre lui. La gueule d'Or reposant sur sa jambe, il resta longtemps à rêver près du poêle dont le ronflement rassurait et berçait.

Il soupira d'aise plusieurs fois alors qu'un sentiment inconnu l'habitait. Une sérénité inhabituelle. Il écoutait le silence et ce vide le comblait, lui insufflait une énergie nouvelle. Il eut la sensation d'avoir été un animal lancé dans une course éperdue et qui s'arrêtait enfin. Le rythme propre à ces terres de silence qui l'entouraient était comme un poids imposant le calme. Vivre en ville, dans la ruche des hommes pressés et déçus, viciait l'imagination, raidissait sa capacité à percevoir la différence. Sa vision des choses changeait, tout comme sa notion de l'espace. Le silence, la lumière pure qu'il voyait couler par l'entrebâillement de la tente l'encourageaient dans sa réflexion. Le temps se mit à stagner, puis à se dissiper.

27.

À l'aube, Matt ralluma son poêle. Les sons métalliques le renseignèrent sur le froid qui tombait d'un ciel d'émail. Il sortit et constata combien le sol était dur et les toiles de ses sacs, roides. De loin en loin, quelques pins craquaient sous l'effet du gel et les claquements résonnaient dans l'air vif et pailleté de cette aube grise et silencieuse.

– L'hiver !

Il était là et Matt demeura un long moment à contempler la masse brune des montagnes tandis qu'une lueur rose montait d'entre deux collines à l'est.

Dans la tente, le poêle ronflait. Matt baissa le tirage et se prépara un solide déjeuner. Les chiots tétaient goulûment leur mère, couchée sur le côté, confortablement installée au chaud dans une couverture.

– Tu vas rester là, je vais aller me promener par là-haut, lui dit Matt en la regardant tendrement.

Elle pencha imperceptiblement la tête, l'air de le jauger. Matt la caressa, puis soupesa les chiots qui pesaient maintenant plus de cinq livres.

– Ils sont magnifiques, lui dit-il.

Elle semblait comprendre.

Il s'habilla, pas trop chaudement, car il voulait gravir la montagne et il se doutait qu'il allait transpirer. Dans son sac il ajouta un morceau de pain et quelques tranches de lard, puis il se mit en route, la carabine en bandoulière. Il marchait vite, plein d'allant, alors qu'une brume de froid montait lentement de la vallée où le ruban sombre du fleuve disparaissait, noyé par les brumes de givre.

Le sentier suivait le torrent et desservait les claims abandonnés. On voyait ici et là, en partie dissimulées sous la neige, les excavations faites pour tester le sol qui, partout ici, s'était révélé stérile. Matt repéra quelques arbres, morts sur pied, qui feraient un excellent bois de chauffage, ainsi qu'une zone d'aulnes où les lièvres avaient laissé de multiples traces dans la neige.

– Je poserai là quelques collets, décida-t-il.

Ce milieu lui était étranger, mais il s'y sentait chez lui. La forêt qui l'entourait, les montagnes qui le protégeaient comme les murs d'une maison, il avait l'impression de déjà les connaître.

Il arriva bientôt au-dessus de la limite des arbres. Au-delà ne subsistaient que de rares boqueteaux de saules nains et, de loin en loin, quelques touffes de pins rabougris. Sinon, c'était comme une grande plaine glacée.

Ici, le sentier se perdait dans la neige soufflée par le vent de ces derniers jours. Heureusement, la couche de neige n'était pas très profonde et il n'enfonçait que de quelques pouces. De toute façon, rien n'aurait pu ralentir sa marche ni entamer son exaltation. Il parvenait au sommet de la montagne quand un soleil d'or se hissa au loin, au-dessus de la ligne crénelée des collines boisées, et inonda la surface blanche du haut alpage qu'il traversait. La neige se mit à briller, comme saupoudrée de milliers de diamants, et Matt cligna des yeux, ébloui autant que fasciné. Il eut cette pensée, qui l'étonna :

« C'est dommage que Marie ne soit pas là. »

Et cette idée lui gâcha un peu son plaisir. Il songeait maintenant à elle et à ceux qui se vautraient sur son corps et la souillaient. Il ressassait leur dernière étreinte et sa solitude lui pesa tout à coup. Un instant plus tôt, pourtant, elle participait au bonheur de sa marche.

Mais il arrivait en haut et le spectacle de ces cimes scintillantes et échevelées de givre, émergeant des vallées encore noyées dans une brume grise, lui fit oublier ses états d'âme. Il s'assit sur un rocher et s'imprégna du paysage, laissant à son cœur le temps de s'apaiser, car il ne s'était pas économisé dans la montée.

Devant lui, un immense alpage descendait en pente douce vers une forêt émergeant à peine du brouillard. Pas une trace dans la neige immaculée, pas un mouvement, rien sinon le silence et la pureté d'un paysage inviolé. Matt ne put s'empêcher de comparer l'instant avec ceux qu'il avait connus dans la ruche bourdonnante de Dawson.

– Y a pas à dire, c'est ici ma place.

Il avait lancé cela sans vraiment réfléchir, tout haut, et le son de sa voix le fit presque sursauter, tant par le bruit que par le sens de ses paroles.

– Ma place ?

Il n'y avait rien à faire ici et on ne se nourrissait pas de la contemplation d'un paysage. Il lui fallait trouver de l'or ou travailler pour ceux qui en avaient trouvé, sinon il mourrait bientôt de faim. Voilà quelle était la réalité. La fuir serait une lâcheté identique à celle dont il avait fait preuve la dernière fois qu'il avait vu Marie. Pourquoi ne pas lui avoir avoué ce qu'il ressentait ? Il avait préféré partir. Encore une fois. Il passait sa vie à se mentir à lui-même.

Une profonde tristesse s'insinua peu à peu en lui, comme le froid qui le gagnait et contre lequel, faute de vêtements supplémentaires et de bois pour allumer un feu, il ne pouvait rien.

Il décida de descendre le versant opposé jusqu'à la forêt. Il rentrerait à la nuit. Il n'était pas pressé et il voulait découvrir le territoire.

L'alpage était bien plus étendu qu'il n'en avait l'air, et Matt mit une bonne heure à atteindre les premiers sapins dont la masse sombre faisait comme un ruban noir entre le bleu du ciel et le blanc de la neige. Il aperçut sur la gauche une sorte de muraille rocheuse qui saillait d'une petite vallée où un ruisseau coulait encore. Il le suivit car de multiples traces de loutre allaient et venaient sur les berges. Il arriva ainsi jusqu'à un grand lac dans lequel le ruisseau se déversait en une petite chute de cinq mètres de haut et créait une zone où le gel n'avait pas prise. Le reste du lac avait gelé et sa surface brillante était habillée d'une multitude de grosses étoiles de givre qui, par endroits, formaient de grandes bandes blanches le long des fissures. Une féerie cristalline. Matt en avait le souffle coupé. Il ne pouvait croire qu'un endroit si idyllique existât. Une telle sérénité s'en dégageait ! Une loutre jouait dans les remous de la chute d'eau et, sur un rocher, un castor lavait son poil au soleil. Un léger nuage de givre s'élevait au-dessus de la chute, habillant de blanc les arbres alentour.

Matt rampa dans la neige puis sur le rocher en aplomb de la chute et observa longuement les deux animaux. Le castor plongea bientôt dans les eaux transparentes et ne revint pas. La loutre s'engouffra elle aussi sous la glace après toute une série de babillages sur l'eau.

Matt admirait le panorama lorsque son œil fut attiré par un mouvement le long de la forêt, non loin de l'alpage.

– Nom de nom !

C'était un élan. Un mâle doté d'un superbe panache. Le sang de Matt ne fit qu'un tour. Il se saisit immédiatement de sa carabine, se débarrassa de son sac et se faufila parmi les aulnes qui garnissaient les berges entre l'eau et la forêt de pins et de bouleaux. Son cœur cognait dans sa poitrine et Matt avait du mal à maîtriser son émotion. Il se força à ralentir et à contrôler sa marche, tout en continuant à observer le grand mâle qui s'écartait de l'alpage et se dirigeait vers la muraille rocheuse au bord du lac. L'élan marchait lentement, arrachant ici et là des branches d'aulne et de saule, à plus de huit cents mètres de Matt.

Matt progressait sans bruit. La neige étouffait ses pas et il évitait de passer dans les broussailles. Il parvint là où la forêt s'ouvrait sur l'alpage et se mit à ramper de peur que l'élan ne l'aperçoive, mais celui-ci avait disparu. Matt accéléra. Il rejoignit un quart d'heure plus tard les traces, bien visibles, qui s'enfonçaient dans la forêt. L'élan l'avait traversée pour déboucher dans une zone un peu marécageuse où pous-

saient, dru, des aulnes nains et autres broussailles pleines de gélinottes. Matt en leva
quelques-unes et il craignit d'avoir ainsi alerté
l'élan. Il quitta donc la piste pour s'élever légèrement dans la pente. Deux fois, il retourna
s'assurer, au vu des traces, que l'élan était toujours devant lui.

Pressant le pas, Matt atteignit l'endroit où les
méandres d'un ruisseau très large mais peu profond descendaient doucement vers l'immense
vallée que l'on devinait loin au sud, encore
noyée dans les brumes. Matt venait d'effectuer
presque tout le tour du lac et n'avait toujours
pas rejoint l'élan. Il ne voyait même plus ses
traces.

– Il a dû piquer vers la vallée par la forêt !

Matt s'avança vers le ruisseau en partie gelé
pour marcher plus vite sur les berges ensablées
en espérant couper la route de l'élan. S'il l'avait
traversé, il croiserait ses traces.

Il n'eut pas à aller loin.

Dans une anse, il tomba presque nez à nez
avec lui ! L'élan lui faisait face et expulsait de
l'air par ses naseaux fumants. Il grattait la neige
de ses antérieurs, les oreilles dressées. Il grogna
et effectua un bond formidable vers le bois alors
que Matt épaulait sa 222 Remington. L'élan disparaissait dans le bois lorsqu'il lâcha une balle.

– Raté !

Il s'en voulait terriblement. Maintenant, il
n'avait plus aucune chance de le rattraper. Il
allait s'enfuir au diable ! Bien que certain de
l'avoir manqué, Matt alla pourtant vérifier son
tir et suivit un moment les traces. Son attention
fut attirée par une touffe de poils et par une
goutte de sang suivie d'une deuxième, puis
d'autres.

– Il est blessé !

Matt rechargea précipitamment son arme et s'immobilisa, le cœur battant. Il n'entendait rien. Il reprit sa marche. Maintenant ce n'étaient plus des gouttes de sang mais un filet ininterrompu. L'élan avait fui, légèrement en biais, frâchant tout sur son passage. Matt atteignit un petit ruisseau assez profond que l'élan avait suivi pour aller dans la forêt en face, épaisse, composée de sapins et d'aulnes. Matt décida de s'accorder une pause à cet endroit. Il avait suffisamment chassé le cerf dans les montagnes près de chez lui pour ne pas faire l'erreur de courir après un animal blessé. Il fallait le laisser s'arrêter et perdre son sang, plutôt que de le pousser à filer.

Il avait raison. L'élan, ne se sentant plus poursuivi, s'arrêta dans la forêt et Matt le retrouva mort à cinq cents mètres à peine du ruisseau. La balle qui était entrée dans les reins avait traversé la panse. Il avait eu de la chance. Un peu plus à droite, elle se serait logée dans le gigot sans toucher d'organe vital.

L'élan pesait dans les huit cents livres et Matt poussa un cri de victoire. Un cri sauvage qui ressemblait à un raire. Il retourna vers la chute où l'attendait son sac, puis vers le ruisseau. À la jonction avec le lac ; au bord de la chute, s'étendait une belle plage, et Matt avisa un petit surplomb qui s'offrait à la lumière sans trop s'exposer au vent. De là, il voyait toute l'étendue du lac ; en face, l'alpage qui montait vers les cimes et les deux forêts qui le cernaient ; au sud, la muraille rocheuse qui barrait le lac de sa belle couleur brune. Juste devant lui, la chute donnait vie à l'endroit idyllique où le ruisseau gelé serait, plus tard, une route facile pour rejoindre la vallée et les hommes.

Il allait s'installer ici pour l'hiver. Cet élan était un signe du destin. Il avait répondu à la question qu'il s'était posée : comment vivre ici autrement qu'en allant chercher de l'or ou en travaillant pour ceux qui en avaient trouvé ?

Il existait d'autres moyens. La nature, généreuse, venait de le lui faire comprendre.

28.

De son claim jusqu'au lac, il y avait
trois heures de marche. Deux et demie s'il forçait, mais, avec les charges qu'il traînait sur son
traîneau de fortune, c'était plutôt quatre. Il ne
pouvait guère effectuer plus d'un aller-retour
par jour, mais, chaque fois qu'il allait au lac, il y
restait au moins deux heures pour y réaliser
quelques aménagements.

En moins d'une semaine, il avait pratiquement transporté tout son équipement et une
partie de la nourriture. Parfois Or l'accompagnait. Maintenant, les chiots étaient assez
grands pour rester quelques heures seuls. Ces
randonnées lui faisaient du bien, lui redon-
naient des formes, raffermissaient ses muscles.

Matt avait découpé l'élan, abandonnant aux
charognards les os et la tête. Il avait fumé et
séché la viande avant de la laisser geler. Il défri-
cha l'emplacement qu'il avait choisi, puis alla en
forêt abattre et écorcer de belles grumes. Il les
transporta en les faisant rouler sur des petits
rondins, les halant depuis la tête au moyen
d'une corde qu'il passait autour de sa taille et
sur l'une de ses épaules. Ce travail était de loin

le plus pénible. Il lui fallait au moins une heure pour amener un tronc et bientôt deux car il devait aller les chercher de plus en plus loin. Avec un cheval, ce travail lui aurait pris deux jours. Il lui en fallut huit pour réunir les quarante-huit troncs qui allaient constituer les murs de sa cabane.

Trois tempêtes de neige s'étaient succédé, mais rien n'arrêtait Matt. Il travaillait sans relâche, taillant les troncs de manière à les ajuster parfaitement les uns dans les autres. Il éleva vite les murs et choisit sept perches bien droites qui formèrent la charpente du toit. Une pour le faîte et trois de chaque côté qui reposaient sur les derniers rondins de taille décroissante.

Puis il ouvrit une porte et deux fenêtres, et charria une grande quantité de perches de pins d'une dizaine de centimètres de diamètre avec lesquelles il fit la première couche du toit.

Ensuite, il fabriqua avec de la terre et de la mousse de lichen une sorte de ciment dont il recouvrit cette première couche, et il chevilla dessus une seconde couche de rondins de pins.

Le toit, à lui seul, lui avait pris dix jours de travail, mais il était satisfait car, aussitôt les vitres posées, il était certain que l'isolation serait parfaite. Alors, il se prépara à une virée en ville.

Matt n'avait pas vu un être humain depuis plus d'un mois et demi. Cela ne lui manquait pas. Au contraire, il éprouvait une certaine appréhension à l'idée de retourner à Dawson. Mais il avait eu beau retourner le problème dans tous les sens, il ne pouvait faire autrement que d'aller quérir ces précieuses et irremplaçables vitres en ville. Même si l'on racontait qu'en certaines contrées lointaines on les remplaçait avec de la glace ou des intestins de bêtes, il n'avait pas l'intention de se passer de ce petit confort. Il avait choisi un endroit idyllique et il entendait bien pouvoir le contempler tout à loisir depuis l'intérieur. Il lui fallait des vitres et cette excursion en ville lui donnerait sans doute l'occasion de revoir Marie. Oui, il avait envie de la voir, de la prendre dans ses bras et de lui faire l'amour. La dernière fois, elle l'avait mis dehors en disant qu'il ne fallait plus le laisser entrer sans qu'il paie. Eh bien, il allait payer, et il en profiterait. Au moins, elle ne pourrait pas refuser. Ainsi les choses seraient plus claires. Peut-être qu'elle avait raison, au fond. Il fallait que l'un et l'autre y trouvent leur compte. Le prix servait de référence.

Cette résolution prise, Matt se sentit mieux. Il prépara de la nourriture pour deux jours aux chiots qui passaient maintenant le plus clair de leurs journées dehors.

– Il va être temps que je vous donne des noms, leur dit-il, alors qu'ils se pressaient autour de lui en quête de caresses.

La petite femelle, toute blanche, le regardait avec ses grands yeux noirs intelligents.

– Toi tu t'appelleras Manouane.

C'était le nom d'une rivière qui coulait dans ses montagnes et que, enfant, il avait descendue plusieurs fois en canoë.

Il s'empara du plus costaud des mâles, tout noir avec deux petites taches blanches au-dessus des yeux.

– Toi, tu seras Skagway, et toi, Dyea, dit-il à celui qui arborait une fourrure toute blanche avec une seule tache noire courant le long du

205

dos jusqu'à la queue – un chien joueur et qu'il aimait particulièrement.

Il attrapa les deux mâles pratiquement identiques, blancs avec de grandes taches noires de chaque côté et qui ne se quittaient jamais.

– Yukon et Cloke, décida-t-il.

Il restait le plus réservé des sept. Un chien tout noir lui aussi mais avec la gueule et le dessous du ventre blancs.

– Blacky.

Enfin, le patron. Celui qui, depuis plusieurs semaines déjà, avait pris la position de dominant. Il n'était pas le plus lourd, ni aussi costaud que Skagway, mais il compensait par une vitalité et une souplesse incroyables. Dans les bagarres que les jeunes chiots se livraient à longueur de journée, il finissait toujours par avoir le dessus.

– Toi, tu t'appelleras Chinook.

Et il s'en fut vers la vallée.

Il ne rencontra personne, mais, en approchant de la jonction avec le Klondike, il sut tout de suite qu'il avait retrouvé les hommes. De loin, on entendait le grincement des machines, le souffle des chevaux, les voix. La vallée, creusée, fouillée, n'était plus qu'un vaste chantier sans ordre apparent. Des feux brûlaient un peu partout et des dizaines de chevaux allaient et venaient dans cet immense bourbier que le gel avait rendu praticable. Point de neige ici. Tout avait été retourné avec la terre. Point d'arbres non plus. Ils avaient été coupés, arrachés, brûlés. Ce n'étaient pas des hommes qui étaient passés là mais une tornade !

Matt croisa quelques équipes. Personne ne faisait attention à lui. Il y avait là des centaines d'hommes et autant de badauds qui venaient voir, vaguement en quête d'un travail. Ici, au fin fond de l'Alaska, comble des paradoxes, la main-d'œuvre était en surnombre. Des ribambelles d'hommes attendaient, assis au bord de certaines concessions, emmitouflés dans leurs vêtements de laine ou engoncés dans des manteaux de fourrure remontés jusqu'aux oreilles. Sur le sentier qui menait à Dawson allaient et venaient des traîneaux tirés par des chevaux. La plupart étaient chargés de bois, celui dont se servaient les mineurs pour entretenir les feux qui permettaient de dégeler le sol, que l'on creusait ensuite avec des pioches, des barres à mine et des pelles à main. Les plus riches avaient des drilles qu'actionnaient de grosses machines à vapeur. Pour nourrir tout cela, il fallait sans cesse abattre, débiter puis charrier du bois. De véritables armées de bûcherons œuvraient dans les forêts alentour. C'est ainsi que la majorité des prospecteurs arrivait à survivre, en se faisant embaucher ici et là pour l'abattage ou le transport, car il fallait aller de plus en plus loin.

En plus des bûcherons, il fallait des hommes pour le boisage des galeries qu'on devait soutenir au fur et à mesure que l'on creusait, et chaque concession avait sa propre forge où l'on refaisait les pointes des drilles, des pics et des pioches. Là encore il fallait des hommes. Ici et là, des petites fonderies avaient été édifiées. Au bruit des hommes se mêlait celui des machines, les scies actionnées par l'eau et la vapeur, les chaudières, tout cliquetait, grinçait, ronflait. Matt ne reconnaissait rien. En l'espace de six semaines, tout avait été bouleversé.

Il n'était pas au bout de ses surprises.

Quand il arriva à Dawson, il en resta bouche bée. Partout s'élevaient des maisons. On avait tracé des rues. On avait descendu et charrié des milliers de tonnes de terre pour combler une zone marécageuse maintenant habitée. Une véritable fourmilière. Il aperçut même quelques femmes ici et là, et des enfants. Une vraie ville, immense, comparée à ce que cet endroit était, c'est-à-dire rien !

– Tant d'argent.

Il y en avait donc tant !

Matt s'en voulut tout à coup d'avoir quitté si vite ce lieu pour aller s'isoler loin des découvertes que l'on avait sûrement faites, car, sinon, comment expliquer autant de monde, toutes ces constructions ?

Il se rendit directement au *Monte-Carlo* et tendit l'oreille. Une heure plus tard, il était fixé. On n'avait rien découvert de plus que ce qu'il savait déjà, à l'exception de quelques concessions de faible valeur piquetées ici et là et qui faisaient durement gagner quelques centaines de dollars à ceux qui y travaillaient.

– De ceux qui sont arrivés, il n'y a guère que ceux de la décharge qui s'en soient bien tirés, lui dit l'un de ceux à qui il avait adressé la parole en quête de nouvelles.

– Ceux de la décharge ?

– Oui, un excité, un blond nommé Émile qu'un gars a envoyé vers la décharge pour lui donner une leçon.

– Et alors ?

– Et alors, il y est allé et a piqueté un claim juste au-dessus de la décharge. Il y avait là près de un dollar la batée !

Matt en restait sans voix.

– Il en a ramassé pour près de trente mille dollars et les gars qui ont enregistré juste au-dessus et en dessous en ont touché tout autant. Il y a même un gars qui en a ramassé pour quarante-cinq mille.

– Merde !

– Tu l'as dit.

Ainsi le Klondike n'en avait pas fini avec ses blagues. Le plus étonnant était que Matt s'en fichait. Cette farce dont il était responsable le faisait sourire, alors qu'elle aurait dû le rendre fou.

Matt paya sa consommation et celle de son informateur, et s'en alla vers le *Midnight Sun* où il appela le cuistot.

– J'ai vingt livres de bonne viande à vendre.

– Montre.

Matt avait posé le sac devant lui et l'ouvrit. Le cuistot saisit le bloc de viande gelé, le soupesa et le retourna.

– Il n'y a pas trop de mauvais morceaux dissimulés au cœur du bloc ?

– Tu me prends pour qui ? C'est que du gigot. Du haut de gigot, précisa Matt.

– Je te connais pas, moi.

Il le pesa. Vingt-trois livres.

– Ça m'intéresse, mais il faut revenir. C'est le patron qui se charge des achats.

– Il revient quand ?

– Eh bien, le voilà justement !

Un grand rouquin entrait qui accrocha son manteau saupoudré de givre à une patère en bois de cerf.

– Il a de la viande à vendre. De l'élan. Vingt-trois livres.

– De la bonne ?

– Ouais.

Le cuistot fit un signe affirmatif à Matt.

– À deux dollars la livre, ça va ?

Matt en resta sans voix. Deux dollars la livre !
Il n'en espérait même pas la moitié.

– Deux dollars et vingt *cents* et on n'en parle
plus, dit le patron qui avait pris son silence pour
de l'hésitation.

Il sortit des billets de sa poche.

Matt les prit.

– Et si tu en as encore, repasse ici avant
d'aller voir la concurrence, ajouta le patron en
lui redonnant cinq dollars.

Matt le regarda avec des yeux étonnés.

– C'est un acompte...

La rouquin repartait déjà ainsi que le cuistot
qui, après lui avoir serré la main, s'empara de la
viande et se dirigea vers les cuisines.

Cinquante-cinq dollars ! Matt n'en revenait
pas. La viande valait de l'or !

Il s'offrit un whisky qui le rendit un peu guil-
leret. Il n'avait plus l'habitude de boire et c'était
le deuxième. Il ne put le payer. Le patron le lui
offrait. Il sortit après avoir promis de revenir
avec de la viande et se dirigea vers la bâtisse où
travaillait Marie. Il y avait là un monde fou. Il
ne rencontra pas le gars qui l'avait plus ou
moins mis dehors quand il s'était fâché avec
Marie. En revanche elle était là, dans un coin de
la salle, superbe dans une belle robe rouge et
blanc décolletée. Autour d'elle, d'autres filles et
surtout une bande de gars richement vêtus avec
des chaînes en or et des pépites crânement exhi-
bées. Sur la table, plusieurs bouteilles de champagne.

Matt les observa un moment. L'un d'entre eux, un grand brun à moustache, n'arrêtait pas de parler à l'oreille de Marie qui partait dans de grands éclats de rire. Les autres filles, qui sur les genoux de l'un, qui embrassant l'autre, riaient aussi.

Matt se sentait sale, un peu ridicule dans ses vêtements des bois, élimés, qui sentaient la fumée. Il passa une main dans ses cheveux en bataille et décida de reprendre un whisky.

– Matt !

Il se retourna et reconnut l'un de ceux qu'il avait aidés à franchir les rapides.

– Qu'est-ce que tu deviens ? lui demanda Matt.

– Comme tout le monde, je travaille sur une mine. C'est pas la pire. On a un bon pourcentage en plus du salaire, mais le patron ne nous accorde que peu de relâche, alors j'en profite.

Il lui montrait des filles. Trois que Matt n'avait pas vues, de l'autre côté du bar. Matt les observa d'un air entendu.

– Elles sont à combien ?

– Ça t'intéresse ?

– Pas vraiment.

– Allez, à d'autres ! Elles sont à trente dollars de l'heure.

– Une fortune !

– La loi de l'offre et de la demande.

– Tout pour elles ?

– Non. Moitié-moitié avec Ladue.

– Encore lui !

– Lui, il gagne sur tout. Absolument tout. On dit qu'il pèse près de six cent mille dollars !

Le montant donnait le vertige. Matt siffla entre ses dents.

– C'est ta copine aussi qui a gagné le gros lot, continua le type en désignant Marie. Avec la bande de Ladue, crois-moi, elle doit ramasser gros. Presque chaque soir, ils la prennent pour la nuit. Ça va chercher dans les deux cents dollars.

La mâchoire de Matt se crispa et il ne put réprimer une grimace.

– Ça n'a pas l'air de te plaire ?

Il marmonna une vague réponse inaudible et commanda un autre whisky.

Deux cents dollars ! Il n'en avait même pas la moitié en poche. En revanche, il lui restait plus de trois cents livres de viande. Il irait les rechercher et il paierait. Il voulait Marie. Plus il buvait, plus il la regardait et plus il la voulait. Ces types n'avaient aucun droit sur elle. Elle était à lui. Il allait leur casser la gueule. Il allait leur montrer. Il titubait. Pourtant, il but encore un verre. La tête lui tournait. La salle tournait. Il s'avança vers la table qu'occupait Marie. Il se tenait aux chaises et on le bouscula violemment plusieurs fois, car il se rattrapait aux gens pour ne pas tomber. Elle le vit enfin. Mais il s'écroula, ivre mort.

29.

Il ouvrit un œil et n'aperçut pas la toile de sa tente. Alors il allongea le bras sans bouger la tête car elle pesait une tonne mais ne trouva pas Or. Il sentit la douceur des draps frais et le moelleux d'un oreiller parfumé sous sa tête. Il ouvrit les yeux et peu à peu le voile se déchira. Il reconnut le papier peint dont étaient recouverts les murs de la chambre de Marie, des ancres marines rouge et verte sur un fond bleu.

– Marie ?

Il était seul. Mais il se souvenait maintenant. Elle l'avait déshabillé et ils avaient fait l'amour. Non, il avait rêvé. Elle l'avait déshabillé, elle l'avait couché, puis elle était partie. Le reste, il l'avait rêvé. Peut-être que non, après tout ? Quelle importance que ce fût vrai ou non. Il ne se rappelait pas et c'était fini. Elle n'était pas là et il avait envie d'elle. Plus que jamais. Il essaya de se lever, mais tout tournait. C'était affreux. Il tituba jusqu'à un lavabo où il fit couler de l'eau dont il s'aspergea le visage. Ça n'allait pas mieux. Il se recoucha et dormit encore deux bonnes heures. Quand il se leva enfin, il était près de midi et il avait faim. Il quitta la chambre après avoir soigneusement refermé le lit et tout remis en ordre, puis il descendit dans le bar, déjà plein et où il ne reconnut personne. Pas de Marie.

Il alla au *Midnight Sun* et commanda un repas sur lequel le cuistot lui accorda une remise de cinquante pour cent. Il y croisa Hoxey qui travaillait à la scierie et occupait le poste de contremaître sur l'une des scies à grume. Matt et lui n'avaient plus grand-chose à se dire et Matt, qui avait toujours la gueule de bois, prétexta un rendez-vous pour expédier son repas et se retrouver seul.

Il n'avait plus rien à faire en ville. Il étouffait ici. Il sortit et fut étonné de la douceur de la température. La neige menaçait. Matt se rendit au magasin général et acheta un filet de pêche ainsi qu'un harnais et des bandes de tissu renforcé, du fil et plusieurs grosses aiguilles. Puis il demanda une fiole d'un litre de tanin avec lequel il comptait tanner le cuir de l'élan qu'il avait soigneusement conservé. Le propriétaire du magasin lui donna aussi un mode d'emploi qui expliquait comment procéder pour obtenir un bon cuir.

Matt embarqua dans l'une de ces charrettes qui emmenaient les ouvriers sur les concessions du Klondike, pour un dollar. Deux heures plus tard, il attaquait la montée vers le col alors que la neige tombait de plus en plus dru. Arrivé au col, il n'y voyait plus à dix pas et le vent se levait. Il hésita. La nuit approchait et il en avait encore pour deux bonnes heures à traverser l'alpage avant de retrouver la forêt, puis sa cabane. Ne devait-il pas rester ici, allumer un feu et attendre le lendemain matin ? Soudain, il fut pris d'une terrible angoisse. Il fouilla dans ses poches.

– Quel con ! Mais quel con !

Il avait oublié ses allumettes !

Il n'avait plus le choix. Soit il redescendait vers le Klondike, il en avait pour une bonne heure et demie, soit il allait à sa cabane. Là-bas, il y avait de quoi faire un feu et il serait à l'abri. Il n'hésita plus. Il fallait faire vite et profiter du peu de lumière du crépuscule pour avancer le plus possible. Il se rua dans la pente. Il ne pouvait pas se perdre. La forêt était en bas. Ensuite, il reconnaîtrait.

Il s'étonna que la neige fût déjà si épaisse. Il enfonçait jusqu'au mollet, parfois jusqu'au-dessous du genou, et ne pouvait marcher aussi vite qu'il le voulait. Il n'avait pas froid. Au contraire. Il était un peu trop couvert et transpirait. Peu importe, il se sécherait dans sa cabane, bien au chaud.

Le vent soufflait en petits tourbillons de plus en plus rageurs, si bien qu'il dut, à plusieurs reprises, s'arrêter pour vérifier qu'il continuait bien à descendre tant son équilibre était contrarié. Au début ce fut facile, mais plus bas, quand l'angle de la pente s'amenuisa, ce fut plus difficile. Il faisait presque noir maintenant et Matt commença à avoir peur. Autour de lui, la tempête hurlait et les flocons qui filaient à l'horizontale lui cinglaient le visage. Il lui fallait vite rejoindre la forêt. Il accéléra. Il ne voyait plus à un mètre. Les rafales soulevaient autant de neige du sol que le ciel en apportait. Matt ne savait même plus s'il neigeait ou non. Tout était noyé, aplani, recouvert. Il était pris au piège, la tempête se refermait autour de lui dans un angoissant mélange d'obscurité et de blanc.

– Bon Dieu ! Je vais crever !

Il était condamné à l'immobilité. Bouger, c'était tourner en rond dans la tempête avec une chance infime de trouver la forêt avant de s'épuiser. Pourtant, Matt avança encore un peu. Il ne savait pas ce qu'il cherchait, mais il refusait de s'arrêter ici, de se laisser tomber n'importe où. Il voulait choisir, se sentir encore maître de son destin. Il lui sembla sentir sous ses pieds un petit dénivelé. Il le contourna. C'était une sorte d'épaulement de terrain, pas assez haut toutefois pour créer, derrière lui, un espace protégé. La neige, projetée sur Matt par paquets, l'habillait d'une lourde chape dont il ne pouvait se débarrasser. Il se rappela qu'il portait un sac et le fouilla. Il y avait là le matériel pour confectionner les harnais, le tanin, quelques babioles. Rien dont il pouvait se servir. Il s'assit, dos à la tempête, mais elle tournait. Il avait beau changer de place, rien n'y faisait. La neige entrait partout. Il se recroquevilla. Il avait froid. La transpiration qui avait pénétré ses vêtements gelait à présent. Il avait soif. C'était la nuit noire et la tempête hurlait toujours. Il ne pouvait pas lutter, rien inventer. Il n'y avait aucune échappatoire. Matt comprit qu'il allait mourir. Cette évidence le terrifia. Mourir alors qu'il n'avait pas encore vécu ! Il n'avait même pas besoin de le faire dignement. Il était seul. Pas de témoin. Personne pour assister à sa mise à mort. Il n'y avait que la tempête, son bourreau, qui se moquait.

Il avait perdu.

Il se recroquevilla encore plus, cherchant avec ses pieds à creuser sous lui pour donner au vent le moins de prise possible.

Creuser! Une idée lui vint soudain. Et s'il creusait une sorte de terrier sur l'ados de cet épaulement de terrain qui retenait la neige? Il pourrait s'y blottir. C'était une bonne idée, assurément, mais il n'avait plus la force de bouger. Il était bien. Trop bien. Il n'avait même plus froid. Il avait sommeil, c'était tout. Sa fatigue l'enveloppait, le berçait. Pourtant, il savait au fond de lui qu'il fallait renoncer à ce sommeil trompeur, à cet engourdissement fatal, mais il grelottait rien qu'à la perspective de devoir se relever, lutter. Il pensa à Marie, à la douce tiédeur de sa peau. Il ferma les yeux et chercha en lui une dernière raison de résister. C'était elle. Il la voyait. Ses yeux l'appelaient dans la nuit. Sa voix se mêlait à celle du blizzard et lui disait de se lever.

Il fit un effort surhumain, mais son esprit s'était détaché de son corps. Il croyait s'être levé car il se voyait le faire, mais il était toujours assis. Il était comme dans un rêve, à l'heure où l'on ne sait plus bien si l'on est réveillé ou non, ce qui fait partie de la réalité ou ce qui est le fruit de l'imagination. Lève-toi! Lève-toi! lui ordonnait son subconscient. « Je vais déjà bouger une main », se dit-il, sans savoir si la voix sortait de lui. Il le fit au terme d'une longue lutte intérieure. Cela ramena en lui la perception de la connexion entre son esprit et son corps. Il put se redresser. Le blizzard hurlait sans discontinuité. Il buta contre l'élévation du terrain et s'affala dans la neige, luttant pour ne pas rester ainsi. Sa tête bourdonnait. Il chercha un peu et trouva un endroit où la neige s'était accumulée, formant derrière la petite butte une longue congère. Avec ses mains gantées, il creusa. Le vent avait tassé la neige et c'était exténuant. Mais il était déterminé à aller au moins au bout de cette idée. Ensuite, il dormirait et mourrait peut-être. Pas avant.

Il creusait et projetait la neige sur les deux côtés de son corps à demi enfoui. Déjà, le vent semblait moins violent. Cependant il n'en était rien, comme il put le constater en sortant de son trou pour dégager la neige qui le gênait en s'accumulant à l'entrée.

Il continua jusqu'à atteindre le sol, un mélange de lichen et de roche. Alors il agrandit le trou dans sa largeur pour pouvoir s'y retourner. La neige pénétrait toujours par le trou et Matt le boucha, ne laissant qu'un petit interstice. Il n'entendait presque plus la tempête dont les sifflements lui parvenaient de manière étouffée. L'exercice l'avait réchauffé, mais l'humidité dont ses vêtements étaient imprégnés le fit grelotter de nouveau. Il se recroquevilla et cette fois-ci ne lutta plus contre l'engourdissement qui doucement le gagnait, alors qu'en son refuge rudimentaire la température remontait quelque peu. Il sombra dans une sorte de coma délicieux qui ressemblait au sommeil.

30.

Quand la chienne de tête de Mersh bifurqua soudain vers la droite, il laissa faire car il la connaissait assez pour savoir qu'elle avait une odeur dans le nez. Elle traversa le plateau en diagonale, entraîna l'attelage dans la descente et s'arrêta au pied d'un monticule où elle se mit à gratter la neige. Mersh planta l'ancre qui immobilisait le traîneau et s'avança au moment où la neige crevait, laissant apparaître un trou dans lequel gisait une forme sombre qu'il prit pour un ours.

Il se rua sur son traîneau et dégaina la winchester de son étui de cuir tout en se faisant la réflexion suivante à voix haute :

– Un ours qui hibernerait dans un endroit pareil serait bien le plus fou des ours que j'aie jamais rencontré.

Il observa ses chiens qui ne manifestaient pas la moindre hostilité.

– Qu'est-ce... ?

Une sorte de grognement qui ressemblait à une plainte se fit entendre. Il approcha.

– Un *cheechackos* ! J'aurais dû m'en douter.

Mais qu'est-ce qu'un *cheechackos* pouvait bien faire ici ?

Il se pencha et chercha la tête dans l'amas de neige et de vêtements qu'il voyait. Il dégagea un bras et tira. Il sortit l'homme du trou et le hissa sur son traîneau qui par chance était vide, car il était parti à la recherche de pistes d'élans aussitôt après la tempête et n'avait presque rien emporté.

Inconscient, Matt râlait par intermittence comme un enfant que l'on tente de réveiller quand il se trouve dans un profond sommeil. Mersh tâta son pouls et étudia ses extrémités. Il n'était pas gelé mais souffrait d'une sévère hypothermie qui pouvait l'emmener rapidement. Mersh soupira et fit demi-tour après l'avoir soigneusement enveloppé dans le manteau de fourrure de rechange qu'il prenait toujours avec lui, même pour une course de quelques heures.

Il lança ses chiens au galop sur la piste qu'il venait de damer et rejoignit sa tente en moins d'une heure. Il alluma aussitôt un feu dans le petit poêle puis concocta un bouillon de viande qu'il fit boire à Matt en l'asseyant contre lui. Ensuite il le déshabilla, le recouvrit d'une fourrure en peaux de lièvre qui lui servait de sac de couchage, et fit sécher ses vêtements au feu avant de le rhabiller.

Plusieurs fois, Matt émergea de son état léthargique, mais il baragouinait des mots sans suite et retombait immédiatement dans un sommeil de plomb. Mersh lui donna régulièrement du bouillon au cours de la nuit. Au petit matin, Matt ouvrit des yeux un peu vitreux.

– Où suis-je ?... Qu'est-ce... ?

Jugeant son état satisfaisant, Mersh prépara son traîneau pendant que Matt émergeait doucement. Tout habillé, les chiens harnachés, prêt à partir, Mersh revint se planter devant lui dans la tente.

– Écoute-moi bien, *cheechackos*. Ce pays n'est pas fait pour toi. Ne t'avise pas de revenir par ici traîner tes guêtres de ville. Va te soûler à Dawson et rentre chez toi au printemps par le premier bateau. J'ai perdu une journée à cause de toi parce que je ne peux pas laisser crever quelqu'un. Même s'il ne vaut pas plus que toi.

Matt l'écoutait bouche bée, incapable d'articuler le moindre mot. Il avait la gorge sèche et sa tête lui tournait.

– Je te laisse la tente et ce bouillon. Je repasserai la prendre, ainsi que la casserole. Si tu voles quoi que ce soit, je te crèverai.

Et il partit sans que Matt ait prononcé la moindre parole. Épuisé, celui-ci se rendormit et s'éveilla au crépuscule. Il ne se souvenait pas de grand-chose. Il revoyait le blizzard, il se rappelait vaguement avoir creusé un trou, puis plus rien jusqu'à ce visage encadré d'une grosse barbe blanche et ces yeux, d'un bleu délavé, qui l'avaient si durement regardé. Mais comment, par quel miracle, l'avait-il retrouvé dans sa tombe de neige?

Dans la tente, rien n'indiquait l'identité de son sauveur. Un vieil homme, barbu et aux yeux clairs. Il s'agissait sans doute de cet ours dont on lui avait parlé. Oui, c'était sûrement lui. Mais pourquoi était-il reparti? Pourquoi l'avait-il laissé là, comme ça?

Matt ne l'avait même pas remercié.

Il tenta quelques pas, mais il était encore trop faible. Il raviva le feu avec le bois et les brindilles préparés contre la paroi de la tente et termina le bouillon, puis il se rendormit. Au petit matin, il allait beaucoup mieux. Des morceaux de peau un peu noire se détachaient à l'extrémité de ses doigts, mais les engelures n'étaient que superficielles. Il se leva et, à la faveur de cette belle matinée ensoleillée, regarda autour de lui. Au bout d'un moment, il lui sembla reconnaître la vallée. En la remontant, il devrait rejoindre le lac. Mais ne devait-il pas attendre le retour du vieil homme ? Il pensa à ses chiens, à la tempête qui avait dû tout obstruer autour de sa cabane. Il prit les allumettes abandonnées par le vieux, puis il chaussa les raquettes qu'il trouva fichées dans la neige. À ce moment, il aperçut le mot griffonné sur un morceau de papier d'emballage et attaché à la lanière.

À Dawson, laisse ces raquettes et ce que tu auras emporté au magasin général. Mersh.

– Mersh !
Oui, c'était bien ça.
Ainsi, il pourrait le remercier le jour où il se rendrait à Dawson.
Il quitta la tente. Il n'était pas habitué à la marche en raquettes et il n'avançait pas vite d'autant plus que, dans le creux de la vallée, la couche de neige fraîche était épaisse. Il devait s'arrêter souvent car il n'avait pas encore totalement recouvré ses forces. Alors seulement il prit la mesure de la chance qui avait été la sienne.
– Je suis vivant !
Il regardait autour de lui, les montagnes et les arbres de la forêt, le soleil et le croissant blanc de la lune qui se couchait au loin et il eut soudain conscience de la valeur de la vie. Elle était

donc si belle, la vie. Et il avait fallu presque la perdre pour s'en rendre compte ! Il retiendrait la leçon. Maintenant, il n'oublierait plus le feu et surtout il serait humble face à la nature. Il avait trop joué : au milieu des icebergs, dans les rapides et dans le blizzard. Il avait usé toutes ses chances. Maintenant il lui faudrait plier pour survivre. Plier pour se grandir. Un paradoxe qui était une vérité dans ce pays contradictoire.

Il reconnut la forêt puis le ruisseau et atteignit enfin sa cabane où les chiens l'accueillirent avec effusion.

– Ça va, les chiens ?

Ils couraient autour de lui en jappant, feignant de le mordre chaque fois qu'ils sautaient. Matt les caressa tour à tour, puis dégagea l'entrée de la cabane qui avait bien résisté aux assauts du blizzard et distribua de la viande aux chiens qui mouraient de faim.

– À plus d'un dollar la livre !

Matt regardait avec un certain regret ses malamutes engloutir en quelques bouchées des dizaines de dollars.

– Bande de bâfreurs !

Il mangea lui aussi, puis alla sur le lac creuser des trous pour poser le filet qu'il avait acheté, mais il manquait de force et surtout souffrait de toutes les brûlures aux mains dont il avait été victime. Il retourna à sa cabane, s'allongea et s'endormit presque aussitôt. Dans ses rêves, le vieil homme passait et repassait dans le blizzard. Matt était enfermé dans un terrier de neige avec Marie et ils hurlaient, mais le vieil homme ne les entendait pas. Plusieurs fois Matt se réveilla en sueur. Au petit matin, il neigeait de nouveau.

Cela dura deux jours pendant lesquels Matt soigna ses mains en les enveloppant dans des bandages graissés et imprégnés d'alcool iodé car certaines engelures, plus profondes que d'autres, s'infectaient.

Durant ce temps, il fit l'inventaire de tout ce qu'il devait préparer pour hiverner ici. Il lui fallait d'abord faire provision de bois et de poissons. Les truites voyageaient beaucoup à l'embâcle, moins ensuite. Elles regagnaient les bas-fonds et n'en bougeaient que trop rarement pour qu'il espère en prendre assez au filet.

Voilà donc à quoi il consacra la semaine qui suivit la tempête de neige. Le ciel était lavé et le grand froid s'était installé. Pas un souffle de vent et une froidure extrême, bien supérieure à celles qu'il avait connues plus au sud dans ses montagnes où le thermomètre dépassait rarement moins trente degrés. Matt se demanda si les hommes, en bas, travaillaient encore dans les claims. La plupart devaient avoir stoppé le travail. Par un froid pareil, on ne pouvait rien faire. L'acier collait aux mains. Même les feux ne dégelaient plus la terre et le moindre effort coûtait le double d'énergie.

De fait, tout ce que le Klondike comptait d'hommes était à Dawson où les prix de la nourriture flambaient, tout comme ceux des boissons et des filles. Pour beaucoup, la ville était devenue une prison. On ne dénombrait plus les pauvres bougres, sans un sou, mal habillés, atteints de scorbut et dévorés par les engelures, que l'on retrouvait raides sous leur tente non chauffée. Les plus démunis allaient même

C'est à ce chercheur d'or qu'aurait pu ressembler Matt, le héros de ce roman. Équipé d'une pelle, d'un tamis, d'un fusil et surtout accompagné d'un chien, il va tenter de trouver sa place dans un pays encore inexploré : l'Alaska.

Lancé lui aussi dans cette ruée vers l'or, Jack London arrive à Dawson à l'automne 1897. Il a vingt et un ans, et n'est qu'un chercheur d'or aussi pauvre que les autres quand il grave sa signature dans le bois de sa cabane. Lui non plus ne trouve pas la fortune en Alaska, mais il nous laissera des pages inoubliables.

Lac Bennett

Lac Linderman

Log House

Deep Lake

Shallow Lake

Long Lake

Happy Camp

Summit Lake

Sommet du
Chilkoot Pass

Stone House

Sommet du
White Pass

Sheep Camp

Camp Pleasant

Dyea Trail

Dyea river

Skagway Trail

Porcupine River

Dyea

Skagway

0   4 km

w York

NEWS FROM THE KLONDIKE

GOLD! GOLD! GOLD! GOLD!

Special Tug Chartered To Get The News

WHITE HORSE TODAY

BUILDING BOOMING

White Horse, Apr. 1, 1901 — The spring boom has struck White Horse in earnest. The sound of hammers can be heard in all directions and several lots in the business portion of the town are becoming as scarce as mushrooms on an iceberg.

Many residential frame buildings are going up, also many canvas ones which in time will give place to more permanent structures.

About 400 men are at present working in the town with the prospect of many more being employed, and in the evening the streets put one in mind of the great thoroughfares of the large cities throughout the states.

SKAGWAY AND UP RIVER POINTS

Alex. Schwartz and Party...

Seattle, July 27, 1897. ON BOARD THE STEAMSHIP PORTLAND, 3:00 A.M. — At 3 o'clock this morning the steamship Portland, from St. Michaels for Seattle, passed up the Sound with more than a ton of solid gold on board and 68 passengers. In the captain's cabin are three chests and a large safe filled with the precious nuggets. The metal is worth nearly $700,000 and most of it was taken from the Klondike district in less than three months last winter. In size the nuggets range from the size of a pea to a guinea hen egg. Of the 68 miners on board hardly a man has less than $7,000, and one or two have more than $100,000 in yellow nuggets.

Clarence Berry is regarded as the luckiest man in the Klondike. Ten months ago he was a poor miner and to-day he is in Seattle with $130,000 in gold nuggets. One nugget weighs 13 ounces and is worth $231. They have rather fortunate, he averred.

Inspector Strickland, of the North West Mounted Police, was guarded with his statements. He said there were only two paying districts in what is known as the Klondike region, and they are called the Bonanza and Eldorado creeks.

QUEEN VICTORIA

Gold! Gold! Gold! Le 14 juillet 1897, à la une du *Seattle Post Intelligence*, ces mots ont déclenché l'une des plus incroyables ruées vers l'or de l'Histoire.

À bord du *Portland*, revenant de l'Alaska vers Seattle, plus d'une tonne d'or pur estimé à 700 000 dollars en pépites parfois grosses comme un œuf d'autruche ! Le bateau repart vers le nord surchargé de passagers. Des dizaines de milliers d'autres suivront.

Le célèbre « Chilkoot Pass », à la frontière entre l'Alaska et le Canada.

Le col du Chilkoot Pass.
Sa pente à près de 45°
devient, avec sa fourmilière
de porteurs qui
se succèdent jour et nuit,
le symbole de cette ruée
vers l'or.

Au total plus de deux cent cinquante mille personnes venues du monde entier abandonnent tout et tentent le voyage entre 1897 et 1899. Parmi elles, seules cinquante mille atteignent finalement Dawson. La police montée, affolée par l'afflux de ces enfiévrés qui ne connaissent rien à la survie dans le Grand Nord, exige que chaque personne apporte au minimum une tonne de vivres et de matériel.

On Chilkoot Pass

De Skagway il faut parcourir sept cents kilomètres avant d'atteindre le Klondike, la rivière cause de cette ruée. Un véritable parcours du combattant qui force de nombreux aventuriers à faire demi-tour.

Le 3 avril 1898, une avalanche fait plus de trente morts. Beaucoup sont hâtivement recouverts de neige sur place. Les plus chanceux sont « mis à geler » en attendant le printemps où ils seront enterrés.

Une fois arrivés de l'autre côté du col, l'aventure ne fait que commencer. Depuis le lac Bennett, il faut gagner la rivière Yukon en se construisant un bateau suffisamment solide pour supporter le poids de ses occupants et de leurs tonnes de vivres et de matériel, et capable de franchir plusieurs rapides.

Plutôt que de ramer ou d'attendre le vent qui ne vient pas, beaucoup choisissent pour traverser les lacs de « cordeler » : une technique consistant à haler le bateau depuis la berge.

Toutes sortes d'embarcations sont fabriquées, les plus rudimentaires étant de simples radeaux peu maniables dans les rapides, mais qui ont l'avantage d'être vite construits, répondant à l'obsession de ces aventuriers : arriver avant que tout l'or soit pris !

Avant la mise en place d'un contournement par les rives, de nombreuses embarcations chavirent dans les rapides de Whitehorse et de Miles Canyon, faisant plusieurs dizaines de victimes.

Pour le portage de leurs tonnes de vivres et de matériel, on a recours aux Indiens, qui se font payer de plus en plus cher à mesure de l'afflux des chercheurs d'or.

En hiver, le fleuve Yukon gèle et offre aux voyageurs une route de glace que vont emprunter des milliers de traîneaux.

Au début de la ruée, un bon nombre de chercheurs d'or empruntent le « White Pass », mais de fréquentes avalanches vont fermer ce passage.

La plupart des chercheurs d'or qui arrivent en Alaska n'ont aucune idée de l'aventure qui les attend. Ceux qui réussiront seront ceux qui copieront le modèle de vie des trappeurs et des Indiens.

Tout manque dans le Klondike et surtout les chiens, qui deviennent vite le moyen de transport le plus rapide et le plus pratique.

De nombreux chevaux sont utilisés pour le transport de marchandises depuis Skagway jusqu'au lac Bennett. Beaucoup périssent et on trouve encore aujourd'hui des ossements disséminés ici et là tout au long de cette terrible route.

Les locaux, Indiens et coureurs des bois, propriétaires de chevaux et de chiens, qui ne participent pas à la ruée vers l'or, louent leurs services aux chercheurs d'or ou au gouvernement pour acheminer la nourriture vers le Klondike, où elle va bientôt cruellement manquer.

Ici il n'y avait rien d'autre que trois cabanes de trappeur
construites le long de la rivière… Avec l'arrivée de plus
de cinquante mille chercheurs d'or, la naissance de
Dawson est une explosion.

Au début, Dawson n'est qu'une ville de tentes, mais très rapidement
les scies se mettent à l'œuvre et ce sont des centaines d'hectares de
forêt de pins qui se transforment en planches pour fabriquer la ville.

La plupart des habitants de cette ville surréaliste paient en poudre d'or et en pépites. On dit que des millions de dollars en or se sont perdus au black-jack dans le casino de la ville.

Arrivés trop tard alors que tous les bons secteurs sont déjà pris, la plupart des arrivants cherchent à se faire employer ici et là pour s'acheter de quoi vivre, ce qui devient de plus en plus dur car les prix flambent.

Dawson devient
une ville avec hôtels,
casino et saloons.
Un opéra sera même
construit !

Des fortunes naissent quand certains pensent à amener à Dawson
ce qui va le plus manquer aux hommes rassemblés là : les femmes !

Dawson devient
le centre du monde
pendant quelque
temps, mais très vite
les arrivants, déçus,
ruinés, amaigris,
affamés, malades,
ne pensent plus
qu'à repartir de cet
eldorado qui devient
un enfer si on n'a
même pas de
quoi y vivre.

Les plus chanceux, propriétaires de mines, embauchent du personnel et s'organisent pour l'extraction de l'or, une tâche rendue difficile par les conditions climatiques qui obligent en hiver à faire des feux ou à projeter de l'eau chaude pour dégeler le sol. L'or est là, parfois, mais à quel prix…

jusqu'à se donner la mort. La plupart se pendaient car ils n'avaient même pas de balles pour s'en tirer une dans la tête, alors qu'un bout de corde on trouvait ça partout. Au pis, une ceinture pouvait faire l'affaire, à moins que le propriétaire n'ait déjà fait bouillir le cuir pour le mâcher. Ce paradis doré était devenu un enfer. En désespoir de cause, certains se lançaient à l'assaut des grandes étendues glacées dans l'espoir de regagner le Sud. Peu y parvenaient et la police montée interdisait la route à ceux qui n'étaient pas assez équipés, tout comme elle avait interdit l'accès au Klondike à ceux qui n'avaient pas un minimum de marchandises. Le plus incroyable était que la ruée se poursuivait. D'autres rêveurs arrivaient en suivant le cours gelé du Yukon après avoir franchi le Chilkoot sur une pente verglacée, sans cesse dans le vent. Les journaux, qui avaient tant parlé des tonnes d'or de l'Alaska, étaient passés à autre chose et ne s'étalaient pas sur les désillusions de ceux qui parvenaient à rentrer. Au contraire, ils évoquaient toujours ceux qui avaient fait fortune et dont les comptes en banque se gonflaient, car il s'en trouvait quand même quelques-uns, peut-être un sur mille, qui sur les bons claims continuaient de ramasser des « tonnes d'or ». Mais ils étaient si peu en proportion de tous ceux qui sombraient dans le désespoir, de tous ceux qui après avoir tout quitté, tout dépensé, n'avaient plus d'autre choix que d'attendre un miracle. Mais dans le Grand Nord le miracle est rare. Le Nord est dur, impitoyable et ne donne qu'à ceux qui le méritent, ou par hasard, de façon totalement incohérente, comme pour se moquer de ceux qui croient le connaître.

Quelques malins ramassaient autant d'or que ceux qui l'extrayaient de leurs claims. Un certain Karl Langersen avait transporté depuis Juneau mille douzaines d'œufs revendues un dollar pièce, et le dénommé Paul Murray amena six filles de Vancouver et ouvrit l'une des maisons de joie les plus actives de tout le Nord américain. Mais l'immense majorité dépensait bien plus d'argent qu'elle n'en gagnait. Ils repartaient presque tous de Dawson encore plus pauvres qu'en arrivant, après avoir enduré toutes les privations et s'être tués au travail dans les froidures extrêmes.

Matt ne comptait pas son or mais ses poissons et les cordes de bois qu'il rentrait. Les chiens le suivaient partout. Ils grandissaient, affirmant leur caractère. Matt ne revit pas Mersh. Quand le filet commença à ne plus prendre, Matt se concentra sur la trappe des lièvres et sur l'abattage et le stockage du bois de chauffage. Il travaillait chaque jour dehors, de l'aube au crépuscule, et sa résistance au froid augmentait tout comme son endurance, soumise à rude épreuve dans ce pays de neige et de glace où chaque effort nécessite une grande dépense d'énergie.

La solitude ne lui pesait pas. Il avait les chiens. Ce qui lui manquait, c'était un corps chaud de femme à prendre dans ses bras, en l'occurrence Marie.

Un matin que le thermomètre remontait quelque peu après être resté plus de deux semaines dans les abysses du froid, Matt tomba sur les traces, fraîches d'un élan et de son petit. Il abandonna aussitôt ses occupations habituelles et partit sur leurs traces mais il n'alla pas loin. La meute le devança et prit en chasse les deux animaux. Matt renonça bientôt à les suivre et rentra à la cabane, vaguement inquiet pour ses chiens qui allaient rencontrer pour la première fois ce grand mammifère, cette masse de muscles qui pouvait les déchiqueter tous avec ses sabots.

La meute revint à la nuit. Ils étaient épuisés mais sains et saufs. Matt en déduisit que les élans les avaient distancés ou repoussés. Dès lors, il tendit entre deux arbres le câble qu'il avait acheté à cet effet et y attacha les chiens avec deux mètres de ligne. Il laissa Or libre de circuler autour de la cabane. Les chiens protestèrent, surtout la petite Manouane et le chef de la meute, Chinook, qui passa une partie de la nuit à hurler, gratter, tirer et mordre dans le câble avant de se résigner enfin.

De son côté, Matt termina les harnais qu'il avait commencé à coudre sur le modèle de celui qu'il avait acheté et, dès le lendemain, accéléra la construction de son petit traîneau. I' le fit un peu court, trop large et raide car il ma quait de modèle. Puis il confectionna une ligne de trait.

Il ne lui restait plus qu'à atteler.

Les premiers essais furent catastrophiques.

Or, en tête, passait son temps à regarder derrière elle, alors que les autres s'emmêlaient, se battaient ou même se laissaient traîner en hurlant. Il n'y avait guère que Blacky et peut-être Dyea qui essayaient de courir.

Matt ne put faire plus d'une cinquantaine de mètres le premier jour et encore moins le lendemain lorsqu'il tenta de réduire le nombre de chiens à trois avec Or, Dyea et Blacky.

Découragé, il douta que ses chiens fussent capables un jour de tirer un traîneau.

« Me voilà bien avec huit bouches inutiles à nourrir ! » se dit-il, dépité, en leur distribuant les poissons qu'il avait eu tant de mal à pêcher et dont il imaginait combien il aurait pu en tirer à Dawson.

Il pensa de nouveau à ce fameux Mersh qui se déplaçait en traîneau en regrettant de ne pas avoir pu, lors de leur rencontre, profiter de son expérience. Il décida de retourner à Dawson pour lui rendre ses raquettes et de lui laisser un mot l'invitant à lui rendre visite. Avec un peu du cuir de l'élan qu'il avait tué, il fabriqua une paire de raquettes identique à celle de Mersh en copiant le laçage assez complexe mais efficace, puis il se mit en route avec plus de cinquante livres de viande d'élan sur le dos. De la viande qu'il échangerait contre Marie.

31.

À Dawson se côtoyaient les millionnaires qui buvaient du champagne dans des coupes de cristal et ceux qui mouraient de froid et de faim dans leurs tentes, incapables d'acheter ce qui arrivait si parcimonieusement par le fleuve gelé. Le prix d'un œuf avait quadruplé, celui de la viande excédait cinq dollars la livre, il fallait en débourser autant pour une bouteille de whisky, les filles se vendaient aux enchères. Un soir, un des millionnaires de Dawson avait déposé dans une balance le poids en or de chacun des vêtements d'une fille dénommée Frida, jusqu'au dernier, et il l'avait emmenée.

Ville de tous les excès, Dawson était celle de toutes les désillusions. On y pleurait de désespoir, mais les rires, les soûleries et les chants couvraient ces mélopées lugubres. Les morts étaient vite enterrés, alors qu'au casino les fortunes changeaient de mains aussi vite que se vidaient les bouteilles.

Matt négocia sa viande pour deux cent cinquante dollars et en promit d'autre pour laquelle on lui consentit une avance de vingt dollars. Il laissa à Mersh une bouteille de whisky et un mot en le remerciant et en le suppliant de venir le voir à l'occasion. Il lui indiqua sommairement où se situait sa cabane et donna le tout au gérant du magasin général. Celui-ci ne savait pas quand Mersh repasserait.

– Dans deux jours, dans deux mois, ou dans deux ans, lui dit-il d'un air bougon en rangeant la bouteille sur une étagère derrière lui.

– Mais où puis-je le trouver ?

– Dans le Nord. Mersh est un voyageur. Il a une cabane quelque part, peut-être même plusieurs, mais personne ne sait où elles sont. Et, à vrai dire, je crois qu'il ne tient pas à ce qu'on le sache.

C'était suffisamment clair. Matt acheta les denrées dont il avait besoin, remercia et s'en alla. Dans Dawson, il vit quelques attelages dont celui de Chilcaat, un sang-mêlé, mi-blanc mi-indien, qui effectuait du transport de marchandises depuis Skagway pour le compte du *Monte-Carlo*. Mais, avare de paroles, bourru et antipathique, il ne consentit à répondre à aucune de ses questions.

Matt essuya le même revers avec un musher de Forty Miles, un ancien Yukonais qui n'entendait pas perdre de temps avec un *cheechackos* de son espèce. Matt le regarda se préparer à partir avec un plein chargement de marchandises non sans une certaine admiration et un peu de convoitise. Les chiens piaffaient d'impatience et sautaient en l'air en tirant sur les traits, creusant sous leurs pattes de petites cales sur lesquelles ils s'appuyèrent lorsque le conducteur libéra le traîneau, qui dévala dans un nuage de givre la berge du Yukon. Ils allaient bien droit, en ordre, à vive allure sur le sentier balisé et disparurent rapidement dans un coude du fleuve. Matt soupira et, remontant le col de sa veste, se faufila dans les rues ventées jusqu'à la grande bâtisse où il espérait trouver Marie.

Comme toujours, la salle du bar, au rez-de-chaussée, était noire de monde. Gêné par la fumée épaisse qui stagnait dans la pièce, Matt mit un moment à se rendre compte qu'elle n'était pas là. Une rousse un peu forte passa devant lui. Il la héla.

– Bonjour ! Tu sais où est Marie ?

Elle le dévisagea de la tête aux pieds avec une moue réprobatrice.

– Tu ne me sembles pas à son goût.

Le visage de Matt se durcit. Il palpa sa poche et sans réfléchir lança :

– J'ai deux mille dollars en or dans cette poche. Ça devrait suffire, non !

– Montre !

Son œil s'était allumé d'une petite lueur gourmande. Matt fit un signe de tête négatif.

– Écoute, lui dit-elle, un peu plus aimable, Marie n'est pas libre. À vrai dire, elle ne l'est pratiquement jamais, vu que Ladue l'entretient... Laisse tomber Marie et viens avec moi avant qu'un autre ne m'emmène.

Matt ouvrit la bouche pour répondre mais se ravisa. Après tout, il avait envie d'une fille, elle ou une autre...

– Combien ?

Elle se contorsionna, lui passa les bras autour du cou et lui chuchota à l'oreille :

– Commence par m'offrir un verre ! Ignores-tu les bonnes manières ?

Il commanda une coupe de champagne et un whisky.

– Le mieux serait que tu m'enlèves pour la nuit. On aurait le temps...

– Moi, je ne l'ai pas !

– Un « vif-bif » alors ?

– Un quoi ?

– Un « vite fait bien fait ». Tu es pas d'ici, toi ?

– Pas vraiment.

– De Forty Miles, alors ?

– D'un coin que tu connais pas.

– T'es pas très causant !

– Pour une heure, combien ?

Elle mit un petit temps à répondre.

– Cent.

– Cinquante, tout de suite. À prendre ou à laisser.

– Je croyais que t'étais plein aux as ?

– Cinquante.

– Faut que j'aille voir ce qu'il y a de libre.

Elle vida sa coupe de champagne d'un trait, traversa la salle et monta les marches de l'escalier qui menait à l'étage d'un pas lourd et décidé. Matt grimaça, paya et s'enfuit.

Dehors, c'était déjà la nuit. Une nuit lumineuse car éclairée par une belle lune pleine qui diffusait une lumière généreuse. Matt hésita une seconde sur le pas de la porte. Il avait envie d'une fille, mais pas de celle-ci, non. Il voulait Marie. Elle et personne d'autre.

D'un coup de pied rageur, il shoota dans un bourrelet de neige et releva le capuchon de sa lourde veste de laine. Il faisait froid et il n'avait nulle part où dormir. D'un pas machinal, il se rendit jusqu'au *Monte-Carlo*. À l'intérieur, on jouait de la musique, on chantait, et quelques-uns dansaient avec les deux ou trois filles qui se trouvaient là. Les autres attendaient leur tour.

232

« Marie avait raison, se dit Matt. Avec une fille pour cent hommes, elles sont ici les reines. »

Une vraie mine d'or.

Il n'entra pas. Il n'avait plus envie de boire ni d'aller se plonger dans la foule bruyante de ce tripot. Il ne reviendrait pas de sitôt à Dawson. Il n'avait plus rien à y faire.

Il empoigna son sac, le mit sur son dos et s'engagea sur la gauche, dans une rue bordée de baraques de bois, qui tirait droit vers la sortie de la ville.

Avec des chiens, il aurait filé sur sa piste gelée jusqu'au lac et sa cabane. À pied, en marchant vite, il en avait au moins pour cinq heures. Tout le temps que dura cette randonnée solitaire dans la nuit, Matt réfléchit à ce qu'il voulait faire. Il n'en savait trop rien. Il se sentait incapable de se passer de Marie.

« J'ai été complètement idiot. C'est moi qui l'ai laissée partir ! »

Mais il n'en était pas convaincu. Comme l'avait dit la rousse, Marie n'était à personne. Qu'espérait-il ? Il se rappela cet idiot qu'il avait envoyé dans la décharge et qui avait fait fortune. Pourquoi n'y aurait-il pas d'autres endroits pleins d'or ? Il existait des milliers de vallées inexplorées, identiques au Klondike. Il y avait forcément d'autres filons ailleurs. Il tenterait sa chance cet été. Cette décision le revigora quelque peu.

« Et en attendant, je vais chasser. Voilà quelque chose que je sais faire et qui rapporte gros. »

Mais il pensa à ses chiens. Dans trois ou quatre semaines, il n'aurait plus de poisson pour eux et il faudrait bien les nourrir. Avec de la viande à cinq dollars la livre, la perte était énorme. Cependant, il ne voyait pas d'autre moyen.

Il envisagea un moment de revendre ses chiens, mais il les écarta un à un.

« Or, jamais ! Et Manouane, ma petite Manouane, non plus ! »

Il revoyait Dyea, le joueur, toujours de bonne humeur, et ses pirouettes qui le faisaient tant rire.

« Pas Dyea. »

Il élimina les deux inséparables : Yukon et Cloke, tout comme Blacky, le plus tendre des sept, cajoleur et si attentif. Il restait Chinook, le magnifique Chinook, le chef.

« Pas question ! »

Quant au gros Skagway, tout noir avec ses deux petites taches blanches qui soulignaient ses yeux intelligents, il était impensable de s'en séparer.

Matt soupira. Vendre des chiens était une bonne idée en soi, mais ceux-là étaient devenus bien plus que de simples chiens.

32.

Or, le flanc contre la porte de la cabane, flaira à petits coups, puis se dressa, les oreilles pointées vers le sentier qui montait de la vallée noyée dans l'obscurité. Au fond de sa gorge s'étouffait un grognement sourd qui devint un jappement de joie. La chienne avait reconnu le pas de son maître.

Elle s'élança vers lui et Matt vit de loin ses yeux clairs qui accrochaient des reflets de lune dans cette nuit épaisse. Il lui caressa le flanc puis la tête, alors qu'elle léchait sa main.

– C'est moi, Or, c'est bien moi.

Plus loin, le reste de la meute s'était mis à japper. Ils sautaient au bout de leur câble et Matt mit du temps à les calmer, ému par ces marques d'affection.

– Mes braves chiens ! Mes braves chiens !

Il s'en voulait d'avoir émis l'hypothèse saugrenue de les vendre.

– Jamais !

Il avait marché six heures et il avait faim. Il mangea deux gros steaks d'élan, puis se coucha.

Au petit matin, des hurlements le tirèrent d'un profond sommeil. Il se dressa sur sa couchette et entendit des pas en même temps qu'une voix.

Un homme !

Il ouvrit la porte au moment où le visiteur s'apprêtait à frapper. Il avait une grosse barbe pleine de glace et du givre sur tout le haut du corps. Matt pencha la tête et aperçut ses chiens garés le long du sentier qui montait de la vallée.

– Vous êtes... Mersh !

– Exact. Et toi, dit-il en le regardant plus précisément à la lumière, ne serais-tu pas cette espèce de *cheechackos* à moitié gelé qui m'a volé mes raquettes.

– Heu... oui, c'est moi, mais les raquettes, je les ai rendues au magasin général. J'y suis allé hier.

Mersh entra dans la cabane avec une moue.

– Je ne les ai pas volées. Justement, je voulais vous remercier, je...

– C'est à qui cette cabane ? coupa Mersh en examinant la charpente de l'intérieur.

– C'est à moi.

– Je veux dire, qui l'a construite ?

– Eh bien, moi !

– Hum...

Il passa ses mains sur plusieurs troncs et regarda dehors en essuyant le givre qui auréolait les fenêtres.

– Et les chiens ?

– Quoi, les chiens ?

– Ils sont à toi ?

– Bien sûr !

Il contemplait maintenant les poissons ainsi que la viande, entassés sur un portique entre la cabane et le lac.

– Et ces poissons, et la viande ?

– Pêchés dans le lac et chassée autour d'ici.

Mersh se retourna et l'observa dubitativement, l'air de le juger, les sourcils relevés sur des yeux brillants.

– Je vais... je vais préparer du café.

– Du thé, plutôt.

– D'accord. Je me lève juste, dit Matt comme pour s'excuser. Je suis rentré dans la nuit, il y a quelques heures seulement.

– Je sais.

– Comment... vous savez ?

– Les traces.

– Ah...

Mersh s'assit à la petite table, face à la fenêtre par laquelle on voyait l'étendue du lac.

– Pourquoi aller en ville en raquettes, alors que tu as de bons chiens ?

– J'y connais rien en chiens. Je n'arrive pas à les dresser.

– Ah bon. Alors pourquoi t'as des chiens ?

– Parce que... parce que j'aime ça.

Mersh se mit à rire.

– Je me disais que... enfin, je voulais vous demander conseil, continua Matt.

– Quelle sorte de conseil ?

– Pour atteler. Pour qu'ils tirent.

– Hum...

Mersh prit la tasse de thé préparée par Matt avec l'eau qui bouillait en permanence sur le rebord du poêle. Il le but, puis sortit et alla vers ses chiens. Matt l'observait depuis la porte de la cabane. Il fit taire les siens qui aboyaient sans arrêt.

– Vous voulez les mettre quelque part ?

Mersh avait fini de démêler le trait dans lequel un couple de chiens s'était emmêlé.

– Sur la piste.

Mersh monta sur les patins de son traîneau, siffla et fit un geste à son chien de tête qui s'était retourné. Alors celui-ci fit demi-tour, entraînant tous les chiens derrière lui. Les huit chiens de l'attelage passèrent le long du traîneau que Mersh reculait en même temps sur le côté du sentier. Lorsque le trait se tendit dans l'autre sens, le traîneau tourna sans se renverser, car Mersh avait anticipé le mouvement et s'était penché sur le côté. Aussitôt, les chiens s'élancèrent et Matt vit l'attelage disparaître dans un nuage de givre.

– Mais...

Il était parti.

Matt, furieux, brisa d'un coup de pied l'un des blocs de glace empilés devant sa cabane comme réserve d'eau. Qu'est-ce qu'il avait bien pu lui dire qui l'avait vexé ? Il ressassa leur échange de questions-réponses, puis regarda ses chiens. Galoperaient-ils un jour devant son traîneau ? Étaient-ils issus de parents incapables de tirer ? Voilà pourquoi l'Indien lui avait cédé Or si facilement et voilà pourquoi Mersh n'avait pas voulu lui prodiguer de conseils. Au premier coup d'œil, il avait vu que l'on ne pouvait rien espérer de ses chiens et Mersh n'était pas le genre d'homme à perdre son temps. Matt lui en avait fait perdre assez lorsqu'il lui avait sauvé la vie.

Les jours suivants, comme il y avait quantités de lièvres dans le marais au sud du lac, Matt s'employa à en prendre le plus possible, posant ses collets par douzaines. Il en attrapa plus de vingt la première nuit, mais un lynx lui déroba l'essentiel de ses prises le deuxième jour. Alors il posa les deux pièges à mâchoire qu'il avait achetés à Dawson mais le manqua. Il hésitait sur la meilleure façon de procéder pour essayer de le prendre, car il se doutait qu'il allait maintenant se méfier, quand il croisa au nord du marais la piste d'un jeune élan. Il la suivit jusqu'au crépuscule et trouva le bois où l'animal s'était réfugié. Il y revint dès l'aube et le vit en train de traverser au loin un autre petit marais où il s'arrêta pour grignoter quelques pousses d'aulnes. Matt l'approcha et le tua d'une balle en plein cœur.

Deux jours lui furent nécessaires pour traîner toute la viande jusqu'à sa cabane après un nouvel essai infructueux avec les chiens, qui, attirés par la viande derrière eux, refusaient de tirer et se battaient entre eux.

Puis, pendant plus d'une semaine, un fort vent d'ouest amena plusieurs tempêtes de neige confinant Matt à l'intérieur de sa cabane, où il commença à déprimer sérieusement.

Que faisait-il dans cette cabane, seul, loin de tout ? Il pensait à Marie qui, dans l'atmosphère festive des deux grands bars-saloons de Dawson, buvait du champagne et se faisait courtiser par des millionnaires. Et lui, qu'espérait-il ici ? Que cherchait-il ?

Aux tempêtes qui balayèrent le ciel succéda une période de grand froid qui débuta à la pleine lune. Matt put sortir un peu, attrapa le lynx et quelques lièvres, mais ceux-ci, avec le froid, voyageaient moins. Il ne rencontra plus une seule trace d'élan ; en revanche, il croisa celle de Mersh, ou du moins celle d'un traîneau.

La piste allait directement à la cabane de Matt ! Mais Mersh n'y était pas. Il était passé et était reparti sans rien laisser, même pas un mot.

Matt était furieux. Il n'avait pas vu un être humain depuis plus d'un mois et avait besoin de parler à quelqu'un. Il regarda où allaient les traces de Mersh. C'est à ce moment-là seulement qu'il s'aperçut qu'il lui manquait deux chiens.

– Il m'a pris Skagway et Chinook !

Il alla jusqu'au câble et observa les mousquetons. Ils n'avaient pas été forcés. Mersh les avait décrochés. Ils ne s'étaient pas échappés, comme l'avait fait Manouane, une fois, en écrasant le mousqueton entre ses dents pour l'ouvrir.

Matt ne comprenait pas.

Il avait pris les deux plus costauds. Pourquoi ?

À cet instant, il entendit au loin le crissement des patins sur la piste gelée et vit Mersh qui revenait à travers le bois et à vive allure vers la cabane en suivant le tracé sinueux de la piste.

– Hoooo !

Mersh dérapa un peu sur la surface tassée devant la cabane et planta avec le pied l'ancre qui permettait de bloquer le traîneau. Sans un regard pour Matt, il alla dételer Skagway et Chinook qu'il avait placés dans son attelage, puis revint avec Yukon et Cloke. Alors qu'il leur passait un harnais en les maintenant en place entre ses cuisses, Mersh dit simplement :

– Ont besoin d'exercice pour se muscler, mais on peut en espérer quelque chose.

– Vous voulez dire... qu'ils ont tiré ?

– Pas le choix, avec les autres.

– Alors, sans les autres, ils voudront pas.

– Tous les chiens aiment tirer, suffit de leur faire sentir qu'ils aiment ça.

Il avait fini de les atteler et Matt comprit qu'ils allaient repartir.

– Je... j'attends ici ?

Mersh, tout à son affaire, ne lui répondit même pas. L'un de ses chiens, un gros malamute noir et blanc, grondait, tous crocs dehors, après Yukon qui s'écartait du trait. Le voisin de Cloke en faisait de même avec son frère.

Cloke et Yukon avaient beau remuer la queue pour les apaiser et montrer leurs intentions pacifiques, les deux aînés n'en avaient cure. Ces chiens-là, travailleurs et amoureux du trait, ne toléraient pas le moindre désordre et s'irritaient de tout ce qui pouvait les retarder. Alors Cloke et Yukon se soumirent à leurs professeurs qui semblaient prêts à les rosser. Le départ se fit en bon ordre et Matt vit avec stupéfaction ses deux chiens, par mimétisme sans doute, se mettre immédiatement et résolument au travail. D'ailleurs, ils ne pouvaient pas faire autrement car, dès le premier virage, le chien placé derrière Yukon planta ses crocs dans son arrière-train alors qu'il ralentissait dans la courbe.

Matt, en voyant disparaître l'attelage, fut frappé de l'ardeur qui animait les chiens et devint tout à coup optimiste.

Sans que Matt puisse s'immiscer dans l'exercice, Mersh fit faire à tous ses chiens deux tours. Il terminait le dernier roulement quand il attela Manouane devant, couplée avec son chien de tête.

– Vous la mettez devant ?

– Sans chien de tête, tu pourras rien.

– Vous... vous allez lui apprendre ?

– Elle apprendra toute seule.

Il tenait par son harnais le chien que Manouane avait remplacé et fit signe à Matt de le prendre.

– Il s'appelle Doony. C'est un chien qui va bien en tête.

Mersh se remit sur ses patins et s'apprêtait à décrocher l'ancre pour repartir une nouvelle fois quand il leva la tête vers Matt, qui ne comprenait pas mais n'osait le lui avouer.

– Tu connais les ordres de direction ?

Comme il ne répondait pas, Mersh reprit :

– Djee pour aller à droite, Yap pour aller à gauche et Hooo pour s'arrêter.

– Djee pour aller à droite, Hooo pour s'arrêter et...

Mersh donna une légère impulsion à son traîneau, siffla, et l'attelage démarra en trombe.

– ... et Yap pour aller à gauche, dit Matt comme pour lui-même en regardant le traîneau disparaître.

Mersh n'avait pas repris le sentier qui allait sur le lac mais celui par lequel il était arrivé. Matt soupira, alla attacher Doony à la place de Manouane, puis cria, debout devant sa cabane en fixant l'immensité déserte :

– Je suis pas un chien, moi ! Tu pourrais m'adresser la parole, espèce de vieux con !

Sa colère montait tandis que revenait le silence, le grand silence de cet hiver sans fin. Elle le tint éveillé jusque tard dans la nuit durant laquelle il entendit, au loin, la longue plainte d'une meute de loups. Des hurlements mornes et lugubres sous les étoiles scintillantes, signe de très grand froid.

33.

Une lueur de cristal s'élevait de l'est dans un ciel de métal lustré. Les chiens ne bougeaient pas, roulés en boule dans leur fourrure épaisse. La fumée noire montait droite comme le fût d'un pin frappé par la foudre au-dessus de la petite cabane de Matt. Pas un souffle de vent, pas le moindre mouvement d'air n'habitait la surface de la terre comme engourdie par le froid, roide sous son linceul de neige.

Matt s'habilla chaudement avant de sortir. Il attela Doony avec Skagway, puis Chinook avec Dyea, et nota tout de suite les progrès qu'ils avaient faits en deux courses. Ils ne mordillaient plus leur harnais et s'emmêlaient moins dans les traits. Il se mit à l'arrière du traîneau et, lui donnant une petite secousse, commanda :

– Allez !

Doony s'élança et les autres l'imitèrent tant et si bien que Matt manqua le patin et s'affala dans la neige, alors que le traîneau s'enfuyait à toute vitesse.

Il hurla :

– Hooo !

Mais le traîneau était déjà loin sur le lac.

Les autres chiens, attachés aux câbles, faisaient un tintamarre de tous les diables et tiraient sur leurs chaînes en s'arc-boutant sur leurs pattes arrière.

– Taisez-vous !

Matt se mit à courir, mais il stoppa au bout de quelques dizaines de mètres car l'air glacial lui brûlait la gorge. Une auréole de givre s'était formée autour de son visage à travers laquelle il vit son petit attelage disparaître dans le bois par la piste qu'il avait faite pour aller relever ses collets.

– Quel con ! Mais quel con !

Il revint à la cabane, prit ses raquettes et un sac contenant quelques morceaux de viande séchée, des allumettes et une paire de mocassins de rechange, et il se mit en route.

Deux heures plus tard, il n'avait toujours pas revu les chiens. C'était le monde à l'envers ! Depuis deux mois, il espérait qu'un jour ses chiens tireraient et la première fois qu'ils partaient, c'était lui qui restait ! Matt enrageait tout autant qu'il s'inquiétait.

– Si seulement ce satané Mersh avait bien voulu me donner quelques conseils au lieu de partir comme ça, sans rien dire !

Finalement, il retrouva l'attelage à l'autre bout de sa ligne de collet, emmêlé dans les aulnes où un lièvre, mal pris par une patte dans un collet sans doute posé trop bas, s'était réfugié. Les chiens, bloqués par les broussailles et retenus par les traits, n'avaient pas pu l'attraper.

Il ne les punit même pas, trop heureux de les avoir retrouvés. Il remit tout en ordre, puis replaça le traîneau sur la piste et cette fois-ci bien arrimé, donna de nouveau l'ordre du départ. Alors se produisit un miracle. Doony s'élança et, derrière, les trois élèves, ravis de repartir. Debout sur les patins, grisé par la vitesse, emmené par cette force qui n'était pas la sienne, Matt ne put s'empêcher de hurler sa joie.

Les chiens prirent aussitôt le galop et Matt dut se cramponner pour ne pas verser dans le premier virage, puis ils s'engagèrent sur la piste droite qui longeait la paroi rocheuse où Matt put se relâcher quelque peu. Le soleil venait de monter au-dessus des collines et découpait la piste d'étroites bandes brillantes qui, avec les ombres des arbres, piégeaient le givre exhalé par les chiens. Jamais, de toute sa vie, Matt n'avait ressenti quelque chose d'aussi exaltant. L'émotion qui l'habitait lui étouffait la poitrine, au point de le faire pleurer des larmes de joie. C'était excitant, impressionnant et troublant à la fois. Il avait l'impression de faire partie de la meute, d'être l'un des chiens et de courir avec eux. Un loup parmi les loups, sauvage et libre. La demi-heure qu'il mit à rentrer à la cabane lui sembla durer une seconde ou une éternité. En l'espace de quelques minutes, il était devenu un autre. Cet autre qu'il avait laissé dans les aulnes où il avait démêlé les chiens. Plus rien ne serait comme avant. Il avait compris les chiens et ressenti quelque chose qui dépassait tout ce qu'il avait connu de plus excitant dans sa vie.

Il détela les chiens, leur donna à manger, puis repartit aussitôt avec trois autres. Il ne s'arrêta que lorsqu'ils commencèrent à donner quelques signes de fatigue, ce qui arriva vite car ils manquaient d'entraînement et d'exercice.

Mersh ne réapparut pas durant les quinze jours qui suivirent. Mais Matt ne voyait pas le temps passer. Ses chiens progressaient de façon spectaculaire. Il apprenait d'eux plus qu'ils n'apprenaient de lui. Il se confectionna avec un pic à glace une ancre à neige et améliora, en affinant les pièces, son traîneau qui manquait de souplesse, puis il se mit à allonger ses entraînements qui lui servaient en même temps de ligne de trappe où il posait ses collets à lièvre. Il en attrapait chaque jour de quoi nourrir ses chiens, si bien qu'il économisa la viande d'élan. Puis, un jour, il s'aperçut que sa réserve de bougies, tout comme celle de farine, de café et de lard, s'épuisait. Il lui fallait retourner à Dawson et cette perspective l'enchanta, car il pouvait s'y rendre avec ses chiens qu'il attelait maintenant tous ensemble.

Le voyage se déroula sans incident. À l'entrée de Dawson, Matt confia la garde de son attelage à un ouvrier de la scierie qu'il connaissait.

Comme chaque fois qu'il s'y rendait, mais cette fois encore plus que d'habitude, il fut frappé de voir combien la ville avait grossi. Désormais, c'était plus de quarante mille personnes qui s'y entassaient. La nourriture était rare. Le sac de farine était passé à plus de soixante-quinze dollars pièce. Le plat de haricots servi avec du pain et du café pour trente-cinq *cents* dans n'importe quelle ville du Canada coûtait ici cinq dollars !

Il échangea un quartier de soixante livres de viande contre tout ce dont il avait besoin et encaissa quarante dollars pour la différence. Avec cet argent il fit la tournée des bars. Il y en avait à présent plus de dix : le *Tivoli*, l'*Orpheum*, l'*Eldorado*, le *Moosehorn*, l'*Elkhorn* et quelques autres encore. Au *Monte-*

Carlo, il fit la connaissance d'un certain Tarta-water et de son associé, Jack London, qui étaient arrivés à Dawson au début du mois d'octobre et s'étaient installés au confluent de la Stewart River et de Henderson Creek, à un endroit baptisé Upper Island. Ils affirmaient avoir vu Mersh et ses chiens aller puis revenir de Circle City où il avait séjourné quelque temps. Leurs dires lui furent confirmés par le propriétaire du magasin général qui lui avait rendu ses raquettes dix jours plus tôt.

– Il ne m'a pas raconté grand-chose, à son habitude. Il avait été voir une de ses connaissances à Circle et il retournait chez lui.

– Chez lui ?

Le gars fit un geste vague.

– Quelque part vers le nord.

Matt ne put en apprendre plus. Il se rendit de nouveau au *Monte-Carlo* où un certain Swift-water avait emmené un groupe de danseuses. Il passa la soirée à boire et à échanger des points de vue sur la vie dans le Klondike et en général avec ce Jack London de Upper Island. Jack était un socialiste convaincu et défendait les thèses de Marx avec virulence. Matt, passable-ment éméché, et trop content de pouvoir parler à quelqu'un, accepta de partager ses convic-tions. Il n'avait de toute façon plus la force de débattre et manquait d'arguments. Bon parleur et plus habitué que lui aux fortes doses de whisky, Jack l'emmena au *Fairview Hotel* où il connaissait la propriétaire qui, pour une cen-taine de dollars, la moitié de sa fortune, lui consentit une petite chambre. Matt y conduisit l'une des danseuses, Klondike Kite, qu'il avait payée pour une heure, et renoua avec les ravissements de la chair avec d'autant plus de plaisir que la danseuse en question était gentille et bien faite, quoique un peu grasse à son goût.

Le lendemain matin, il se souvenait à peine de sa soirée, sinon qu'il constata le piteux état de ses finances. Son compagnon socialiste, à qui il avait offert de nombreuses tournées, n'en avait pas payé une seule...

Matt rejoignit ses chiens, qui lui firent fête bien qu'il empestât encore l'alcool. Matt n'était pas le seul, loin s'en faut, à posséder un attelage. Ceux-ci travaillaient sans relâche et sillonnaient les rues de Dawson pour y effectuer toutes sortes de transports. Si l'on payait cher une fille, la viande ou la farine à Dawson, il fallait dépenser une fortune encore plus grande pour un chien. Matt se vit proposer trois mille dollars pour son attelage par le propriétaire de la scierie.

Matt refusa mais se répéta la somme durant tout le trajet du retour tant il l'avait trouvée démesurée. Ainsi ce bon vieux Frank Dinsmore avait raison : les chiens étaient le secret du Grand Nord. Pour Matt, ils étaient même devenus bien plus que cela. Il ne les aurait pas échangés, fût-ce contre leur poids en or.

34.

Quand il arriva à la cabane, Matt trouva Manouane attachée devant sa porte. Mersh était passé la déposer et il était reparti.

Manouane lui fit fête ainsi qu'au reste de l'attelage. Elle avait un peu maigri mais s'était musclée. Comme la lune était pleine et diffusait une lueur généreuse sur le lac, Matt réattela aussitôt après avoir mangé et donné quelque repos aux chiens. Il ne pouvait se résoudre à attendre le lendemain pour voir les progrès de Manouane. Il ne fut pas déçu. Il avait laissé Doony à la cabane et la chienne entraînait seule l'attelage à droite ou à gauche en fonction des indications de Matt. Au milieu du lac, il s'arrêta, remonta tout l'attelage en félicitant un à un ses chiens, et plus particulièrement Or, puis enlaça Manouane.

– Ma petite Manouane. Ma fantastique petite Manouane.

Elle le regardait de ses yeux pétillants d'intelligence qui irradiaient la luminescence de la lune et Matt sombra dans ces yeux-là comme on coule dans un lac profond. Il resta longtemps près d'elle puis contre Or qu'il rassura en la caressant.

– Je t'aime toi aussi, Or, tout comme les autres et peut-être toi encore plus que les autres.

Puis il rentra.

Dès l'aube, il construisit avec des billes de pin des niches individuelles pour les chiens et allongea leurs chaînes, ce qui leur donnait un grand espace chacun. Puis il se prépara à un long raid car il venait de décider de tenter de rejoindre Mersh. Après tout, il n'avait qu'à suivre ses traces. Il lui rendrait Doony et il avait envie de découvrir de nouveaux territoires. L'occasion était trop belle pour tester son attelage.

Matt regarda le ciel, d'un beau bleu métal, sans nuage. Le vent du nord, faible mais constant, prouvait que ce temps allait durer et la température de moins trente était parfaite. Il attela avec soin, vérifia plusieurs fois qu'il n'avait rien oublié, puis il s'élança sur la piste de Mersh. Les chiens, bien entraînés maintenant, galopaient sur l'étroit sentier gelé. Il freina plusieurs fois pour les ralentir jusqu'à ce qu'ils prennent le trot et les força à maintenir cette allure. La piste suivait le lac, puis s'enfonçait dans le bois en longeant un ruisseau imparfaitement gelé. Bientôt ils bifurquèrent vers le nord, montèrent sur un col de faible altitude, puis descendirent vers une immense vallée boisée. Matt devina un grand lac au loin. Il arrêta la meute derrière le col, et resta un long moment à admirer le paysage. Vers le nord et vers le sud s'étendait une blancheur infinie sur laquelle la ligne grisâtre de la piste serpentait, presque invisible. Ce fil, mince comme un cheveu, imperceptible trait, le reliait à Mersh, mais qu'adviendrait-il de lui si, au cours d'une tempête, la piste venait à se recouvrir ?

Matt s'étonna de n'y avoir pas pensé plus tôt. Savait-il rentrer chez lui ? Oui, le lac, son lac, était là-bas, au loin, caché par le coteau qu'il avait contourné. Il le reconnaîtrait mais, à partir d'ici, il devait laisser des repères. Il sortit sa hache et tailla des encoches sur les pins, de façon régulière, tous les kilomètres.

Une heure plus tard, après avoir traversé une forêt clairsemée de bouleaux et de pins où il leva des quantités de gélinottes et de tétras, il déboucha sur le lac. Il coucha son traîneau sur la berge, l'attacha et, en raquettes, partit chasser dans la forêt pendant que la meute se reposait. Il tua une vingtaine de perdrix qu'il distribua aux chiens et s'en garda deux qu'il fit griller sur un feu.

Tout en mangeant, Matt regardait ses chiens s'étirer au soleil et il se sentait bien, en accord avec ce paysage dont il s'imprégnait. Il comprenait mieux Mersh maintenant qu'il le suivait, qu'il voyait les étendues qu'il hantait. À quoi bon parler ? Agir suffisait.

Ce que Matt voulait et espérait de Mersh, ne l'avait-il pas obtenu ? Il avait commencé par lui sauver la vie, puis il lui avait dressé ses chiens. Pourquoi lui aurait-il laissé un mot ? Pour lui dire qu'il avait dressé Manouane ?

Mais Matt, à la différence de Mersh, ressentait le besoin de parler à quelqu'un, de partager ses impressions. Il ne comprenait pas qu'on puisse vivre des mois sans adresser la parole à quiconque. Qui était vraiment Mersh ? Quelle était son histoire ? Pourquoi l'avait-il aidé ?

Et surtout où allait-il? À Dawson, on lui avait dit qu'il avait une cabane. Cette piste y conduisait-elle?

Tant de questions dont il voulait trouver les réponses.

Durant deux jours, il longea le cours sinueux d'une rivière qui se jetait dans tout un chapelet de lacs. Matt vit que Mersh avait campé sur la rive de l'un d'eux. Il s'étonna de la distance qu'il avait parcourue en une seule journée. Lui-même avait voyagé près de trois jours pour arriver là. Ses chiens étaient donc si rapides? Peut-être galopaient-ils, alors que les siens n'avançaient qu'au trot?

Il désespérait de le rattraper lorsqu'il vit qu'une trace d'élan coupait la piste et que Mersh l'avait suivie avant de revenir. Il ne pouvait dire combien de temps il avait perdu, mais Matt était sûr – puisque Mersh avait décidé de la suivre – qu'il y avait consacré un certain temps, au moins plusieurs heures, peut-être même un jour entier.

Ses chiens allaient à un bon rythme et Matt ne notait pas le moindre signe de fatigue. Alors il voyagea jusqu'au soir sur cette piste qui, toujours, s'enfuyait vers le nord. Pour la halte, il ne monta pas sa tente, trop de temps de perdu alors qu'il ne faisait pas très froid. Il choisit le fond d'une petite combe où quelques arbres encroués et chargés de neige offraient un bon abri. Il construisit un feu devant l'abri et une fois que ces affaires eurent séché, qu'il eut bien dîné et nourri les chiens, il s'enroula dans son sac de couchage sur la peau de l'élan dont il avait gardé une partie. Il l'utilisait comme tapis de sol, posée sur un lit de branches de sapin.

À l'aube, il était reparti. Vers midi, il rencontra les premières pistes. Une venant de l'est, puis une deuxième qui en rejoignait une autre et plusieurs encore qui croisaient la sienne. Matt fut bientôt perdu, ne sachant plus laquelle suivre. Il vit dans les bois d'épinettes et de mélèzes des traces de raquettes et en conclut qu'il approchait de la cabane de Mersh. Il suivit la piste qui lui paraissait la plus fréquentée et en aperçut une autre, encore plus large, qui l'intrigua. Un homme seul n'avait certainement pas pu faire cet écheveau de pistes. Sans tergiverser, il lança Manouane vers le nord. À peine une demi-heure plus tard, il vit une cabane. Elle était inhabitée, mais il douta qu'elle appartînt à Mersh car il y régnait un grand désordre. Il continua, traversa une forêt de mélèzes où l'on avait abattu beaucoup d'arbres, puis déboucha au bord d'un lac. Sur la rive opposée se dressait un village composé d'une cinquantaine de tentes.

– Des Indiens !

Les chiens prirent le galop et Matt, quoique vaguement inquiet, ne les retint pas. Quelques minutes plus tard, il stoppa avant les premières tentes. Il fit taire ses chiens qui répondaient en grognant à ceux qui les défiaient du haut de la butte, où des visages graves apparurent bientôt.

Matt planta son ancre à neige, sortit son câble et le tendit entre deux saules, puis il y accrocha ses chiens sous la surveillance d'une douzaine d'Indiens qui, depuis le haut du talus, le regardaient faire, sans s'avancer. Bientôt trois enfants, habillés de manteaux et de pantalons en cuir d'élan doublé de fourrure de lièvre et chaussés de mocassins décorés avec des perles de toutes les couleurs, descendirent jusqu'au lac par l'escalier taillé dans la neige. Ils s'approchèrent timidement du traîneau. Matt leur adressa un sourire encourageant. Ils s'arrêtèrent à quelques pas et l'observèrent, le cou rentré dans leur col en fourrure de renard argenté. Puis ils se mirent à rire, montrant du doigt le traîneau. Matt se dirigea vers l'escalier qui permettait d'accéder à la berge. Une rampe en bois de bouleau retaillé était installée. Lorsqu'il arriva en haut, les quelques Indiens présents s'écartèrent pour laisser passer celui qui, enveloppé dans une grande couverture, paraissait être le chef. Matt fut frappé par son visage grave, encadré de longs cheveux blancs, où brillaient deux yeux translucides étonnamment perçants.

Matt le salua respectueusement et le vieillard lui répondit en tendant sa main à plat, paume tournée vers le ciel.

– Je m'appelle Matt et suis honoré de trouver votre village sur ma route.

Le chef répondit d'une voix gutturale, à peine audible, en un dialecte que Matt ignorait. Il lui semblait que le cercle des Indiens se resserrait autour de lui et il ressentit comme une vague menace. Le chef se retourna et Matt, ne sachant que faire, le suivit jusqu'à une grande tente au centre de laquelle trônait un feu. Il s'y assit, à l'exemple des hommes qui y pénétrèrent avec lui, et but le thé qu'on lui proposa aussitôt. Quelques instants plus tard, une femme puis une autre apportèrent des plats en bois remplis d'une sorte de mélange de viande et de riz, que Matt apprécia quoique très épicé. Son inquiétude se dissipait. S'ils lui donnaient à manger, c'est qu'ils étaient animés de bonnes intentions à son égard. Il montra le bol et remercia en penchant plusieurs fois la tête. Les Indiens lui répondirent en effectuant le même geste. Matt ignorait s'il avait ou non été compris.

– Mersh. Je cherche Mersh. Vous le connaissez ? Est-il passé ici ? Est-ce qu'il est ici ?

Les Indiens se regardaient entre eux.

– Mersh ! Mersh ! Un Blanc avec des chiens, huit chiens.

Avec des gestes, il essayait de leur expliquer, mais les Indiens faisaient des signes négatifs et répétaient :

– Kai Linkta ! Kai Linkta !

– Mersh ! Il s'appelle Mersh.

Soudain, la tente s'ouvrit sur un jeune Indien dont la veste était couverte de givre, et le silence se fit.

– Moi Kai Linkta. Parler blanc. Petit parler. Petit.

– Je m'appelle Matt. Je cherche un Blanc, Mersh.

Kai Linkta lui fit répéter et traduisit au chef, qui s'adressa à un Indien puis à un autre. S'ensuivit une discussion animée entre Kai Linkta, le chef, et deux autres Indiens, dont l'un, virulent, regardait Matt de façon antipathique et le désignait du menton en aboyant plus qu'il ne parlait.

– Chef dire : pourquoi ?

– Pourquoi ?

Matt ne comprenait pas.

– Pourquoi Mersh ? C'est ça que tu demandes ?

Kai Linkta acquiesça.

– Je le cherche. C'est un ami. J'ai un chien à lui.

Comme l'Indien ne comprenait pas, Matt répéta :

– Un ami. Mersh est mon ami.

De nouveau s'ensuivit une longue discussion dont le contenu échappait à Matt. Il devinait simplement que cet Indien s'opposait aux autres, sous l'arbitrage du chef qui hochait la tête aux arguments de l'un, puis de l'autre. Kai Linkta, qui traduisait ou du moins essayait de le faire car il ne connaissait que quelques mots, se contentait d'écouter et ne s'immisçait pas dans cette affaire.

Quelle affaire ? C'est ce que Matt ne parvenait pas à comprendre.

– Toi venir tipi.

Kai Linkta lui montrait la sortie.

– Mais... Mersh ?

– Toi venir tipi. Demain toi savoir. Chef parler.

Il n'insista pas.

– Remercie le chef de son hospitalité. Je lui en suis très reconnaissant, dit Matt en se levant.

Puis, comme Kai Linkta lui demandait de répéter :

– Merci. Je remercie le chef. Merci.

Le visage de Kai Linkta s'anima d'un sourire. Il traduisit et les Indiens le saluèrent en retour, avec gravité. Matt suivit le jeune homme jusqu'à un tipi d'où s'échappait de la fumée et qui était habité par une jeune femme et son enfant.

– Homme mort rivière. Liou Piout seule.

Matt, troublé, bredouilla un vague remerciement. Kai Linkta s'en alla.

– Je m'appelle Matt, dit celui-ci, toujours debout, alors qu'un silence gêné s'installait.

La seule réponse qu'il obtint fut le calme sourire de ses yeux bruns dont le regard droit trahissait l'orgueil. Elle lui fit signe de s'asseoir sur des peaux de caribou, puis lui proposa du thé. L'enfant, âgé de trois ou quatre ans, restait le visage caché sous une couverture en peaux de lièvre.

– Toi, Liou Piout. Moi, Matt, et lui ? dit Matt en montrant l'enfant.

Le visage de l'Indienne s'éclaira.

– Opee.

– Opee, répéta Matt.

L'enfant leva la tête vers lui.

Matt répéta plusieurs fois son nom alors que l'Indienne souriait. Il la dévisagea pendant qu'elle s'occupait de l'enfant en lui parlant d'une voix douce et mélodieuse. Elle n'était pas vraiment jolie, mais ses traits étaient fins et un charme fier se dégageait de tout son être, à la fois fragile et fort. Ses longs cheveux tressés en une grande natte étaient d'un noir d'ébène et encadraient un visage rond et hâlé.

Matt remercia et se leva.

– Je vais voir mes chiens, fit-il en montrant l'entrebâillement de la tente.

Elle fit oui de la tête, sans comprendre.

Matt traversa le village. Une rue principale desservait une cinquantaine de tipis de taille variable. Les perches de tremble étaient recouvertes, à la base, de peaux de caribou, puis, au-dessus, d'une toile épaisse en coton huilé. Au faîte, un trou laissait échapper la fumée du feu central. Une perche de bois permettait de rabattre ou d'ouvrir le pan de cuir faisant office de porte. À côté de chaque tipi, sur des claies en branches de saule et de bouleau, s'entassaient les provisions de viande et de poissons gelés, séchés ou fumés. Partout des chiens en liberté allaient et venaient entre les tipis, seuls ou en petites bandes. Des chiens maigres et efflanqués qui portaient sur leur pelage les marques des courroies de cuir avec lesquelles les Indiens les attelaient à de petites luges en écorce de bouleau.

Pas de trace de Mersh.

Pourtant, il était forcément venu par ici. Cherchait-il à brouiller sa piste ? De quel secret était-il porteur pour que les Indiens le protègent de la sorte ? Peut-être voulait-il simplement être seul.

Matt demeura un long moment avec ses chiens, les soigna et regarda le crépuscule d'un beau bleu violacé s'étendre sur le lac. Tout était calme. Le froid le ramena vers le village et c'est avec une certaine appréhension qu'il repoussa, en se raclant la gorge pour signaler sa présence, le rabat en cuir du tipi de la jeune femme chez qui il allait passer la nuit.

35.

Elle était seule et l'attendait. Matt espérait que Kai Linkta serait là pour traduire ou qu'on l'invite à partager un repas ailleurs, mais il était préparé ici et elle n'attendait personne. Il était embarrassé et cela devait se voir.

Elle lui tendit un grand bol de bois dans lequel elle versa une sorte de ragoût de caribou et de castor cuit avec des racines tubéreuses de sagittaire que Matt trouva délicieux.

– C'est bon. Très bon, lui dit-il en désignant la marmite.

Elle baissa les yeux, gênée par le compliment. Matt ignorait qu'un Indien ne faisait jamais de compliment à une femme et réciproquement. Pour montrer qu'il appréciait un repas, un Indien rotait, ce que le Blanc évitait. Matt ne savait rien de ce monde, ce qui le mettait mal à l'aise et le rendait un peu gauche, alors qu'il était plutôt sûr de lui d'habitude.

Elle le regardait souvent, se détournant chaque fois que leurs yeux se croisaient. Lorsqu'elle se leva pour replacer quelques bûches, il s'aperçut qu'elle était un peu forte, comme beaucoup d'Indiennes après leur premier enfant, mais le charme de son visage compensait largement.

Elle déroula les peaux sur lesquelles elle était assise, puis les secoua pour redonner au poil tout son volume. En posant sa tête, les yeux fermés, sur ses deux mains jointes, elle lui indiqua que c'était là qu'il devait dormir.

Elle vérifia que son enfant était bien couvert, rechargea le feu qu'elle recouvrit de sable, puis s'habilla pour sortir. Matt en déduisit qu'elle allait se coucher ailleurs, sans doute dans le tipi voisin car il entendit, peu après qu'elle fut partie, des voix dont une qui ressemblait à la sienne.

Il se déshabilla en partie, puis se coucha. De la lumière filtrait par le trou d'aération où il aperçut quelques étoiles. Matt restait là, les yeux ouverts, incapable de dormir. Il pensait à tout le chemin parcouru depuis qu'il avait quitté la petite ferme de son grand-père. Et aujourd'hui, lui, le chercheur d'or, était arrivé avec son attelage de chiens dans un village indien perdu dans les étendues sauvages du Grand Nord à la poursuite d'un coureur des bois fantomatique. Il dormait dans des peaux de caribou sous le tipi d'une Indienne aux yeux de biche. Il aurait ri au nez de n'importe quelle voyante qui lui eût prédit cette histoire rocambolesque. Mais lui, aujourd'hui, était fier de ce qu'il était devenu.

Soudain, il entendit des pas étouffés par le cuir des mocassins qui ne faisaient guère crisser la neige, puis le battant du tipi se souleva. Il vit la silhouette de la jeune Indienne. Celle-ci, à l'aide d'une corde de cuir qui pendait le long de l'une des perches, diminua le cercle du trou d'aération, puis elle se déshabilla. Matt, caché par les fourrures qui le recouvraient jusqu'au menton, la regardait à la dérobée. Elle fit souplement glisser sur elle sa jupe de peau. Puis elle prit une cruche, but et s'approcha de Matt, qui retint son souffle. Elle se coula sous les peaux et le contact de sa nudité contre lui le fit tressaillir. Alors elle s'immobilisa. Le cœur de Matt bondissait dans sa poitrine et il restait lui aussi sans bouger, pétrifié. Cela dura un long moment, puis la main de l'Indienne remonta le long de ses cuisses et trouva son sexe qui était dur. Matt explora de ses mains ce corps offert. Elle se retourna et s'agenouilla, alors qu'il cherchait à la pénétrer. C'était la manière de faire des Indiennes. Il se plaça derrière elle et, lentement, il lui fit l'amour tandis qu'elle réprimait des gémissements de plaisir en serrant entre ses dents une peau.

Ensuite elle se leva, sortit et, après quelques instants, revint se blottir contre lui. Il la prit dans ses bras et, le visage enfoui dans le creux de son épaule, il s'endormit.

Au petit matin, quand il ouvrit les yeux, elle était déjà partie, silencieuse et discrète comme une ombre. Il trouva une galette et du thé placés sur une pierre chaude près du foyer. L'enfant dormait toujours.

Il mangea, puis il alla voir ses chiens. Il ne croisa personne, à l'exception d'une femme qui rentrait dans son tipi et qui baissa les yeux en l'apercevant. Un peu plus loin, deux enfants jouaient dans la descente menant au lac, en filant sur une petite luge de bois.

Ses chiens dormaient, confortablement installés dans les trous qu'ils avaient creusés dans l'épaisse couche de neige de la rive. Il ne les dérangea pas. Ils avaient besoin de repos.

Il regardait les enfants glisser quand il aperçut au loin un groupe d'Indiens qui revenait de la pêche et traînait une luge chargée de poissons. Il les rejoignit alors qu'ils atteignaient les premiers tipis. Ils répondirent d'un signe de tête au bonjour qu'il leur lança, puis, sans plus s'occuper de lui, déchargèrent le poisson, une trentaine de truites qu'ils vidaient au fur et à mesure. Quelques chiens qui en avaient rabroué d'autres se disputaient les intérieurs qu'on leur abandonnait. Matt, de nouveau mal à l'aise, se dirigea vers le tipi du chef. Une vieille femme l'accueillit de façon glaciale et, sans qu'il saisisse un mot de ce qu'elle disait, Matt comprit que le chef ne désirait pas le voir maintenant. Il bredouilla une vague formule d'excuse et fit demi-tour. Il retourna dans le tipi et attendit. L'enfant n'était plus là, ni Liou piout qu'il ne revit pas de la matinée. Comme il s'ennuyait ferme, Matt alla chercher du fil et des aiguilles dans son traîneau, et renforça ses harnais dont certaines coutures lâchaient car il n'avait pas utilisé un fil assez résistant. L'après-midi, il attela quelques chiens et alla ramasser du bois à plusieurs kilomètres du camp. Il avait besoin de faire quelque chose. Il croisa des Indiens dans le campement puis sur le lac et dans le bois, qui revenaient de la chasse. Chacun vaquait à ses occupations sans se soucier de Matt, qui ne savait plus quelle attitude adopter. Le soir, il demanda à l'un des hommes qui réparait un filet de pêche non loin de ses chiens, où se trouvait Kai Linkta. On lui expliqua à grand renfort de gestes qu'il était parti à la chasse au caribou pour plusieurs jours. Le chef aussi.

Matt ne comprenait plus rien. Pourquoi n'était-il pas venu le lui dire ? Pourquoi laissait-on ses questions sans réponse ?

Peu après le crépuscule, Liou Piout revint avec des poissons qu'elle fit cuire dans de l'argile avec des bulbes de lis. Elle ne lui disait rien, ne cherchait pas à lui expliquer, elle le regardait à peine plus que la veille alors qu'ils avaient fait l'amour.

« Si rien ne se passe, je repars demain », décida Matt.

Mais que pouvait-il se passer ?

Rien de plus ni de moins que la veille. La scène de la veille se reproduisit à l'identique, sinon qu'ils firent l'amour deux fois, une fois le soir et encore le matin, à l'initiative de Matt qui appréciait le corps chaud et voluptueux de cette femme soumise mais orgueilleuse qui ne laissait jamais échapper le moindre gémissement.

Après quoi, il lui dit qu'il allait partir. Elle semblait s'y attendre ou du moins avait-elle l'air de s'en désintéresser totalement. Le chef lui avait demandé de l'héberger et sans doute aussi de coucher avec lui pour des raisons qu'il ignorait. Elle avait obéi, rien de plus. Pas de place pour des sentiments. De toute façon, Matt lui avait fait l'amour en imaginant le corps de Marie sous le sien et c'est sans doute cela qui, le matin, lui avait procuré tant de plaisir. Alors pourquoi s'en offenserait-il ?

Il remercia Liou Piout, qui lui donna des galettes cuites le matin même et quitta le tipi. Il se retourna plusieurs fois sur le chemin du lac, mais elle ne réapparut pas. Il attela ses chiens avec lenteur. Il attendait quelque chose sans savoir quoi exactement. Peut-être simplement un signe, aussi futile soit-il? Mais personne ne vint le voir. Personne ne viendrait. Il n'était rien ici.

Il lança ses chiens sur la piste glacée que l'aube rendait lumineuse. Le froid habillait les chiens de givre et leur souffle montait en nuages blancs au-dessus d'eux. Matt, engoncé dans sa grosse parka de laine qu'il avait lui-même doublée de fourrure de lièvre, remonta sa capuche et, avec une écharpe de laine, se protégea le menton car un léger vent d'est lui cinglait le visage.

Il faisait diablement froid. Matt ne s'en était pas rendu compte avant de partir. D'ailleurs, les chiens n'avaient pas pris le galop mais adopté un trot modéré. Les patins glissaient sur la piste dure avec un chuintement strident, une sorte de sifflement continu que la piste modulait et qui était à lui seul un bon indicateur de la température extrême régnant sur le Klondike.

Matt pensait à Marie, à cette femme énigmatique et mystérieuse, au plaisir qu'il avait éprouvé dans ses bras. Puis sa pensée s'orienta vers Mersh, cet homme tout aussi secret, tellement impénétrable et qui restait lui aussi tellement inaccessible.

Pourquoi ceux qui comptaient tant à ses yeux s'échappaient-ils?

Il rentrait chez lui sans rien avoir appris de Mersh. Il ne savait toujours pas où il allait, où il habitait, qui il était. Mais pourquoi cela importait-il tant? Mersh faisait-il partie de cette sorte d'homme qu'il aspirait à être?

La traversée de paysages vierges, immobiles et d'une blancheur immaculée, forçait à la méditation et à la réflexion. Matt, qui était d'un ordinaire instinctif, préférant l'action à la réflexion, s'étonnait de ces heures qu'il passait avec lui-même, en face à face avec cet étranger qu'il avait bien du mal à cerner et dont il découvrait les multiples facettes.

« Qui suis-je ? »

Cette question le suivait comme si elle se trouvait dans le sillage de son traîneau. Matt laissait derrière lui des incertitudes, telles des volutes de givre qui tournoyaient dans l'air glacial, puis retombaient mollement sur la piste en la recouvrant de quelques flocons.

36.

Ses cils gelaient et il devait ôter ses moufles
pour faire fondre avec ses doigts la glace qui
scellait ses yeux. Alors ses doigts gelaient. Il
remettait ses moufles, effectuait avec ses mains
de grands mouvements circulaires, puis grima-
çait quand le sang revenait et que la douleur le
faisait pleurer des larmes qui, se mêlant au givre
de ses cils, gelaient aussitôt, refermant à nouveau ses yeux. Et il recommençait, guettant
avec impatience que le globe joyeux du soleil
émerge vers le sud, au-dessus de la ligne d'horizon. Mais il savait que de longues heures s'écou-
leraient encore avant que le soleil réchauffe
l'aube froide et grise. Et encore ne le réchauffe-
rait-il pas vraiment. De sa main, Matt se frotta
le nez qui était gourd puis ses pommettes. La
barbe qui lui encadrait maintenant le visage ne
protégeait pas ces endroits-là, exposés à l'air
glacial et dont la morsure faisait mal.

— Un froid pareil !

Une vague crainte naissait en Matt. Il chercha
la forêt des yeux et se promit de s'y arrêter
bientôt pour y construire un feu et se réchauffer. Il attendrait que la température remonte un

peu pour repartir. Il avisa un groupe de sapins au bord du lac qu'il traversait et piqua sur lui. Il regardait le fût droit et sec d'un grand pin frappé par la foudre quand il entendit le craquement terrible de la glace cédant sous lui.

Les chiens se ruèrent en avant, toutes griffes dehors, arrachant à la surface du lac des copeaux de glace. Le traîneau s'enfonçait. Matt hurla de terreur à l'adresse des chiens pour qu'ils tirent encore plus.

Retrouvant quelque lucidité et alors que tout le bas de son corps sombrait dans l'eau glaciale, Matt vit le ruisseau qui, en se jetant dans le lac, avait créé cette zone fragile et commanda aux chiens d'aller à droite, loin de cet endroit. Mais les chiens n'entendaient plus rien et ne pensaient qu'à s'échapper de ce piège qui les suivait au fur et à mesure qu'ils avançaient. Pourtant, à droite, la glace était solide et permettait de rejoindre la berge salvatrice. Matt hurlait : « Djee, Djee ! » à se rompre les cordes vocales, mais les chiens continuaient à tirer droit. Maintenant, tout l'arrière du traîneau trempait dans l'eau. Yukon et Cloke, juste devant le traîneau, pataugeaient eux aussi dans le mélange d'eau et de glace. Devant, le reste de l'attelage dérapait et n'accrochait plus la glace. Le traîneau s'immobilisa, la glace se brisa sous les chiens et Matt s'enfonça avec lui dans l'eau. Sous l'effet du froid, il crut que sa poitrine allait exploser. Il suffoqua. Il n'entendait même plus les gémissements aigus et désespérés des chiens qui, prisonniers de leurs traits, ne pouvaient rien tenter pour échapper à ce piège mortel.

Cette fois-ci, il était bel et bien perdu.

Ses vêtements gorgés d'eau le gênaient terriblement pour nager. Il atteignit toutefois la glace, à une vingtaine de mètres de la berge, mais, à chaque élan qu'il prit pour monter dessus, elle se brisa sous ses avant-bras. Il s'épuisait. Déjà, un voile tombait devant ses yeux et le froid comprimait ses tempes dans un étau insoutenable. Il abdiqua et se laissa glisser en étouffant un râle d'agonie. Il sentit quelque chose sous ses pieds. Le fond! Il reprit espoir. Il pouvait s'appuyer dessus pour remonter sur la glace ou la briser jusqu'au bord. Vite! Avant que le froid le paralyse.

Avec ses poings il cassait la glace. Bientôt, il n'eut plus d'eau que jusqu'à la ceinture et atteignit une zone où la glace était assez épaisse pour tenter de remonter dessus. Il essaya. Elle tenait. Quelques mètres plus loin, elle reposait sur le fond. Matt se retourna, vit ses chiens et arracha le couteau qu'il portait à la ceinture. Il laissa échapper un cri qui ressemblait à un râle et retourna dans l'eau, donnant ici et là des coups de couteau dans le trait qu'il sectionna en plusieurs endroits, libérant les chiens au hasard. Puis il rejoignit la glace solide, monta dessus et titubant, suffoquant, il rampa jusqu'au premier sapin.

Il prit alors conscience de l'inutilité de ses efforts. Ses vêtements gorgés d'eau gelaient presque instantanément, l'enserrant comme un fourreau d'acier. Matt en fut terrifié car il espérait avoir le temps d'allumer un feu. Il avait pour cela, dans un petit sac étanche, quelques allumettes et une bougie à l'intérieur de sa veste. Il n'aurait pas le temps de se déshabiller entièrement. Vite il enleva sa veste, déjà roide, éprouvant les pires difficultés à ôter les manches, puis il se débarrassa de son gros pull de laine et de sa chemise en l'arrachant aux coutures. Les vêtements craquaient dans le froid alors que le corps de Matt, exposé au gel, se marbrait de rouge qui très vite vira au bleu, puis au blanc. Il gémit sous l'effet des piqûres. C'était comme si mille aiguilles lui transperçaient le corps. Mais il n'avait pas le choix. En moins d'une minute, par un froid pareil, il se serait retrouvé prisonnier dans une chape de glace.

Il enleva ses mitaines avec ses dents. Ses doigts ne sentaient plus rien et, avec les deux moignons morts de ses mains, il essaya d'atteindre l'intérieur de sa poche. Il n'y parvint pas. Alors il se leva et, avec ses pieds gelés, cassa plus qu'il n'ouvrit la veste dure comme du verre, réussissant presque miraculeusement à extraire la petite pochette, qu'il creva avec ses dents. Le tremblement qui l'agitait tout entier le gênait terriblement surtout que sa vue se brouillait, mais il parvint à saisir entre ses mains inertes les allumettes et à poser le grattoir sur ses cuisses. Non sans mal, en tenant les allumettes entre ses paumes, il en gratta une première qui s'éteignit quand il se pencha vers la bougie, puis une deuxième qui chut dans la neige. Il toussait à présent frénétiquement, de plus en plus secoué de tremblements. La muselière de glace qui pesait sur le bas de son visage l'empêchait de bien voir ce qu'il faisait. Pourtant, il put allumer une troisième allumette et, avec celle-ci, la bougie qu'il avait plantée dans la neige à ses pieds. Alors il voulut se relever, mais son pantalon l'avait emprisonné dans un étau de glace qu'il ne put briser. Il rampa et banda toute sa volonté pour arracher entre ses paumes les branches basses du sapin le plus proche. Ses mains étaient comme des masses mortes au bout de ses bras. Il put néanmoins étendre quelques brindilles sèches au-dessus de la flamme sans faire tomber la bougie.

Que cette flamme vécût ou s'éteignît, cela signifiait maintenant la vie ou la mort. Le sang se retirait de ses membres et il ne pouvait plus rien tenter. Les brindilles attaquées par la toute petite flamme fumèrent d'abord, sans prendre, puis s'enflammèrent, mais la plupart se tortillaient et retombaient dans la neige qui les éteignait. Avec ses dents, Matt arracha quelques branches de sapin et les disposa autour de la bougie, puis il remit d'autres brindilles sur celles qui étaient encore enflammées. Il fit ainsi plusieurs allers-retours, toujours en rampant, incapable de plier le gros pantalon de laine dur comme de l'acier. Mais, au fur et à mesure qu'il grandissait par le haut, le feu s'éteignait par le bas dans la neige fondue, et les rebords du trou ainsi formé menaçaient de s'effondrer, noyant définitivement l'ensemble. Matt eut alors l'idée de transporter les quelques brindilles enflammées sur son manteau qui servirait de support. C'était sa dernière chance. Il prit le feu dans ses paumes insensibles et crut percevoir une étrange sensation ou plutôt une odeur qui lui indiqua que sa chair brûlait. Il reposa aussi délicatement qu'il le pouvait les brindilles et en ajouta d'autres.

Le feu hésita un moment, comme indécis, puis reprit et attaqua ce que Matt pouvait lui donner. Il rampa jusqu'au second sapin puis un autre et parvint à casser deux branches mortes de l'épaisseur d'un bras qui, en brûlant, lui donnèrent un peu de répit. Pourtant, le feu n'était pas assez grand pour qu'il puisse y faire sécher son pantalon et il devait continuer de l'approvisionner, en rampant dans la neige. Il ne tremblait plus maintenant. Il ne sentait plus rien, comme si son esprit s'était détaché de son corps, et il poursuivait ce qu'il avait entrepris par simple automatisme. De toute façon, il allait mourir. Il le savait désormais, à moins que Mersh n'arrive ou Marie. Elle était là, à le regarder, et il se demandait pourquoi elle ne l'aidait pas. Elle ne semblait pas avoir froid avec cette robe décolletée. Peut-être que l'atmosphère s'était brusquement réchauffée ?

Il ressentit comme une brûlure sur le côté droit du corps et, la douleur devenant intolérable, il se redressa, écarquilla les yeux. Sur le feu quelques grosses branches brûlaient. Il ne se rappelait cependant pas les avoir ramassées. La glace dans sa barbe avait dégelé sous l'effet de la chaleur ainsi que son pantalon sur la jambe droite. Il put se lever et, en voyant la tranchée qui allait jusqu'à un pin renversé, il se rappela être allé jusque-là avant de tomber inconscient, près du feu. Il y retourna en traînant sa jambe gauche. Ses bras étaient devenus aussi blancs que le reste de son corps, attaqués par le gel. En se servant de ses mains comme d'un étau, il put encore casser quelques branches et les mettre sur le feu. C'est à ce moment-là qu'Or le rejoignit et qu'il vit les chiens, deux ou trois, peut-être quatre, couchés dans la neige non loin de lui et qui le regardaient en mâchouillant leur fourrure pour casser la glace prise dans leurs poils. Cela ramena en lui quelques souvenirs, néanmoins très vagues, de son accident.

– Or ? C'est toi, Or ?

Elle geignait en le fixant et il lui tendit une de ses mains gelées qu'elle se mit à lécher. Cela lui donna une idée et il s'accroupit face à elle, allant chercher dans l'aine, dans le creux de fourrure formé sous sa poitrine, un peu de cette chaleur qu'elle semblait vouloir lui donner. Cela ramena en lui quelques sensations curieuses. Il recommença à discerner ce qui l'entourait. Il avait conscience de ce qu'il fallait faire pour continuer à vivre, mais il avait une envie irrésistible de s'allonger et de dormir. Combattre cette envie-là était bien ce qu'il avait de plus dur à accomplir.

Il savait pourtant que céder à ce désir, c'était mourir. Alors, courageusement, il s'écarta d'Or contre laquelle il aurait tant aimé dormir et continua à nourrir le feu. Sa seconde jambe dégela, mais il ne pouvait ôter le pantalon car il était bloqué par ses bottes fourrées qui n'étaient qu'un bloc de glace. Il essaya de les mettre dans le feu, mais elles ne dégelaient pas assez vite et il ne savait pas si le feu brûlait ou non sa chair. Il n'avait plus aucune perception de ses pieds. Il avait simplement quand il marchait l'impression vague de deux poids très lourds.

Il alluma un second feu sur un lit de branches de sapin et se plaça entre les deux, faisant sécher la chemise de laine qu'il avait en partie arrachée. Partout sur son corps s'étaient formées des cloques, comme des brûlures. Des brûlures de froid plus ou moins profondes qui lui faisaient souffrir le martyre maintenant que le feu redonnait à sa peau gelée quelque sensibilité.

Il passa la chemise aussitôt qu'elle fut un peu dégelée et continua de faire des allers-retours, regrettant sa hache restée sur le traîneau car il aurait pu rapporter des bûches plutôt que des branches qui brûlaient vite.

– Peut-être que je vais survivre, dit-il à Or, qui ne le quittait pas des yeux, alors qu'un peu de sang revenait dans sa main droite.

Il traîna un gros sapin mort et le mit sur le feu, puis s'attaqua à ses bottes. Cela lui prit un temps infini, mais il réussit à les enlever en s'aidant de sa main valide et de son couteau pour les couper au fur et à mesure qu'elles dégelaient. Ses pieds d'une blancheur de neige l'inquiétèrent. Il les frictionna, puis les exposa à la flamme. Il ne sentait rien. Il alla plusieurs fois, et de plus en plus loin dans la forêt, chercher du bois en marchant pieds nus quand il prit soudain conscience que le jour baissait.

La nuit !

Elle ressemblait à la mort. Froide et noire. Pensée terrible qu'il tenta de refouler et d'oublier. Mais elle persistait, l'obsédant jusqu'à l'affolement. Heureusement qu'il y avait les chiens, surtout Or qui ne le quittait pas des yeux et dont la présence l'empêchait de sombrer.

37.

Il avait accumulé autant de bois qu'il avait pu en ramener, mais il se doutait que la provision ne serait pas suffisante pour tenir toute la nuit. Le sang était revenu dans ses mains en lui arrachant des cris de douleur. Il pouvait maintenant s'en servir, même si elles le faisaient souffrir. Son pantalon et ses chaussures ou du moins ce qu'il en restait étaient secs. Il regrettait à présent de s'être servi de son manteau pour construire le feu. Il aurait pu lui permettre de résister au froid avec un seul feu maigrement chargé. Sans sa protection, il était obligé d'entretenir deux feux et de se tenir au milieu, Or contre lui.

S'il avait presque récupéré l'usage de ses mains, ses pieds restaient inertes. Il s'inquiétait des conséquences exactes des engelures. Allait-il perdre ses pieds, des orteils ? Il les frictionnait, les exposait à la flamme, rien n'y faisait, le sang refusait de revenir dans certains doigts et la peau noircissait par endroits.

Des chiens, il ne manquait que le pauvre Cloke. Les autres avaient réussi à s'extraire du lac. Yukon gémissait, tournait autour du campement et longeait indéfiniment les berges du lac à la recherche de son compagnon disparu, et ces geignements avaient quelque chose de lugubre dans la nuit noire, sans lune.

Les autres chiens, après s'être libérés à coups de dents de leur harnais gelé, s'étaient roulés dans la neige pour sécher leur fourrure, arrachant les glaçons qui pendaient encore, puis ils s'étaient creusé un terrier dans la neige. Blottis, ils s'étaient endormis dans la chaleur bienfaisante de leur fourrure. Matt avait bien essayé d'en décider un ou deux à venir se coucher à côté de lui avec Or, mais ceux-ci refusaient de s'approcher si près des flammes.

Matt se serait bien couché comme ses chiens, mais dormir c'était mourir. Il le savait et ce froid qui s'insinuait en vous avec fourberie tuait sans prévenir car la sensation de s'assoupir dans cette mort-là était délicieuse. Combien de temps tiendrait-il sans sommeil ? Un jour encore, guère plus. Il avait soif et faim. Pour boire, il faisait fondre de la neige dans de l'écorce de bouleau, mais, pour tromper sa faim, il n'avait rien.

Peu à peu, il acquit la conviction que sa survie passait par le sauvetage de son traîneau. Il reposait à un mètre sous l'eau et il fallait qu'il le récupère ou du moins qu'il sauve l'essentiel : son sac de couchage, sa hache, sa carabine et le sac de balles, un peu de nourriture. Avec ce minimum, il pourrait survivre quelques jours, peut-être plus s'il trouvait à manger en pêchant, en posant des collets et en tirant quelques perdrix.

Il lui fallait donc gagner la partie cette nuit, tenir jusqu'au matin. Alors, il tenterait le tout pour le tout. S'il échouait, il pourrait s'endormir l'esprit tranquille. Il aurait tout essayé.

Mais résister au sommeil qui l'engourdissait était un supplice, pire que le manque de nourriture ou les engelures. Pourtant il tenait, pour Marie. Parce qu'il voulait la revoir, la prendre dans ses bras et lui dire tout ce qui lui brûlait le cœur. Il ne pouvait mourir avant cela, et puis pour Or aussi car elle l'aimait et il n'avait pas envie de lui faire de la peine.

Peu avant l'aube, alors qu'il effectuait un ultime voyage à la recherche de bois, il remarqua que le ciel se couvrait. La température allait enfin remonter. Il le vit comme un encouragement du destin. La clarté de l'aube lui rendit un peu de vaillance. Il rechargea les feux et alla sur le lac, jusqu'au bord du trou en partie regelé. La couche de glace n'était pas épaisse car le ruisseau qui se jetait ici dans le lac créait un remous qui la rongeait au fur et à mesure de sa formation. En lançant de gros cailloux, Matt cassa la glace au-dessus de l'endroit où il situait le traîneau. Puis il retourna auprès des feux pour se réchauffer. Le plus dur restait à faire : se déshabiller, plonger pour arracher au traîneau ce dont il avait besoin.

– Je dois y aller, se répétait Matt. Sans réfléchir, directement.

Un instant, il avait eu l'idée ridicule d'aller d'abord éprouver la température de l'eau du bout du pied.

Il se déshabilla entièrement et constata avec effroi l'état de son torse, plein de cloques et de plaies dues aux engelures. Ce froid était pire qu'un chien enragé. Il mordait partout, à pleines dents. Matt frissonna. Il manquait de courage et commençait à hésiter. Il avait mal partout comme si on l'avait roué de coups, comme si on avait tailladé sa chair au couteau.

Une nouvelle fois il pensa à Marie, à la couleur de son sourire, à la brillance de ses yeux, à la douceur de sa peau. Il s'éloigna des feux et plongea dans le froid avant de sauter dans l'eau. Il ne se rappelait pas que ce fût si douloureux. L'eau lui montait jusqu'au milieu du torse et il doutait de pouvoir y mettre la tête. Avec ses pieds, il chercha le traîneau qui reposait par un peu plus d'un mètre de fond, légèrement à droite de là où il l'avait imaginé.

Maintenant, il fallait plonger. Sans hésiter car il n'avait qu'un laps de temps réduit avant l'hypothermie fatale. Une minute à peine.

Il ne tergiversa pas et plongea, le couteau à la main. Il eut l'impression qu'on comprimait sa tête dans un étau. La douleur était quasi insoutenable et il ressortit la tête de l'eau, en hurlant, respirant avec peine, suffoquant. Il n'y arriverait pas. Pourtant il le fallait. Essayer encore. Il plongea de nouveau et atteignit le traîneau. Il coupa au hasard dans la tente de toile à l'intérieur de laquelle étaient rassemblées ses affaires et libéra un premier sac qui contenait des harnais de rechange et de quoi les réparer. Il ne le prit pas. Il attrapa son sac de couchage et le remonta à la surface. Gorgé d'eau, il était trop lourd pour le jeter sur la glace. Alors il le poussa sur elle. Puis il replongea. Une dernière fois car il savait qu'il ne pourrait y retourner. Il trouva le sac de cuisine où il se rappelait avoir rangé un peu de nourriture, du lard fumé et de la farine, et s'en saisit, ainsi que la scie qui était contre lui. Il ne vit pas la hache. À vrai dire, il ne la chercha pas. Il ne pouvait rester dans l'eau une seconde de plus. Il sentait qu'il allait s'évanouir. Déjà, un voile passait devant ses yeux, brouillant sa vue et faussant son appréciation des distances. Il agit machinalement. Il ne se souviendrait plus ni de ce qu'il avait fait ni surtout de comment il l'avait fait.

Il était entre les feux, rhabillé, sans savoir comment il était arrivé jusque-là. Il avait retrouvé quelque conscience à cause de l'insoutenable douleur que le sang, irriguant à nouveau ses veines, avait provoquée. Il jeta un regard vers le lac et vit sur la glace, près du trou, son sac de couchage qui fumait dans le froid, ainsi que le sac contenant ses affaires de cuisine. La scie, il l'avait ramenée avec lui. C'est la vue du sac de cuisine qui lui donna le courage nécessaire pour retourner sur le lac, ou plutôt le lard fumé contenu dedans. Il était temps. Tout gelait et, dans quelques minutes, tout ce qu'il avait extrait de l'eau ne ferait plus qu'un avec le lac. Déjà, il eut le plus grand mal à arracher le sac de couchage qui avait commencé à geler. Il regrettait sa hache quand il se souvint qu'il y avait une machette dans le sac de cuisine. Il la prit et, à petits coups, dégagea ce qu'il avait réussi à sortir de l'eau, puis il revint près des feux, qu'il chargea de tout le bois disponible. Enfin, il se rua sur le lard qui, protégé par l'eau, n'était pas gelé et il mordit dedans à pleines dents. Cela lui rendit quelques forces et il étendit le sac après l'avoir essoré le plus possible sur des perches de saule. Maintenant, il lui fallait tenir jusqu'à ce que son sac sèche.

Il alla scier le grand pin, ce qui avec ses mains meurtries, en sang, fut un vrai supplice. Il dut s'y reprendre à plusieurs fois pour abattre et scier trois bûches, mais celles-ci tenaient le feu et il put enfin s'arrêter un peu et somnoler en attendant que son sac de couchage sèche. Il se forçait à rester assis. Ainsi, dès qu'il tombait sur le côté, il se réveillait et pouvait retourner le sac, replacer une bûche. Cela lui demanda quatre heures. Il n'en pouvait plus. Il n'avait pas dormi depuis plus de quarante heures et ses paupières tombaient. Il avait mal partout.

Enfin, il étala son sac de couchage sur un lit de branches de sapin, recouvrit le feu et prépara des brindilles sèches, puis il se faufila à l'intérieur. Or se plaça aussitôt contre lui. Le sac était chaud, quoique encore légèrement humide. Matt s'endormit aussitôt.

Il se prélassait dans un bain chaud et Marie le lavait avec une éponge douce, si douce qu'elle effleurait à peine sa peau. Elle enduisait son corps d'huile et le massait, s'arrêtant longtemps sur les muscles du cou qu'il avait noueux et contractés. Ses cheveux tombaient en cascade sur sa poitrine qu'il sentait derrière lui ferme et pleine. Elle l'embrassait dans le cou et lui chuchotait des mots d'amour. Il avait trouvé de l'or et il était riche, mais elle lui disait que les sentiments qu'elle éprouvait pour lui n'avaient rien à voir avec ça et il le croyait. Il se laissait faire. Parfois, ses mains s'attardaient sur les plaies et elle les pansait. Ça faisait un peu mal, mais c'était si bon de se sentir aimé, de s'abandonner ainsi dans les mains de Marie qui le soignait avec autant de sollicitude.

38.

Des aboiements. C'est ce qui le réveilla quinze heures plus tard. Il ouvrit un œil et il ne reconnut rien. Il n'était ni dans sa cabane ni dans la chambre de Marie. Il était dehors et il neigeait. Il n'avait pas froid mais il avait mal. Mal partout. Surtout quand il voulut faire un geste. Les chiens continuaient d'aboyer, fixant l'étendue blanche du lac noyé dans la neige qui tombait d'un ciel lourd et gris. Or était tout contre lui et l'avait léché tendrement. Il plongea son regard dans le sien et se souvint de toutes ces caresses que Marie lui avait prodiguées. C'était donc elle ! Or, la magnifique, qui l'aimait tant. Il la caressa longuement et elle ronronnait de plaisir en clignant ses yeux pleins de givre.

Alors, peu à peu, la mémoire lui revint et, au fur et à mesure qu'il se souvenait, il s'émerveillait de ce qu'il avait fait. Il était fier d'être vivant. Il voulut s'asseoir, mais le moindre geste réveillait les brûlures qui couvraient son corps. Il y réussit pourtant en serrant les dents et en étouffant un gémissement de douleur.

Les chiens fixaient toujours le lac et aboyaient, le poil hérissé sur le dos, les crocs dehors. Cependant Matt ne voyait rien.

Quelle heure pouvait-il être ? Matt l'ignorait totalement.

Les chiens se calmaient. Seule Manouane continuait de gronder.

« Un lynx ou un loup », se dit Matt en tentant de se lever.

Il y réussit en se dépliant tout doucement, par étapes. Il ne faisait pas froid et c'était sa chance. Sans feu, même dans un épais sac de couchage, il n'aurait sans doute pas résisté longtemps.

– La chance, je l'ai méritée, dit-il tout haut comme pour essayer sa voix.

Mais il se souvint qu'il avait mal jugé le lac. On voyait qu'un ruisseau s'y jetait. Il aurait dû éviter cette zone. Ce n'était pas de la malchance. Cet accident, n'importe quel Indien l'aurait évité et lui, le Blanc, le *cheechackos*, était tombé dedans, comme un imbécile.

Il alluma un feu, fit fondre de la neige et se prépara un thé. Ensuite, il mit le sac de farine mouillée et dure comme de la pierre à dégeler. Avec la pâte ainsi obtenue, il pétrit des galettes d'un centimètre d'épaisseur car sans levure il ne pouvait les faire lever. Puis il en mangea une accompagnée de lard. Avec une certaine inquiétude, il constata que ses doigts de pied étaient noirs. Des lambeaux de peau à l'odeur rance commençaient à s'en détacher. À chaque pas, il souffrait le martyre et il comprit qu'il ne pourrait guère faire plus que d'aller chercher du bois. Il espérait pouvoir pêcher, peut-être tendre des collets, mais pour cela il fallait d'abord soigner ses plaies.

Il les nettoya avec de l'eau chaude, ce qui lui fit le plus grand bien, et compta ses provisions. Un peu de lard et cinq galettes. Il tiendrait trois jours, quatre en se rationnant. Mais une autre pensée surgit. Avec cette neige qui tombait et effaçait toutes les pistes, comment retrouver le camp indien ? À l'aller, il avait cessé de baliser les arbres à partir du moment où il avait rencontré toutes ces pistes qui convergeaient vers le camp, avant ce lac, quelque part dans les collines. Il ne savait même plus où exactement. En cherchant, il repérerait peut-être les dernières encoches qu'il avait faites sur les arbres. Il se rappelait avoir suivi une petite vallée avant de tomber sur les pistes. Mais il lui faudrait des semaines pour rejoindre à pied sa cabane. Non, il devait retrouver le village.

La corvée de bois l'avait épuisé. Il se recoucha alors que les chiens allaient et venaient autour de lui, quémandant de la nourriture qu'il n'avait pas. Combien de temps des chiens pouvaient-ils tenir sans manger ? Il l'ignorait, tout comme il ignorait comment il ferait pour les nourrir. Jamais il ne pourrait pêcher suffisamment de poissons ni attraper assez de lièvres. Ce serait déjà difficile pour lui. Matt soupira. Certes, il avait survécu à un accident qui aurait pu lui être fatal, mais le plus dur restait à faire.

Quand Matt se réveilla à la nuit, il ne neigeait plus. Tout était silencieux, à l'exception du sifflement irrégulier du vent qui faisait courir sur la neige une petite pellicule de grésil, formant ici et là des congères ou s'accumulant derrière les obstacles, les arbres, les berges du lac. Matt se leva, non sans peine, et ramassa ici et là les quelques affaires qu'il avait éparpillées autour du feu. Il le ralluma et gratta la neige pour retrouver la scie. Le vent était du nord et forcissait. Matt fit fondre de la neige car il avait soif. Il mit une galette de pain à cuire sur les braises et la mangea entièrement avec un morceau de lard. Il ne lui restait que quatre galettes de pain et à peine une demi-livre de lard.

Il n'avait plus envie de dormir, mais que pouvait-il faire d'autre ?

Il appela les chiens. Ils n'étaient pas là.

– Ils sont partis chercher de la nourriture, dit Matt pour se rassurer, mais sa peur montait.

Il recula à l'intérieur de la forêt et, à l'abri de quelques sapins, se bâtit une sorte d'auvent avec des perches de saule entrelacées et recouvertes de branches. User ainsi de son énergie le délivrait un peu de son angoisse. Le vent se calmait par moments, puis reprenait. Matt se construisit un nouveau feu devant l'auvent, assez loin pour que la fumée n'y pénètre pas mais assez près tout de même pour que la chaleur rayonne à l'intérieur. Il était malhabile car, pour travailler avec ses mains meurtries, il devait porter ses mitaines et elles le gênaient. Deux de ses doigts noircissaient jusqu'à la base de l'ongle. Quant à ses pieds, ils n'étaient pas beaux à voir et, quand il les regardait, son angoisse ne faisait que grandir. Il n'avait rien pour se soigner et surtout il ignorait quoi faire. Dans le traîneau, il y avait un petit sac contenant une fiole d'alcool iodé, un bon désinfectant. Il acquit peu à peu la certitude que sa survie dépendait de ce traîneau. Il pouvait le récupérer. Il s'accorda encore un jour pour que ses plaies suppurantes cicatrisent un peu.

La tempête cessa brusquement au crépuscule. Il avait passé sa journée à réparer les harnais et à laver ses plaies avec de l'eau chaude.

Les chiens ne revenaient pas. Matt se surprenait à écouter le miaulement du vent qui par moments revenait comme à regret tourniquer sur la forêt. Mais ces miaulements n'étaient pas des aboiements. Les chiens l'avaient abandonné car il n'avait rien pour les nourrir. Ils avaient peut-être senti l'odeur de la mort et l'avaient fuie. Même Or était partie. Il était seul.

Un jour passa encore. Le vent qui avait tant varié s'installa enfin au nord-est, tirant une nuée blanche uniforme, signe de neige. À l'extrémité des doigts de Matt, la chair noirâtre et malodorante commençait à se détacher. Pour éviter la gangrène, Matt porta la lame de son couteau au rouge, coupa toutes les peaux mortes et cautérisa. Il fit de même sur ses pieds, aussi douloureux cela soit-il. Le lendemain, il eut la joie de constater que le mal ne s'étendait plus. Mais une autre menace pesait sur lui. Il arrivait au bout de ses maigres réserves de nourriture. Il trouva quelques rares traces de lièvre non loin de son campement et posa quelques collets. En pure perte, car la neige se remit à tomber, recouvrant tout.

Alors, Matt décida de retourner dans l'eau et de tenter, une fois de plus, le tout pour le tout. Il voulait récupérer les cinquante livres de viande séchée qui restaient dans le traîneau ainsi que sa paire de raquettes et surtout sa carabine.

Cette opération se déroula plutôt mieux que la première fois. S'habituait-il aux bains glacés ou sa peau meurtrie par les multiples engelures devenait-elle insensible ? Il repêcha la viande, sa carabine et ses raquettes, mais une mauvaise surprise l'attendait. Dans l'eau, la viande avait dégelé et commençait à pourrir, dégageant une odeur nauséabonde. Pourtant il en fit griller quelques morceaux et se força à en manger. Puis, chaussé de ses raquettes, tant bien que mal avec ses pieds meurtris par les engelures, il longea les rives du lac à la recherche de lièvres ou de perdrix, mais la neige qui continuait à tomber dissimulait toutes les traces.

Alors il s'essaya à la pêche car il avait récupéré du fil et des hameçons, mais il n'attrapa que deux petites truites d'à peine dix centimètres de long. Il rentra à la nuit à son campement, déprimé et totalement découragé, prêt à tout abandonner.

Maintenant qu'il n'avait plus les chiens, il ne s'accrochait à la vie que grâce à Marie dont la présence l'habitait et le réchauffait. Elle était la flamme qui l'empêchait de sombrer et de se perdre dans la nuit.

39.

Alors qu'une vague lueur se dessinait sur la ligne d'ombre de la forêt et que le souvenir gris de la nuit courait encore sur la blancheur du lac, une meute de loups apparut.

Ils marchaient en file indienne, au milieu du lac, droit vers le campement. Ils avaient senti de loin l'odeur de la viande pourrie. Matt se saisit de sa carabine et attendit, caché derrière la broussaille. Le vent était bon et les loups s'approchaient.

Ils étaient onze. Un mâle noir ouvrait la marche. Matt apercevait sa gueule énorme et son poil dense que le vent hérissait sur son dos. Il devinait ses yeux jaunes, effilés et perçants. Tout à coup, à cent mètres à peine, le grand mâle se figea. Derrière lui, tous les autres s'étaient immobilisés, comme un seul. Plus rien ne bougeait, si ce n'étaient les molles ondulations des fourrures que le vent secouait. Matt retint son souffle, cala sa carabine contre une tige assez épaisse de saule et tira juste avant que le grand loup fasse volte-face. Celui-ci fit un gigantesque bond en l'air et retomba sur le flanc. Les autres, un moment indécis, prirent la fuite en désordre, cherchant à regagner la forêt. Matt tira encore trois fois. Il ne put recharger avant que l'ensemble des loups atteigne la rive, mais trois étaient touchés. Deux demeuraient inertes sur le lac gelé et un autre se traînait, les reins brisés. Matt l'acheva d'une balle.

Un silence incroyable s'ensuivit. Matt avait agi d'instinct, sans réfléchir. Pourquoi avait-il tué ces loups ? Parce qu'il était vivant et qu'on ne laissait pas échapper de la vie dans ce contexte funèbre. Il ignorait s'ils représentaient de la nourriture. Pourquoi pas ? Mais surtout il pensait à leur fourrure, au manteau qu'il avait brûlé et qu'il allait pouvoir coudre. Il alla chercher les loups et, pendant qu'ils étaient encore chauds, les dépeça. Ils étaient lourds et puissants. Leur fourrure était dense et épaisse. Il les dégraissa et avec leur cervelle fit une pâte dont il enduisit le cuir car il avait appris que les cervelles des animaux possédaient des propriétés tanniques. Puis il fuma le cuir avec du bois vert, le fit sécher et l'assouplit en le malaxant pendant un bon moment au bord du feu. Avec ces fourrures, il confectionna une paire de chaussettes qui lui permettrait d'avoir chaud dans ses bottes rapiécées et surtout un manteau dont il soigna les coutures et qui était particulièrement chaud. Il était assez fier du résultat.

Il mangea la viande en coupant de fines tranches qui, bien grillées sur les braises, perdaient un peu de leur goût âcre. Au moins cette viande-là n'était pas pourrie.

La nuit était tombée et il ne savait plus très bien depuis combien de temps il était ici. Plus d'une semaine assurément et toujours pas un signe de vie, ni de ses chiens, ni des Indiens. Pourtant il avait cessé de neiger et plus rien ne gênait le déplacement.

Les chiens. Ses chiens. Où étaient-ils ?

Les loups peut-être ?

Matt fit l'inventaire de ce qu'il possédait en terme de matériel et de nourriture, et en déduisit qu'il pouvait entreprendre quelque chose. N'importe quoi mais ne pas rester ici.

Depuis qu'il avait cautérisé puis désinfecté ses engelures et ses nombreuses brûlures, il allait mieux. Il ne perdrait pas ses pieds. La sensibilité était revenue peu à peu, sauf dans deux doigts noirs et craquelés. Il s'en fichait. Il pourrait marcher sans eux.

Il passa une journée entière à faire sécher sur un treillis de branchages la viande de loup découpée en tranches, puis une autre à fabriquer une sorte de luge avec de gros morceaux d'écorce de bouleau assemblés sur deux patins taillés dans le même bois, longuement séchés au feu. Il y arrima son matériel ainsi que la viande et l'essaya. Il améliora la glisse en mouillant l'écorce d'eau chaude de manière à obtenir une fine pellicule de glace qui glissait mieux. Il ajusta les lanières qui lui permettaient de tirer son traîneau et décida, puisqu'il restait encore trois bonnes heures de jour, d'effectuer déjà une étape. Comme il ignorait où se situait le village indien, il tenterait de retrouver ses marques sur les arbres et de rejoindre sa cabane, puis Dawson et donc Marie. Il se souvenait vaguement du paysage. Avec les marques, il était sûr de reconnaître sa route.

Comme la veste qu'il avait confectionnée était trop chaude, il l'attacha avec le reste sur la luge qu'il traînait derrière lui. Bien qu'il fît assez froid, suffisamment en tout cas pour que sa respiration se transforme en givre et lui recouvre le visage, il transpirait. L'exercice de la raquette était, dans la neige profonde, des plus pénibles. Il suait à grosses gouttes et avançait lentement. À ce rythme-là, il lui faudrait un mois pour atteindre la civilisation. Mais il ne se découragea pas. Il préférait cela à l'inactivité. Et chaque pas le rapprochait de Marie dont il voyait parfois se dessiner le visage dans les turbulences nuageuses du ciel.

Il dormait à la belle étoile sur un lit de branches de sapin, tout habillé dans son sac de couchage recouvert de son manteau en fourrure de loup. Quand il en avait le courage, il bâtissait un petit auvent qui lui permettait de mieux récupérer la chaleur du feu et de bien sécher ses affaires mouillées par la transpiration. Toute la journée, il marchait, s'arrêtant toutes les deux heures pour boire, se reposer et refaire les bandages autour de ses pieds. Parfois il tirait une perdrix, alors il la mangeait sur un petit feu. Autour de lui, le silence, et la blancheur, indéfiniment, avec de loin en loin des forêts et des lacs. Il n'avait pas revu les marques, mais il continuait vers le sud, s'orientant grâce au soleil et aux congères que le vent avait taillées dans la neige, toutes dirigées dans le même axe, vers le sud-est.

Au matin du quatrième jour, il crut reconnaître un plateau. Effectivement, il repéra un peu plus tard l'une de ses encoches faites sur un sapin. Mais le plus excitant fut de retrouver la piste, de sentir sous ses pieds l'assise dure qui, recouverte de neige, demeurait par ailleurs presque invisible. Pourtant, au fil des heures, il acquit une certaine expérience et put discerner le tracé grâce à des indices minimes. La coloration de la neige, son reflet et son aspect n'étaient pas tout à fait les mêmes. Bien que la couche de neige fût épaisse, le fond était dur, et il ôta ses raquettes pour marcher plus vite. Il pouvait maintenant progresser à raison de vingt-cinq kilomètres par jour. Il calcula que dix jours encore lui seraient nécessaires pour rejoindre sa cabane.

Cette marche solitaire dans l'impalpable pureté du Nord transformait Matt car elle le forçait à se plonger à l'intérieur de lui-même. Alors qu'il percevait les multiples facettes de ces paysages dont il pénétrait peu à peu l'intimité, un profond bien-être l'envahissait. Ce sentiment nouveau n'était pas dû simplement au fait qu'il était en vie mais plutôt à sa faculté, récente, à ressentir les vibrations de ce paysage qui l'étonnait par sa capacité à transcender tout ce à quoi il avait voulu le réduire jusque-là.

Il ne traversait plus un paysage. Il était le paysage, partie intégrante d'une harmonie insoupçonnée.

Le froid, la neige, le brouillard, tout cela ne le gênait pas, n'entravait pas sa marche, même si parfois ils la ralentissaient. Peu importe, il allait dans le temps sans se soucier de lui. Il n'était lui aussi qu'un animal de passage.

Il marchait, vent de face, courbé par la charge qu'il tirait, allant sur la piste ancienne qui traversait un grand plateau piqué de loin en loin de quelques boqueteaux de sapins rabougris, quand il entendit un souffle. Il se retourna vivement, prêt à faire face.

Gêné par le givre qui lui emprisonnait le visage et habillait ses cils, il crut d'abord que des loups l'attaquaient par-derrière, mais c'était un attelage. Un grand attelage d'au moins quinze chiens ! Matt n'en avait jamais vu d'aussi long. Lorsque les premiers chiens arrivèrent sur lui, son cœur faillit exploser dans sa poitrine car il reconnut les siens : Or, Chinook, Yukon, Manouane et les autres, mélangés à ceux de Mersh.

Les chiens s'arrêtèrent à sa hauteur. Chinook et Skagway lui sautèrent dessus avec des jappements joyeux et les autres tiraient sur leurs traits pour faire de même. Matt, ému aux larmes, les prit dans ses bras en répétant leurs noms, et des grognements interrompirent les retrouvailles car certains chiens de Mersh n'appréciaient pas le désordre ainsi créé.

Mersh cria un ordre que Matt ne comprit pas mais les chiens se remirent en marche, les siens réintégrant leur place de par la traction exercée par les autres sur le trait central. Matt s'écarta sur le bord de la piste, caressant Or au passage. Mersh, le visage mangé par une barbe entièrement gelée, arriva à sa hauteur.

– Je vais allumer un feu... à la forêt.

Qu'il lui montra du menton en donnant une impulsion au traîneau pour que les chiens continuent.

Matt n'eut même pas le temps d'ouvrir la bouche. Mersh était déjà passé.

– La forêt !

Il la vit un peu plus loin, une ligne sombre sur l'horizon. Matt restait à sa place, un peu stupidement, les bras ballants.

– Il aurait pu au moins s'arrêter !

Le son de sa voix l'étonna. Il se racla la gorge et réessaya.

– Oui, il aurait pu dire quelque chose.

Mais il se ravisa. Mersh avait raison. Il faisait froid et il frissonnait déjà. Pourtant il ne s'était immobilisé qu'une minute. Le mieux était de regagner la forêt et d'allumer un feu. Maintenant, il connaissait un peu Mersh. Il le comprenait. Les paroles superflues l'encombraient. Cet homme agissait.

Mersh était déjà loin mais assez proche cependant pour que Matt aperçoive le petit traîneau qu'il remorquait. Il ne put voir si c'était le sien car le givre exhalé par l'attelage l'enveloppait d'un nuage blanc.

Il se remit en route, vers la forêt, vaguement inquiet à l'idée que Mersh ne s'y arrête pas, tant celui-ci semblait s'évertuer à toujours disparaître quand on s'y attendait le moins, en brouillant ses pistes, tel un voleur.

Peut-être Mersh était-il un peu fou, ou qu'il l'était devenu à force de sillonner seul les grandes étendues blanches.

Une petite colonne de fumée qui s'élevait au-dessus des sapins le rassura. Il l'attendait. Matt quitta la piste principale et suivit celle que Mersh avait faite à angle droit pour rejoindre la forêt.

Il avait basculé son traîneau sur le côté et les chiens, en ordre, attendaient, couchés dans la neige. Le second traîneau n'était pas le sien. Matt remonta le long de l'attelage et caressa longuement chacun de ses chiens, ému aux larmes. Il n'en manquait pas un seul.

Plus loin, Mersh sciait des bûches dans un pin mort sur pied qu'il avait abattu. Matt se mit en face de lui sans rien dire et s'empara de l'autre extrémité de la scie. À deux, ils allaient plus vite, à condition de bien coordonner le mouve-ment, mais Matt savait y faire. À la ferme, il avait scié des douzaines de stères de cette façon.

Ils scièrent ainsi une dizaine de bûches, sans proférer la moindre parole, tout à leur effort. Mersh allait lentement, mais on sentait qu'il pouvait aller ainsi longtemps. Il sciait avec effi-cacité, faisant parfaitement mordre la lame. Matt, en connaisseur, appréciait, tout comme il appréciait la façon dont il avait construit son feu, les bûches à plat, espacées comme il fallait.

Mersh alla sur son traîneau chercher un cube de glace qu'il avait dû récupérer sur un lac et le mit à fondre dans une théière. Cela faisant, il leva les yeux vers le ciel et murmura, comme pour lui-même :

– Ça va tourner à l'est. Le froid devrait tenir jusqu'à la lune.

Matt devait-il interpréter cette phrase comme un signe pour engager la conversation ? Pou-vait-il maintenant poser les questions qui lui brûlaient les lèvres ?

Mersh se leva et alla tailler une tige dans un boqueteau de trembles. Il tailla aussi deux fourches et, sur la broche ainsi constituée, enfila un lièvre déjà cuit qu'il tira de son sac.

– Cinq minutes pour le réchauffer.

– C'est pratique comme ça, répondit Matt.

– Les lièvres, il faut les cuire longtemps, haut sur la braise, alors le mieux, quand tu veux en manger un, c'est d'en cuire trois ou quatre d'un coup sur un feu tout en longueur. C'est autant de travail d'en cuire un ou quatre et, après, tu gagnes un temps incroyable sur la piste.

Il avait dit cela d'un ton très solennel, comme s'il s'agissait d'un secret d'État.

– C'est vrai, dit simplement Matt.

Matt esquissa un sourire. Mersh, le visage au-dessus du feu, faisait fondre la glace qui emprisonnait sa barbe blanche.

– Tu préfères le café ou le thé?

– Ça m'est égal, j'aime les deux.

– Le midi, je préfère le thé.

Un long silence s'ensuivit. Mersh tournait le lièvre sur sa broche. Il avait fait fondre dans une poêle un peu de gras dont il arrosait la viande dorée, qu'il sala, puis la saupoudra de poivre mélangé avec quelques herbes aromatiques dont le parfum embaumait.

– Ça sent bon, dit Matt.

– Le lièvre, ça se mange avec de la feuille de cornouiller.

Mersh retira le lièvre du feu et le découpa. Il tendit la moitié à Matt, qui remercia. C'était délicieux et ils dégustèrent en silence. Mersh mangeait lentement, mâchant longuement chaque bouchée et buvant beaucoup. Plus loin, les chiens étaient calmes, roulés en boule dans leur lit de neige, immobiles et silencieux. Comme il les regardait, Mersh murmura :

– La petite femelle, elle va bien, mais sur une longue distance t'auras intérêt à la mettre un peu dans le traîneau si tu veux pas la claquer.

Matt fit un signe de tête et risqua aussitôt une question :

– Ils étaient où?

Mersh mastiqua posément sa bouchée avant de répondre.

– Sont rentrés au village.

– Au camp indien?

Mersh fronça les sourcils.

– Y en a pas d'autre.

Matt digéra l'information.

– Ça ne vous intéresse pas de savoir ce qui m'est arrivé ?

– Non.

Matt, qui ne s'attendait pas à cette réponse, sursauta. Mersh se leva et retourna vers son traîneau. Il rapporta un nouveau sachet de thé et le tendit à Matt.

– Prépare une autre théière et garde le reste.

– Merci.

Pendant que Matt s'exécutait, Mersh détela le second traîneau. Puis il y attela les chiens de Matt.

Apparemment, il allait repartir. Matt, qui l'observait, lui trouva tout à coup un air bougon. Qu'avait-il fait encore ? Qu'avait-il dit qui l'avait fâché ?

Matt hésitait maintenant sur la conduite à suivre.

Mersh revint vers lui avec un vieux thermos tout cabossé dans lequel il versa le thé bouillant, puis il rangea sa bouilloire et les quelques ustensiles qui traînaient autour du feu dans un grand sac de toile qu'il alla arrimer dans son traîneau.

Matt l'observait de loin, toujours aussi hésitant. Mersh fit avancer son chien de tête presque jusqu'au feu et effectua un demi-tour pour reprendre à l'envers la piste qu'il avait faite en pénétrant dans le bois. Comme les chiens s'étaient emmêlés, il s'arrêta pour les remettre en ordre. Quand il arriva à la hauteur de son traîneau, il fixa Matt sans complaisance.

– Je suis tombé à l'eau moi aussi il y a quelques années, mais j'ai eu moins de chance que toi. J'ai perdu tous les chiens et j'étais seul à un peu plus de deux mois de marche de tout.

40.

– De la chance ! Il appelle ça de la chance !

Maintenant que Mersh était parti, Matt laissait libre cours à sa colère. Ce Mersh, il le haïssait. Pour qui se prenait-il donc ? Il ne devait qu'à lui le fait d'avoir survécu à l'accident. Matt fulminait. Il regrettait d'avoir joué le jeu de Mersh. Il aurait dû l'empêcher de partir et lui dire, lui expliquer, ce qu'il avait vécu.

Il se calma peu à peu. Si Mersh n'avait pas voulu entendre le récit de Matt, c'est qu'il connaissait l'histoire pour l'avoir devinée en suivant sa piste. Quant à savoir ce qu'il avait ressenti, il le savait aussi puisqu'il l'avait vécu lui-même, et c'est pourquoi il le lui avait dit.

Que lui aurait-il raconté : comment il était tombé au travers de la glace ? comment il avait allumé un feu ? Comment il était arrivé jusqu'ici ?

Tout cela, Mersh le savait et c'est pour cette raison qu'il n'avait pas voulu entendre son histoire.

Matt resta un long moment immobile au bord du feu, fixant la piste par laquelle l'attelage avait disparu. Puis il marcha jusqu'au petit traîneau. Rudimentaire mais de belle ligne, celui-ci était constitué de pièces en bois de tremble, assemblées avec du cuir de caribou. Il était neuf. Mersh l'avait fabriqué pour lui ! À l'intérieur, Matt trouva un sac contenant une cinquantaine de livres de poissons séchés, un peu de viande, du lard et de la farine, ainsi que deux harnais de rechange.

Matt mesurait maintenant ce que le vieil homme avait fait. Il était venu jusqu'ici pour lui, avec tout ce dont il avait besoin. Et Matt ne l'avait même pas remercié ! Il aurait même voulu l'insulter quand il l'avait quitté, comme toujours, sans rien dire, aussi mystérieusement qu'il était arrivé. Matt, qui éprouvait le besoin de parler, de partager avec quelqu'un ce qu'il avait vécu, trouvait ça exaspérant. Il ressentait la nécessité d'évacuer, d'extérioriser sa peur rétrospective en se confiant à quelqu'un.

Matt pensa à Marie. Elle, elle l'écouterait et le comprendrait. Depuis que Mersh était parti, les chiens piaffaient d'impatience. Matt transféra le peu d'affaires qu'il transportait sur sa luge dans le traîneau et, sans attendre, il se mit en route. Aussitôt sorti de la forêt, il vit que Mersh, contrairement à ce qu'il avait imaginé et un peu espéré, était reparti en sens inverse. Un instant, il fut tenté de le suivre vers le nord, mais Marie l'attendait.

– Djee ! Djee !

À regret, Manouane piqua vers le sud, dans la piste qui n'était pas damée.

– C'est bien, les chiens.

Heureusement, sur le plateau, peu de neige comblait la vieille piste. Les chiens pouvaient la suivre et avancer sans trop s'enfoncer. Matt avait oublié ce qu'il pouvait ressentir à l'arrière d'un traîneau, emmené par des chiens. Le paysage défilait et une ivresse le gagnait.

– Mes chiens! Mes petits chiens!

Il les stoppa et alla de l'un à l'autre, s'agenouillant face à chacun d'eux et les prenant tour à tour dans ses bras.

– Vous m'avez manqué. Vous m'avez tant manqué!

Mersh les avait bien soignés. Ils étaient superbes, les muscles roulant sous un poil lustré et épais. Les harnais qu'il avait confectionnés pour eux étaient parfaitement ajustés. Certes, Mersh ne parlait guère, mais ses actes compensaient largement. Matt ne put s'empêcher de le comparer à ces hommes rencontrés dans les grandes villes du Sud qui pouvaient déplacer beaucoup de vent avec de belles paroles mais qui, au pied du mur, dans l'action, se rétractaient toujours, exagérant à outrance le peu qu'ils faisaient. Mersh était l'opposé. Mais Matt aurait bien échangé quelques kilos de poissons contre quelques mots de réconfort. Il eut un peu honte de lui. Il était encore un enfant qui se cherchait un père. Il pensa au sien qui était mort trop tôt, puis il eut cette pensée qui l'étonna : Mersh avait-il des amis? Les Indiens peut-être?

Mersh avait raison. Le vent vira à l'est et un anticyclone s'installa. Il faisait froid, mais on sentait que le gros de l'hiver était derrière. Déjà, les jours rallongeaient et la froidure n'était plus aussi vive. Les chiens allaient à un bon rythme et Matt n'avait pas besoin de s'orienter. La piste que Manouane suivait allait droit à sa cabane. Il ne mit que cinq jours à la rejoindre.

Quand il l'aperçut au loin, solidement ancrée sur le petit monticule qui surplombait le lac, il eut du mal à contenir son émotion. Les chiens accélérèrent d'eux-mêmes, mais c'était de rage plus que de joie car, de la porte ouverte, une masse brune venait de s'échapper.

– La saloperie !

C'était un carcajou qui avait défoncé une fenêtre et ouvert la porte de l'intérieur. Les chiens arrivèrent en trombe, le poil hérissé sur le dos et les yeux méchants, les crocs happant le vide, aboyant puis tirant sur les traits quand Matt bloqua le petit traîneau.

– Du calme ! Du calme ! répéta-t-il plusieurs fois

Mais il ne parvint pas à les calmer. Il alla constater les dégâts. L'intérieur de la cabane était ravagé. Ses provisions avaient presque entièrement disparu, mais Matt s'en fichait, ou presque. L'essentiel était ailleurs. Il était vivant et ses chiens aussi, et, demain, il serait avec Marie.

Il détela les chiens et, sans attendre, alla sur le lac creuser des trous dans la glace pour poser son filet. Maintenant que l'hiver tirait à sa fin, les poissons, quittant les bas-fonds, allaient de nouveau se déplacer et Matt espérait en prendre quelques-uns. Il avait épuisé le stock de poissons que Mersh lui avait donné et il ne voulait pas laisser ses chiens le ventre vide. Il repensa à ces traces d'élans qu'il avait vues à quelques heures de traîneau de la cabane et décida de s'y rendre le lendemain s'il ne prenait pas assez de poissons. Puis il rangea et répara sa cabane, tendant une toile sur le cadre de la fenêtre défoncée. Enfin, il se déshabilla et, à la lueur des bougies, devant le poêle, il ausculta ses plaies. Il avait cicatrisé et de la nouvelle peau apparaissait là où il avait gelé superficiellement. Il perdait les ongles de ses deux doigts de pied insensibles et comprit qu'il devait couper toute la peau malade jusqu'à la première jointure. Il le fit immédiatement, avec une lame rougie au feu. L'odeur de la chair brûlée lui donna envie de vomir mais il tint bon et alla jusqu'au bout de l'opération. Puis il désinfecta. De ce côté-là aussi, il s'en tirait bien.

Le lendemain, il mit plus d'une heure à décoincer son filet qui, mal posé, s'était pris dans la glace. Il le déchira et ne prit que quelques truites, qu'il distribua immédiatement à ses chiens. Avant de se rendre à Dawson, il lui fallait essayer de pister ces deux élans dont il avait croisé les traces. Pourtant, il brûlait intérieurement de désir et Marie occupait toutes ses pensées. C'est à regret qu'il reprit la piste. Heureusement, les chiens filaient et il rattrapa, vite la zone d'aulnages où il trouva de nouvelles traces, toutes fraîches, qui prouvaient que les deux élans, une femelle et son petit, hivernaient dans les parages. Il attacha ses chiens et, en raquettes, suivit leur piste qu'il démêla. Peu avant le crépuscule, il les rejoignit mais à l'instant où il allait tirer, la femelle s'échappa dans le taillis, suivie de son petit, qu'il tua juste au moment où il allait lui aussi disparaître.

Il ne pesait qu'une centaine de kilos, mais c'était déjà ça !

Matt rentra à la nuit. Le temps changeait avec la nouvelle lune qui montrait dans le ciel d'encre son premier quartier.

Demain, à cette heure-là, il serait à Dawson, avec Marie.

41.

Avec une expression d'ingénuité et d'étonnement presque enfantins, Matt découvrit l'intérieur raffiné de l'arrière-salle du *Monte-Carlo* où on lui avait dit qu'il trouverait Marie. Dans cette grande salle lambrissée et au plafond peint, une multitude d'hommes et quelques femmes, bien habillés, buvaient et dansaient au son d'un petit orchestre monté sur une estrade dans un des coins de la pièce enfumée. Cette salle, réservée aux notables de la ville et à leurs invités, détonnait par rapport à toutes les autres places, restaurants, bars et saloons où se côtoyait une foule hétéroclite d'individus de toutes catégories dont le seul point commun était le goût immodéré pour l'alcool et les jeux.

À l'entrée, un gaillard costaud aux yeux mobiles et au visage terne filtrait.

Il bloqua tout de suite Matt avec une expression mauvaise.

– Où tu vas comme ça ?

Du menton et assez dédaigneusement, il le dévisageait de haut en bas. Matt prit alors conscience de son accoutrement. Il n'avait pas de chaussures mais des mocassins, pas de veste mais une espèce de manteau de fourrure au cuir élimé. Son pantalon et sa chemise, maculés de taches de graisse et de sang séché, sentaient le chien et la fumée des feux de camp. Sa chevelure était en désordre et ses mains noires étaient mangées par les engelures, les brûlures, les cicatrices et les coupures. Il avait les ongles noirs, cassés, rognés comme ceux d'un ours.

– Matt !

Elle l'avait vu et s'avançait vers lui, rayonnante et souriante. Elle était resplendissante dans sa robe de soie bleu et blanc et des bijoux ornaient son cou gracieux, offert et palpitant. Elle était joyeuse, un peu soûle peut-être, mais ça lui allait bien car toute la beauté de son visage se réfugiait dans ses yeux brillants d'un bleu intense, rieurs et gais, fixés sur lui.

Il la regardait avec une moue de stupéfaction. Elle était si belle et lui ressemblait à un mendiant. Elle sentait si bon et lui puait la bête sauvage. Il avait honte et il aurait donné tout l'or du monde pour disparaître.

– Eh bien, Matt ! Ne reste pas là.

Elle l'embrassa gaiement.

– Tu as l'air si fatigué ! Ça va, Matt ? Où as-tu passé tout ce temps ? Viens.

Elle l'entraînait et, autour d'eux, les gens riaient comme s'il s'agissait d'une farce. On manquait de divertissement et ce couple pour le moins hétéroclite amusait.

– Je vais te présenter.

Il n'avait pas le temps de protester. Ils arrivaient à une table pleine de coupes de champagne et de boissons diverses, autour de laquelle se tenaient une douzaine d'hommes superbement habillés, avec des montres et des

302

chaînes en or qui sortaient de leurs vestons, des chemises blanches immaculées, des pantalons de flanelle gris, bleus ou noirs. À leurs côtés, trois femmes minaudaient en sirotant leur champagne, offrant leurs décolletés aux hommes qui les prenaient sur leurs genoux et les pelotaient. Ils regardèrent ce nouveau venu avec condescendance, le contemplant de haut en bas comme s'il s'agissait d'une bête de foire.

– C'est à lui que vous devez de m'avoir ici, dit-elle.

L'un des hommes, aux joues flasques et au ventre un peu bedonnant, leva machinalement son verre.

– À toi, voyageur ! Tu mérites de boire à notre table jusqu'à plus soif car Marie est la plus belle pépite d'or de Dawson.

– Il s'appelle Matt, leur dit-elle en lui proposant une chaise.

Il s'assit et accepta le verre qu'on lui tendit. La conversation reprit. On ne s'occupait plus de lui. Il n'était rien ici et on voulait le lui faire comprendre.

– Alors, qu'as-tu fait pendant tout ce temps ?

Elle s'était approchée de lui car l'orchestre venait de reprendre et couvrait les voix.

– Il faut que je te raconte, Marie. J'ai échappé de peu à une mort terrible.

Il lui narra tout depuis le début sans s'interrompre, mais, au fur et à mesure qu'il avançait dans son récit, Marie s'en désintéressait, jetant vers l'orchestre des regards de plus en plus fréquents et souriant par moments aux pitreries auxquelles l'un des hommes se livrait sur la piste de danse.

– Marie, tu m'écoutes ?

Elle le dévisagea avec complaisance mais ennui.

– Oui, je t'écoute, Matt, mais nous venons ici pour nous distraire, oublier la neige, le froid et ce pays plein de glaçons, alors tu comprends que tes histoires de chiens...

– Mais j'ai failli y rester !

– Je suis contente que tu t'en sois sorti, Matt, mais, de grâce, parlons d'autre chose ce soir que de ce qui se passe dehors ! Amuse-toi !

Elle le dévisagea avec un air joyeux.

– Tiens, je sais ce que tu vas faire. Joe !

Un jeune type à la carrure large s'avança.

– S'il te plaît, Joe, emmène mon ami Matt là-haut et fais-lui couler un bain chaud. Il est passé sous la glace dernièrement. Il en a bien besoin.

– Bien, madame.

Matt se leva machinalement. Avec le champagne, la tête lui tournait et il avait envie de fuir ceux qui l'entouraient et le regardaient avec cet air condescendant qu'il exécrait. À vrai dire, la perspective d'un bain chaud l'enchantait. Il suivit l'homme jusqu'à l'étage. Un système de tuyaux, directement relié de la chaufferie à ces chambres de luxe équipées de baignoire, distribuait l'eau chaude.

– Voici les serviettes, vous avez besoin d'autre chose ? lui demanda-t-il alors que la baignoire se remplissait.

– Je... pouvez-vous demander à Marie de venir me rejoindre ?

– Je lui ferai la commission, monsieur, mais je crains que madame ne soit déjà... prise.

Matt n'insista pas. Il se déshabilla et attendit que la baignoire soit totalement remplie pour se plonger avec délectation dans l'eau chaude.

C'était divin. Il laissa échapper un long soupir de soulagement et resta un long moment, les yeux fermés, jouissant par tous les pores de sa peau de l'engourdissement merveilleux. Il mesurait mieux tout à coup les souffrances qu'il avait endurées, ce à quoi il avait échappé. Il se savonna tout le corps en faisant longuement glisser l'éponge sur sa peau, lava ses cheveux et changea deux fois l'eau, qui était noire. Il ignorait combien de temps il était resté dans l'eau, suffisamment en tout cas pour laisser à Marie le temps de le rejoindre. Mais il ne se faisait pas trop d'illusions.

Il sortit du bain et regarda avec dégoût ses vêtements souillés dont il se demandait maintenant comment il avait pu les porter si sales. Mais il n'en avait pas d'autres. À présent qu'il s'était lavé, il avait envie de changer de peau, d'endosser un de ces beaux costumes et de sentir sur sa peau la caresse d'un tissu doux et propre.

Oui, il voulait bien s'habiller, commander du vin, prendre Marie dans ses bras et oublier le froid et les blizzards. Marie avait raison. Qu'est-ce qu'on en avait à foutre ici de ses histoires de glace et de blizzard !

Il n'était pas un chasseur d'élan ni un de ces mushers fous comme Mersh. Il s'était fourvoyé en arrivant ici et il avait perdu trop de temps. Qu'attendait-il donc pour prendre sa vie en main, pour être ce à quoi il était destiné ? Ces hommes, autour de Marie, avaient tous en commun d'avoir réussi et il ne fallait pas s'y méprendre. S'ils s'accordaient aujourd'hui le luxe de s'asseoir à l'une des plus belles tables de Dawson, entourés des filles les plus chères en sirotant un champagne hors de prix, c'est qu'ils l'avaient mérité. Ne disait-on pas que ce Ladue, qu'il avait reconnu à la table de Marie, avait été l'un des premiers à croire au Klondike, que ce type était l'un de ceux qui avaient passé plus de dix ans dans la région à la recherche du filon ? Il avait réussi et méritait Marie.

Lui, il n'était rien d'autre qu'un pauvre souillon inspirant la pitié.

Il se rhabilla en maudissant encore la saleté de ses vêtements qui empestaient. Il descendit les marches et emprunta le couloir qui conduisait directement à l'entrée. Il ne voulait pas revoir Marie. Elle n'était pas montée et il comprenait. Quand il reviendrait, il en faisait le serment, il serait à la hauteur et il entrerait la tête haute. Elle lèverait sur lui des yeux étonnés et admiratifs, et il offrirait le champagne à ses amis. Il louerait la plus belle chambre de la ville et réserverait Marie pour un mois entier. Ensuite, elle ne le quitterait plus. Elle avait un faible pour lui. Il le savait.

Il ne lui manquait plus qu'une chose : l'or.

42.

L'or.

Le mot était sur toutes les lèvres de ceux qui arrivaient encore à Dawson. Mais, dans ce qui était devenu une ville, on ne parlait plus beaucoup du métal jaune mais plutôt de nourriture. Une terrible famine sévissait. La compagnie AC faisait pourtant de grands efforts pour augmenter ses livraisons, mais les chercheurs d'or affluaient toujours plus rapidement que le ravitaillement transporté en traîneaux à chiens ou tiré par des poneys depuis le détroit de Béring. Alerté, le gouvernement des États-Unis monta une vaste opération de secours utilisant les rennes, mais, comme toutes les expéditions de ce type, celle-ci se perdit quelque part dans les glaces et les blizzards. Les soldats chargés de ce convoyage rencontrèrent des vents d'une violence inouïe et par endroits ne trouvèrent pas les mousses et les lichens nécessaires à l'alimentation des rennes. Il fallut monter une seconde expédition de secours pour venir en aide à la première !

À Dawson, les rares sacs de farine s'arrachaient à des prix exorbitants. Après avoir atteint un pic, avec plus de quarante mille personnes, la ville commença à se vider alors que l'hiver tirait à sa fin et que les températures plus clémentes autorisaient des tentatives terrestres pour rejoindre la civilisation. Mais la plupart attendait la débâcle et les vapeurs qui, par dizaines, remonteraient le fleuve avec du ravitaillement, puis le redescendraient, chargés de passagers. Les premiers à partir seraient les pauvres bougres atteints du scorbut, les femmes et les enfants, ainsi que quelques vieillards. La police avait établi une liste, une sorte de droit d'accès prioritaire, et nombreux étaient ceux qui avaient présenté de faux certificats pour y figurer. Le médecin qui les avait délivrés contre de fortes sommes en or ou en nourriture croupissait maintenant en prison et ceux qui avaient tenté de tricher et s'étaient fait épingler partiraient les derniers.

Ce serait tout un flot ininterrompu de chercheurs d'or essayant de regagner la civilisation, parmi lesquels on trouverait quelques heureux gagnants qui, par voie de presse, continueraient d'entretenir la renommée du Klondike, alors que des milliers d'hommes, n'ayant pu se rendre l'été précédent vers le Yukon, se préparaient encore au départ.

En ce printemps 1897, le Klondike était souvent le théâtre d'aventures spectaculaires, à l'image de cet Irlandais qui, en vélo, rejoignit le détroit de Béring en suivant le cours gelé du fleuve Yukon depuis Dawson jusqu'à Nome. D'autres réussissaient à pied des exploits inconcevables, mais combien finissaient gelés, mangés par le scorbut, abandonnés, morts de faim au bord d'une piste ou engloutis sous les glaces ? On ne connaîtra jamais vraiment le nombre de ceux qui ont laissé la vie dans cette aventure chimérique.

Pour l'heure, la ville de Dawson, née au confluent du Yukon et du Klondike, un endroit autrefois désert, grandissait toujours. Les tentes, par milliers, s'étalaient jusqu'aux collines, alors que les constructions en dur s'accroissaient régulièrement et que d'autres saloons et hôtels s'ouvraient. Dans la zone périphérique de la ville s'élevaient de drôles de constructions, certaines fabriquées à partir des barques. La chaloupe était sciée au milieu, puis les deux parties assemblées l'une sur l'autre, les vides, laissés sur les côtés et devant, comblés avec des planches. Ces constructions qui ressemblaient à de gros tonneaux pointus ou à des obus avaient été baptisées par son inventeur la « Boat House » et beaucoup l'avaient copiée plutôt que de vendre le bois, qui, tout comme la nourriture, manquait à Dawson, toujours pour la même raison : par pénurie de moyens de transport.

Et tous ces hommes ravagés par l'ennui, affamés et découragés, souvent atteints du scorbut par manque de vitamines, erraient dans les rues en quête de petits boulots qui payaient à peine la moitié d'un repas hors de prix. Matt n'eut aucun mal à vendre sa viande, le double du prix qu'il en espérait.

« Voilà l'or que je dois ramasser », se dit-il.

L'hiver traînerait encore pendant quelques semaines et il devait en profiter. Bientôt, ce serait la débâcle et alors il ne pourrait plus se servir de ses chiens avec lesquels il pouvait espérer trouver des élans, peut-être même quelques grands mâles dont la viande lui rapporterait une fortune, celle-là même dont il avait besoin pour se procurer tout ce qu'un vrai prospecteur devait avoir. Car plus il réfléchissait, plus il était certain que de l'or se cachait toujours sous le sol gelé et il voulait être de ceux qui trouveraient l'« autre Klondike ». Il en savait assez maintenant sur la prospection et les techniques de fouilles et d'extraction pour croire en cette prophétie des vieux « Yukoners ». Tout le monde disait que de l'or, beaucoup d'or, serait encore trouvé dans la région. Matt laisserait les milliers de *cheechackos* déçus rejoindre les grandes villes du Sud et les autres se heurter aux dures réalités d'un Klondike occupé. Lui partirait à la recherche de l'autre Klondike. Il retournerait toutes les vallées de l'Alaska s'il le fallait, mais il découvrirait un filon. Et il couvrirait Marie d'or.

Matt ne perdit pas de temps en ville. Il se racheta une paire de bottes pour remplacer celle qu'il avait tenté de réparer sans vraiment y parvenir, puis il alla consulter un médecin qui le rassura sur l'état de ses pieds.

– Les plaies sont belles et la sensibilité est revenue partout. Tu t'en tires bien !

L'après-midi même, Matt retrouva ses chiens là où il les avait laissés, chez son ami qui gardait la scierie, à l'entrée de Dawson. Il remonta le Klondike, où des milliers d'hommes continuaient de retourner la terre dégelée avec d'énormes machines à vapeur qu'on entendait de très loin cracher et souffler comme des animaux malades. Matt aurait pu se faire engager ici et là pour effectuer avec ses chiens du transport de marchandises depuis Dawson jusqu'aux mines ou pour apporter du bois de chauffage, mais il avait encore mieux à faire.

C'est avec jubilation que Matt revit son petit havre de paix, sa cabane, le lac et la chute d'eau qui donnait à l'ensemble une gaieté que la plupart des lieux figés par l'hiver n'avaient pas. L'alcool, la présence de Marie, le tourbillon de la ville l'avaient un moment perturbé, mais il retrouvait ici une juste mesure des choses. S'il avait pu décider Marie à le suivre jusqu'ici, elle aurait compris. Quand il serait riche, il l'emmènerait sur les pistes glacées et, dans le scintillement de ces belles journées d'hiver, Marie poserait un autre regard sur ces solitudes enneigées. Il en était certain.

Avec l'argent gagné grâce à la viande, il avait acheté quelques munitions et un seul sac de farine, alors qu'il en escomptait trois, ou au moins deux, mais, à trois dollars la livre, il ne lui serait rien resté pour les bougies, la corde, le tissu et autres produits de première nécessité.

Il ne perdit pas de temps. Dès le lendemain, après avoir relevé ses collets qui lui permettaient de nourrir les chiens, il se mit en route sur la piste que le vent, une nouvelle fois, avait partiellement recouverte. Mais Manouane excellait dans cet exercice. Yukon, qui s'était peu à peu remis de la perte de Cloke, son compagnon, tirait comme un diable. Maintenant, Matt connaissait les paires qui travaillaient bien ensemble : Or et Chinook et puis Dyea et Skagway, inséparables. Il plaçait Yukon et Blacky ensemble, mais ces deux-là ne s'appréciaient guère et passaient leur temps à se chamailler, à gronder, à montrer les crocs. Matt espérait qu'avec le temps leur animosité diminuerait, mais elle ne faisait que grandir, et il hésitait sur la conduite à tenir. Devait-il intervenir ? Souvent, il les laissait seuls, quand il relevait ses collets ou qu'il allait étudier une trace en la suivant sur une certaine distance, et il craignait qu'une bagarre ne se déclenche à ce moment-là. Il aurait alors été bien incapable de dire lequel des deux chiens gagnerait. Certes Blacky, sans cesse sur la défensive, réservé et un peu pataud d'apparence, semblait inférieur à Yukon, vif et assez extraverti, mais il était puissant et saurait utiliser cet avantage.

Matt avait tout essayé, allant même jusqu'à rallonger le trait pour placer Yukon en tête, couplé avec Manouane, mais il freinait tout l'attelage, incapable de tirer à cette place. Lorsqu'il avait essayé l'inverse, Blacky en tête, Chinook, pour une raison que Matt ignorait, était devenu comme fou, désorganisant tout l'attelage. Alors, Matt était revenu à son organisation initiale et veillait. Mais un feu couvait et cette rivalité rendait nerveuse toute la meute.

Matt arriva à la nuit dans la zone où il voulait chasser, un immense marais s'étalant depuis une rivière jusqu'aux montagnes, constellé de lacs, d'îles et de ruisseaux. À son habitude, il gara le traîneau et commença à construire son feu avec le bois qu'il avait ramassé, ici et là, pendant la journée. Puis il mit de la glace à fondre et alors seulement alla tendre le câble le long duquel il attachait les chiens pour la nuit. Il les emmenait deux par deux après leur avoir enlevé le harnais et il terminait par Blacky et Yukon, lorsqu'il trébucha. Il avait à peine touché le sol, que les deux chiens s'étaient déjà sautés dessus. Matt se rua aussitôt sur eux pour les séparer, mais sa main fut happée par l'une des deux gueules. La mâchoire d'acier se referma sur ses doigts. Matt hurla et dégagea sa main ensanglantée de la masse vociférante de poils et de crocs qui claquaient parfois dans le vide, cherchant l'endroit vulnérable et mordant, ici et là, arrachant des touffes de poil ou écrasant les chairs.

Les crocs s'étaient plantés dans les doigts et avaient ouvert la paume. Matt fit jouer ses doigts. L'un d'entre eux était sans doute cassé. Il mit de la neige dessus pour arrêter le sang et endormir la douleur, alors que les deux chiens continuaient de se battre avec la fureur de deux lions, dans un véritable tourbillon d'attaque qui faisait voler la neige autour d'eux.

Il n'y avait plus qu'à laisser faire. Matt ne voyait pas comment les séparer, et de toute façon, il sentait depuis longtemps que cette explication devait avoir lieu. S'interposer ne servirait à rien d'autre qu'à repousser ce duel.

Le sang de la bataille rougissait la neige, tandis que les chiens roulaient dans un affrontement que les autres regardaient avec stupeur. Seul Chinook aboyait comme un diable et tirait sur le câble, menaçant de l'arracher. Matt, tenant sa main contre sa veste, s'approcha du chef de meute et le fit taire.

La bataille faisait rage lorsque tout à coup Blacky bouscula Yukon d'un bond fantastique et l'immobilisa avec ses crocs plantés dans la gorge qu'heureusement une épaisse fourrure protégeait un peu. Yukon laissa échapper un râle de rage et de désespoir, alors que Blacky serrait toujours, risquant de l'étrangler tout à fait. Matt allait intervenir lorsque Blacky desserra un peu l'étau de sa mâchoire. Yukon, sur le dos, sous lui, grondait mais ne bougeait plus, soumis. Blacky, la gueule en sang, montrait des crocs étincelants et continuait de grogner avec insistance. Ce manège dura un long moment, durant lequel on sentait les deux protagonistes tendus comme les cordes d'un arc. Même Chinook, si virulent jusque-là, s'était tu, conscient de l'équilibre précaire de la situation.

Puis Blacky fit mine de s'écarter, surveillant Yukon du coin de l'œil, qui restait sur le dos, sans oser le moindre geste. Ainsi Blacky avait gagné. Matt n'en revenait pas et se félicitait que la bataille s'achève de cette façon, car il s'attendait au pire. Certes, du sang avait coulé et les blessures étaient profondes, mais, maintenant qu'il était rendu là où il voulait chasser, il irait en raquettes. Les chiens, au repos, auraient le temps de cicatriser.

À présent, Blacky et Yukon léchaient leurs blessures. Matt les ausculta longuement l'un et l'autre et recousit les plaies. Rien d'essentiel n'était touché. Ainsi allait la vie d'une meute. Ici, la hiérarchie jouait un rôle essentiel. Désormais, Matt connaissait celle de sa meute. Chinook était le chef incontesté, puis venait Skagway. Blacky avait conquis la troisième place. Ensuite Yukon et enfin Dyea, le chien joueur, sans prétention et qui ne semblait pas souffrir de sa dernière place. Or était, bien entendu, la femelle dominante, position que Manouane, sa fille, acceptait naturellement, tout à son travail de chienne de tête.

Une belle équipe.

43.

La chance.

Matt n'y avait jamais cru.

Pourtant, en croisant la piste de trois grands élans, il ne put s'empêcher de remercier la Providence. Il ne cherchait que depuis deux jours lorsqu'il rencontra leurs traces qui traversaient un ruisseau entre deux lacs, à moins de dix kilomètres de son camp. Les pistes étaient vieilles de plusieurs jours, mais, comme il n'avait ni neigé ni venté, il pouvait les suivre facilement. C'est ce qu'il fit jusqu'à la nuit, mais sans trouver de traces plus fraîches. Ce qui l'inquiétait, c'était que les élans filaient droit, comme s'ils migraient d'un lieu à un autre. Avec l'hiver qui tirait à sa fin, Matt se doutait que les animaux quittaient leur lieu d'hivernage et il hésitait sur la stratégie à employer. Ne devait-il pas atteler pour tenter de les rattraper ?

Le lendemain matin, le ciel d'une blancheur de neige le confirma dans son choix. Il allait sans doute neiger et il devait rattraper ces élans au plus vite, sinon il risquait de perdre le fil qui le reliait à eux. En trois jours, les plaies de Blacky et de Yukon s'étaient déjà refermées et, même s'ils boitaient un peu, Matt pouvait les atteler.

Il lança aussitôt la meute sur sa propre piste qui rejoignait, dix kilomètres plus loin, les traces des élans. Les chiens filaient à vive allure malgré la température à peine négative, bien trop chaude pour eux qui arboraient encore leur grosse fourrure d'hiver. Blacky et Yukon ne se querellaient plus et tiraient comme un seul.

Dès qu'ils atteignirent les traces, les chiens manifestèrent avec toutes sortes de frétillements de la queue leur enthousiasme et leur excitation. Instantanément, Manouane avait compris ce qu'on attendait d'elle et s'efforçait, malgré la végétation qui parfois entravait la marche, de suivre les pistes. Mais l'exercice était des plus difficiles car les élans n'avaient pas les mêmes impératifs de progression qu'un traîneau. Là où le traîneau et les traits se bloquaient et s'emmêlaient, les élans traversaient en frâchant tout sur leur passage. Au bout de quelques kilomètres et de nombreuses chutes, Matt s'arrêta. Ça n'allait pas. Il chaussa ses raquettes et se mit en avant du traîneau, s'évertuant à suivre les pistes au plus près tout en évitant les passages hasardeux, notamment en contournant les obstacles : la végétation parfois dense, les petits ruisseaux et les dévers. Il fallut un peu de temps pour que Manouane accepte de suivre Matt plutôt que ces empreintes qui sentaient si bon le gibier et où, de temps à autre surtout, on pouvait croquer quelques crottes. Mais Manouane cherchait à bien faire et voulait prouver qu'elle était digne du poste si orgueilleusement revendiqué. Elle s'appliquait plus que n'importe quel autre chien à comprendre ce qu'on attendait d'elle.

Au sein de l'attelage, derrière Manouane, Chinook imposait sa loi et corrigeait de façon véhémente ceux qui manquaient de zèle. Un grognement par-ci, un claquement de mâchoire par-là, le chef de meute n'autorisait aucun relâchement.

Quand la piste des élans traversait un petit lac ou un bois ouvert, ou bien suivait le cours gelé d'un ruisseau, Matt déchaussait et montait à l'arrière du traîneau. C'est ce qu'il fit tout l'après-midi lorsque, après avoir quitté le marais, les élans s'étaient enfoncés dans une vallée large et peu boisée où il était facile de les suivre. Le ciel, qui s'était couvert dans la matinée et qui laissait présager de la neige, se déchira et un grand soleil printanier inonda toute la vallée d'une lumière chaude et généreuse. C'est à ce moment-là que Matt prit conscience de la victoire qu'il avait remportée sur l'hiver. Certes, il avait failli tomber dans plusieurs de ses pièges, mais il était en vie et il en tirait une certaine fierté.

Il s'était arrêté sur un monticule surplombant la rivière gelée que les élans avaient suivie, broutant les aulnages sur les berges. Il regardait ses chiens s'étirer au soleil, cligner des yeux de plaisir en sentant sur leur fourrure la douce caresse des rayons chauds.

Il regardait aussi les empreintes de ces trois élans à qui il avait donné un rendez-vous avec la mort et s'interrogeait sur la relation, étroite, que l'acte de chasse créait entre un homme et l'animal qu'il poursuivait. Une sorte de dialogue muet où l'homme parlait avec ses sens.

Les chiens s'endormaient quand Matt vit, au loin, un renard traverser le fleuve puis, un instant plus tard, un éclaboussement d'ailes blanches. Une compagnie de perdrix des neiges s'envolait. Le renard chassait lui aussi. Prédateur parmi les prédateurs, Matt se sentait réellement en harmonie avec ce qui l'entourait et il en résultait une sensation de bien-être qui dépassait de loin l'exquise jouissance d'un bain chaud. Le pays tout entier l'enveloppait et avec les chiens, acteurs de son propre déplacement, il retrouvait l'authenticité de la découverte.

Il reprit la piste à la fin de la journée, alors que le soleil approchait de l'horizon et qu'un peu de froid revenait sur l'étendue blanche. La neige était lourde et par endroits de l'eau sourdait de la glace. Mais c'est quand il entendit le criaillement des oies, haut dans le ciel, qu'il eut pleinement conscience de l'arrivée imminente du printemps qui allait tout bouleverser, redonner vie aux rivières et aux arbres, aux oiseaux, aux fleurs et aux odeurs.

Il eut aussi conscience de l'urgence de rejoindre les élans avant que la débâcle ouvre les lacs et les rivières. Alors il voyagea une partie de la nuit. Il s'arrêta quand les pistes s'enfoncèrent dans un bois. L'éclairage de la lune ne suffisait plus et il avait peur de se heurter aux animaux dont les traces étaient de plus en plus fraîches.

Quelques heures plus tard, à l'aube, il recommença la traque dont il savait que le dernier épisode allait se jouer dans la journée. Il traversa le bois jusqu'au pied des montagnes, puis il suivit un petit ruisseau imparfaitement gelé. Les élans l'avaient franchi plusieurs fois.

Enfin, au terme d'une grande boucle, il revint vers le fleuve, beaucoup plus au nord.

Là, une surprise de taille l'attendait.

Une piste rejoignait celle des élans !

Celle d'un homme en traîneau à chiens. Il pouvait s'agir de n'importe qui, d'un Indien ou de l'un de ces conducteurs de chiens que Matt avait croisés à Dawson, ou même de Mersh, mais, ce dont il était sûr, c'était que l'homme en question poursuivait lui aussi les élans. Matt était consterné. Il suivait ces élans depuis quatre jours et voilà qu'au moment où il allait les rattraper on lui prenait sa place, alors qu'il se trouvait au milieu de nulle part. Il était furieux.

Les chiens, ravis de tomber sur une voie bien battue et durcie, accélérèrent aussitôt.

« Je vais le rattraper avant qu'il soit trop tard. Alors peut-être, imaginait Matt, pourrions-nous nous organiser. L'un se posterait et l'autre les approcherait. Et on partagera. »

Dans ses montagnes du Wyoming, c'était comme ça qu'il chassait le cerf. À plusieurs et on partageait ensuite.

Matt ne s'occupait même plus des traces d'élan. Il se contentait de suivre celles de l'homme qui le précédait.

La voie s'engageait dans une petite vallée qui se rétrécissait avant de déboucher sur un plateau piqué ici et là de quelques touffes de sapin. Matt le traversa à la nuit sans qu'aucune indication lui permette de déterminer le retard qu'il avait sur l'homme. Comme Blacky boitait de plus en plus et que les chiens commençaient à faiblir, il campa juste avant de redescendre vers une autre vallée boisée. Elle s'ouvrait sur de grands marais bordant une rivière dont il apercevait le ruban argenté. Il massa longuement les chiens, s'excusant de ne rien avoir à leur donner à manger. Il fallait coûte que coûte qu'il rattrape cet homme.

Le lendemain, il repartit à la nuit. En rejoignant le fond de la vallée trois heures plus tard, il tomba sur les restes d'un camp ou du moins de l'endroit où le chasseur avait dormi : une litière de branches de sapin au bord d'un feu. L'homme n'avait plus que deux ou trois heures d'avance. Il avait parcouru le fleuve jusqu'à une grappe d'îles où il avait abandonné ses chiens pour suivre les élans en raquettes. Mais il était revenu reprendre ses chiens, puisqu'ils n'étaient plus là. Matt en fut intrigué. Plusieurs pistes repartaient de cet endroit. Matt en emprunta une jusqu'à un petit promontoire, d'où on avait une vue d'ensemble du fleuve mais aussi des îles. Il en déduisit que l'homme était venu observer les parages et localiser les élans. Il revint au point de départ et choisit une autre piste qui le conduisit, non loin de là, entre deux îles, là où l'homme avait tué deux élans !

44.

« *Un seul m'aurait suffi mais j'en ai tué un
pour toi.* »

Écrit dans la neige et signé : *Mersh*.

– Merde et merde et merde !

En proie à une colère indescriptible, Matt
donnait de violents coups de pied dans la neige
qu'il envoyait par paquets voler dans les airs.
Les chiens, en tas, s'étaient arrêtés d'eux-
mêmes là où Mersh avait dépecé le premier élan
et ils se disputaient les intérieurs qui fumaient
encore dans la carcasse.

Mersh avait emporté toute la viande ainsi
qu'une grande partie de la peau du second élan.
Le premier était intact, à l'exception de la
langue qu'il avait tranchée à la base.

– Suffi ! Suffi !

Matt était tellement furieux que les chiens
s'écartèrent d'eux-mêmes malgré l'attrait de la
panse odorante, pleine de vitamine, qu'ils
venaient de crever et dont il avaient déjà dévoré
la moitié.

Yukon s'échappa avec un bout d'intestin,
mais le trait le retenait et Chinook lui tomba
dessus alors que Matt criait et donnait des coups

de pied aux chiens désobéissants. Cela lui demanda cinq bonnes minutes pour démêler les traits et remettre l'attelage dans un semblant d'ordre. Il le conduisit sur l'une des îles toutes proches d'où Mersh avait vraisemblablement fait feu et y attacha les chiens. Puis il revint sur ses pas en réfléchissant. Mersh avait dû partir à la nuit. Il lui avait fallu au moins deux heures pour dépecer l'élan. Il l'avait raté de peu. Matt ne se demanda même pas pourquoi il avait fui avant son arrivée. Mersh était ainsi, un loup solitaire, jamais nulle part et toujours là. Il était monté sur la butte pour connaître sa position et il était parti en lui laissant ce dont il avait besoin, et un message inscrit dans la neige.

– Un seul m'aurait suffi ?

Matt décelait une critique dans ce message. Lui en aurait tué deux, voire trois si l'occasion lui en avait été donnée. Pas Mersh et c'est ce qu'il avait voulu lui dire et souligner.

– Mais de quel droit ? De quel droit ?

Il maudissait cette espèce de fantôme qui se jouait de lui et se permettait de lui donner des leçons sous prétexte qu'il lui avait sauvé la vie. Un moment, Matt fut tenté d'atteler et de filer à sa poursuite. Mersh n'avait pas plus d'une heure d'avance, sans doute moins, et il était certain de le rattraper. Mais c'était laisser toute cette belle viande aux bêtes sauvages et il ne pouvait s'y résoudre, aussi grande soit son envie de rabattre le caquet de Mersh une bonne fois pour toutes.

En attendant, il avait tout de même de quoi nourrir ses chiens pour un bon bout de temps et probablement récupérer quelques centaines de dollars. L'élan était énorme et pesait au moins huit cents livres, soit plus de quatre cents livres de bonne viande qu'il pouvait découper et sécher.

– De toute façon, je l'aurais eu. Peut-être pas deux mais un sûrement.

Mais, en son for intérieur, Matt n'en était pas persuadé et surtout il ne pouvait s'empêcher d'admirer le sang-froid du vieil homme qui avait réussi à placer deux balles mortelles sur ces cibles mouvantes.

Pas un instant il n'imagina qu'ils pouvaient être deux, jusqu'à ce qu'il découvre, sur la butte d'où Mersh avait tiré, les traces de deux petits mocassins à côté des bottes de Mersh.

– Ça alors ! ne put s'empêcher de s'exclamer Matt, surpris par le son de sa propre voix.

Mersh n'était pas seul !

Voilà pourquoi il avait été si rapide. Voilà comment il avait réussi à filer avant son arrivée. La personne qui l'accompagnait était allé épier Matt depuis le haut de la butte pendant que Mersh découpait la bête. Mais comment avaient-ils su qu'il suivait ? Auraient-ils entendu les hurlements des chiens, hier soir ? Matt en doutait. Lui-même n'avait pas perçu les coups de feu.

Et pourquoi avaient-ils fui ?

Il avait l'intime conviction que cette personne, chaussée de mocassins plutôt que de bottes de feutre, comme la plupart des Blancs, était un jeune Indien ou une Indienne. Vu la finesse du pied, il penchait pour la seconde hypothèse. Ainsi, Mersh avait une femme ou du moins une compagne épisodique ?

Autant de questions que Matt se posait tout en découpant la viande qu'il mettait à fumer au fur et à mesure sur la rive, où il avait dressé un feu avec un mélange de bois sec et de bois vert.

Le soir, il lâcha les chiens sur les deux carcasses. Ils ne purent les nettoyer jusqu'au bout tant il restait d'abats et de viande attachée aux os. Il demeura sur place le lendemain, jusqu'à ce qu'ils aient tout mangé. De toute façon, les chiens repus n'auraient pas pu avancer. Bedonnants, les chiens s'étiraient au soleil et Matt faisait de même. Allongé sur la peau de l'élan, il dormit une bonne partie de l'après-midi, ouvrant de temps à autre les yeux pour regarder dans le ciel le lent mouvement des nuages. Il jouissait de l'épais silence troublé de temps en temps par les cris des bernaches qui passaient trop loin ou trop haut pour qu'il les aperçoive mais qui lui rappelaient l'urgence de regagner sa cabane.

Il repartit à la nuit. Les chiens démarrèrent lentement. Ils étaient lourds et ils n'en finissaient pas de déféquer les uns après les autres. C'était à peine s'ils prenaient le trot, sans entrain.

Mais, au fil des kilomètres, les muscles se délièrent et ils commencèrent à retrouver toute leur vitalité. L'élan dont ils s'étaient gavés s'était transformé en énergie et ils filaient, dopés, heureux de galoper dans la nuit froide. Les patins crissaient avec un bruit de verre brisé et sifflaient sur la croûte glacée.

Rarement Matt s'était senti aussi bien. Sous le miroitement doré de la lune, il s'émerveillait du plaisir qu'il tirait de cette escapade nocturne. Il glissait sans effort sur la neige, chien parmi les chiens, un loup au sein de sa meute. Leur souffle se mêlait au sien et ils étaient animés de la même énergie, partageant le même plaisir de courir dans l'immensité blanche, libres, tellement libres.

45.

Le printemps brutal, ruisselant de soleil, fit éclore des myriades de mouches et de maringouins, et, en l'espace de quelques jours, le vert remplaça le blanc.

Le vert des alpages et celui des feuillages.

Partout bruissait la nature. Les oiseaux chantaient du matin au soir et les fleuves encombrés de glace à la dérive reprenaient vie, comme un animal qui, après avoir longtemps dormi, s'étire en grognant et en grinçant des dents.

Sur le Yukon, libre avant les autres, des barges et des vapeurs faisaient entendre de loin leur cloche, puis le bruit régulier des bielles et le battement des roues à aubes.

Tout reprenait vie après le grand hiver et les hommes affluaient sur les quais pour embarquer sur les premiers bateaux. Rares étaient ceux qui ne voulaient pas quitter cet enfer. Les seuls à rester étaient ceux qui travaillaient dans les mines et ceux qui dormaient pour l'éternité dans le cimetière de Dawson. Et ces derniers étaient nombreux car l'hiver avait prélevé sa part sur les quarante mille hommes, affamés, mal chauffés, désœuvrés et peu préparés aux épreuves du Grand Nord.

Rares étaient les autres, ceux qui y croyaient encore. Pourtant de l'or, on en trouvait, ici et là, en petite quantité mais suffisamment pour entretenir l'espoir de ceux qui se persuadaient qu'un autre Klondike existait quelque part au Yukon, dans l'une de ses innombrables vallées inexplorées. C'était, pour la plupart, de vieux Yukoners dont les filons sur le Klondike s'étaient révélés médiocres ou qui avaient fini de les exploiter. Ceux-là n'envisageaient pas de regagner le Sud. Le pays était en eux et ils ne pouvaient se résoudre à le quitter, alors ils continuaient à chercher. Quelques *cheechackos* opiniâtres mais surtout conquis par le Nord se joignaient à eux, haussant les épaules de dédain quand ils voyaient débarquer à Dawson de nouveaux venus, comme eux-mêmes l'avaient fait un an plus tôt.

Armés d'une pelle, d'une pioche et d'une batée, tous ces hommes, mais bien peu, comparés aux immensités qu'il restait à explorer, s'en allaient prospecter.

Matt, équipé de deux chevaux qu'il avait achetés grâce à l'argent récupéré avec la viande d'élan, était l'un d'entre eux, plein d'espoir, armé de courage et animé d'une volonté indestructible.

De la prospection, il ne connaissait pas grand-chose, mais ne disait-on pas que les plus inexpérimentés trouvaient souvent car ils n'écartaient pas d'emblée certains endroits que les vieux prospecteurs rejetaient. La rivière Klondike en était la plus belle illustration. Tous les vieux Yukoners étaient passés par là un jour ou l'autre et aucun n'avait pensé à prospecter l'affluent miraculeux car il était l'antithèse d'un ruisseau contenant de l'or.

Matt n'était resté qu'une journée à Dawson. Juste le temps nécessaire pour vendre sa viande et acheter ce dont il avait besoin. Il n'avait pas cherché à revoir Marie. Il s'était juste renseigné. Elle n'envisageait pas de partir tant que les mines continuaient d'être exploitées et que l'or circulait. Elle fréquentait toujours autant le riche Ladue.

Sur Mersh, il ne put recueillir aucune information. On ne l'avait pas vu à Dawson et on ne savait pas qui était cette personne qui l'accompagnait.

– Il habite quelque part dans les montagnes, au Nord. C'est un vieil ours solitaire qui ne vient presque jamais en ville et qui ne parle pas.

Toujours la même litanie. Rien de plus.

Matt retourna à sa cabane et se prépara à une longue expédition. Il avait cousu des sacs de bât pour ses chiens qui porteraient une partie de la nourriture et du matériel. Avec les chevaux, il n'avait pas vraiment besoin d'eux, mais qu'en aurait-il fait durant tout l'été ? Autant les prendre avec lui. Ils l'avertiraient si un ours approchait la nuit. Il ne se voyait plus vivre sans eux. Ils étaient ses amis, ses confidents, sa famille.

Les premiers jours, il chargea les sacs avec des cailloux pour les roder à cet exercice car ils se coinçaient partout, contre les arbres et entre les broussailles. Peu à peu, ils s'habituèrent et Matt put leur mettre un vrai chargement sur le dos.

Il se dirigea vers le nord en explorant quelques ruisseaux ici et là sans voir la moindre poussière d'or, mais il ne s'attendait pas à en trouver si près de Dawson. Il se doutait que d'autres l'avaient fait avant lui.

Il ne rencontrait aucun signe de vie. Pourtant il approchait du village indien.

Les deux chevaux, qu'il avait achetés par l'intermédiaire du gardien de la scierie, avaient le pied sûr. Ils n'étaient pas tout jeunes, mais Matt n'était pas pressé. Il partait à l'aube, marchait trois heures, faisait une petite pause puis repartait pour deux heures. Ensuite, il montait sa tente de toile car il pleuvait souvent, puis il allait explorer l'endroit, en chassant et en pêchant ici et là. Il prospectait tous les torrents et les ruisseaux qu'il rencontrait avec sa batée, une sorte de grande assiette métallique à haut rebord à laquelle on imprimait un adroit mouvement tournant, faisant passer l'eau à travers la boue que l'on ramassait. En inclinant légèrement le plat, on rejetait les particules les plus légères et les plus volumineuses qui se rassemblaient à la surface. Plus la masse de boue diminuait, plus le travail devenait délicat. Un véritable art que Matt apprenait patiemment. À la fin de cet exercice, il ne restait qu'une infime couche de sable noir que l'on lavait en l'examinant avec attention à la recherche de minuscules points d'or ou de pépites.

Les chiens, une fois débâtés, partaient baguenauder dans les bois en quête de lièvres, de jeunes perdrix ou de bernaches. Ces chasses qu'ils effectuaient ensemble, Chinook menant la danse, renforçaient la cohésion de la meute. Généralement, ils revenaient au crépuscule, la gueule encore pleine du sang de leurs victimes. Le plus facile était d'attraper les jeunes oies malhabiles qui ne volaient pas encore. Ils fonçaient dans le tas et poursuivaient les oisillons qui battaient frénétiquement l'air de leurs ailes immatures, incapables de les porter. Mais ils ne réussissaient pas toujours car les oies élevaient leurs jeunes sur des îles ou à proximité immédiate de l'eau par laquelle elles s'enfuyaient au moindre danger. Il fallait donc approcher à bon vent et leur sauter dessus avant qu'elles l'atteignent car ensuite on ne pouvait les capturer même en les poursuivant à la nage. En s'aidant de leurs ailes inachevées, elles allaient bien plus vite qu'un chien.

Chinook, Dyea et Yukon était les plus habiles à cet exercice. Manouane et Or excellaient dans l'art de chasser le lièvre car elles étaient capables de les pourchasser ensemble avec une certaine intelligence, les repoussant de l'une vers l'autre ou les acculant au bord de l'eau. Skagway et Blacky étaient les plus maladroits et s'étaient spécialisés dans l'art d'achever les oisillons que Chinook, Dyea et Yukon blessaient, passant de l'un à l'autre à toute vitesse pour en rattraper le plus possible avant qu'ils regagnent l'eau.

Il était bien rare qu'ils ne mangent pas à leur faim. Le printemps était l'époque bénie où la nature, généreuse, s'offrait aux jeunes prédateurs qui faisaient leurs premières armes sur des proies encore inexpérimentées.

Matt se nourrissait sans aucune difficulté. Il pêchait autant de truites qu'il en voulait, trouvait toujours quelques perdrix et canards. De temps à autre, il tuait un castor en se postant sur le bord d'une rivière, non loin d'un de leurs barrages. Un soir, il approcha même un élan, mais, comme il n'avait pas besoin de toute cette viande, il l'épargna. Il pensa à Mersh qui en aurait fait de même, il en était certain et cette pensée l'étonna.

Il arriva au bord du lac où se tenait le village indien, mais il ne vit pas un seul tipi, pas un feu. C'est tout juste s'il put en identifier l'emplacement. Tout avait été nettoyé par la fonte des neiges, la pluie et les animaux. Qui aurait pu deviner qu'un groupe d'Indiens avait passé l'hiver ici? Il ne restait que quelques cendres, des copeaux de bois, un ou deux ossements rongés et dans le bois, derrière les premiers sapins, un petit cimetière.

Matt était déçu. Il aurait aimé retrouver ce village, revoir Liou Piout surtout car il avait envie d'une femme et se rappelait son corps offert, la douceur de sa peau et la rondeur de ses seins. Peut-être l'avait-elle aidé à s'ôter Marie de la tête. Il pensait sans cesse à elle, en marchant, en chassant, en dormant. Sans arrêt, jusqu'à l'obsession. Maintenant, il ne savait plus où aller. Alors il se dirigea au hasard, vers le nord.

À une longue période de pluie succéda une phase de beau temps qu'il mit à profit pour s'enfoncer loin dans les vallées les plus sauvages de l'arrière-pays. Partout il cherchait l'or, mais en vain. Une seule fois, il en récolta une quantité infime. En une journée de travail, il n'avait même pas récupéré dix dollars en or. Mais cela suffit à lui redonner un peu de moral. Et il en avait besoin car la solitude commençait à lui peser. Il ne cessait d'imaginer Marie dans les bras d'autres prospecteurs, plus chanceux que lui.

– Je vais trouver ! Je vais trouver ! J'en suis sûr, répétait-il chaque fois qu'il quittait un ruisseau pour un autre.

L'été s'écoulait lorsqu'un soir, enfin, il vit au loin une fumée s'élever au-dessus des arbres. Il repéra l'endroit et, dès l'aube, s'y rendit en longeant la rivière au bord de laquelle il découvrit quelques tipis. Il se retint de courir. Enfin des hommes, de la vie. Un enfant se mit à crier en le montrant du doigt, des chiens aboyèrent et Matt eut toutes les peines du monde à retenir les siens. Il attacha Chinook et Skagway, les plus virulents, et ordonna aux autres de rester autour d'eux. Privés de leur chef, les chiens n'avaient plus envie d'aller se mesurer à ceux qui les défiaient en restant toutefois à l'écart.

Deux hommes étaient là, une arme à la main, et le regardaient venir. Matt leur fit des signes amicaux auxquels ils ne répondirent pas. Matt continua de s'avancer.

– Bonjour, je suis Matt.

Ils le dévisageaient.

Enfin, le plus âgé des deux, un homme à la face anguleuse et aux yeux très noirs, lui dit quelque chose qu'il ne comprit pas. Matt eut une idée.

– Liou Piout ! Je cherche Liou Piout.

Il ignorait s'ils appartenaient au même clan car il ne se rappelait pas les avoir vus lors de son dernier passage.

Ils se consultèrent, puis finalement l'Indien lui montra du bras l'aval de la rivière.

– Liou Piout est là-haut. Près de la rivière ?
Ils firent oui avec la tête.

– Combien de jours pour y aller ?

Il mima des jours en faisant mine de dormir
et en montrant le soleil traverser le ciel. Au
bout d'un moment et à force de répéter les
gestes, ils parurent comprendre et écartèrent les
doigts d'une main.

– Cinq, c'est ça ? Cinq ?

Il montra ses doigts.

Les Indiens hochèrent positivement la tête.
Ils le regardaient toujours sans rien dire ni rien
proposer. Matt mit ses deux mains sur sa tête,
mimant un toit.

– Est-ce que je peux camper ici ?

Ils se consultèrent une nouvelle fois et
acquiescèrent.

Alors Matt s'en retourna vers ses chiens.
Chinook, qui n'avait pas été attaché depuis plus
de deux mois, mordait le câble et s'excitait,
labourant le sol et gesticulant en aboyant
comme un diable. Matt le réprima sévèrement.
Skagway était plus calme. Pour prévenir tout
incident avec les chiens du camp, Matt déroula
l'intégralité du câble et y attacha les siens. Il se
félicita d'avoir finalement pris ce filin qu'il avait
hésité à emporter. Puis il alla monter sa tente de
toile, à une vingtaine de mètres des deux tipis. Il
y avait là deux ou trois familles, une vieille
femme, sept enfants, un adolescent, deux
femmes dont une qui paraissait très jeune et les
deux hommes qui s'affairaient autour d'un
canoë en cours de construction. Comme ils cou-
saient ensemble avec du fil en racine de bouleau
les morceaux d'écorce qui le constituaient, Matt
s'approcha pour les regarder. Ils ne firent pas

attention à lui. Les enfants, à l'écart, l'observaient en riant.

Finalement, lorsqu'ils eurent terminé leur travail, ils l'invitèrent sous l'un des tipis où les attendait un repas de galettes fourrées à la viande de castor. La plus jeune des femmes préparait un sac, que l'adolescent emporta sur un petit canoë avec lequel il disparut bientôt en aval de la rivière. Ce départ mit Matt mal à l'aise car il avait l'intime conviction qu'il était lié à sa présence ici. Qui allait-il donc prévenir ? Liou Piout, le chef indien qu'il avait déjà rencontré cet hiver, ou bien Mersh qu'ils semblaient protéger ?

Le lendemain matin, lorsqu'il se réveilla à l'aube, les deux hommes avaient terminé d'étancher leur canot avec de la gomme de pin et étaient partis à la chasse.

Matt refit son paquetage et alla à la recherche de ses deux chevaux qui s'étaient égaillés dans les pâturages, au bord de la rivière appelée par les Indiens Aiktou, « Celle qui danse avec les rochers ». Des entraves freinaient le déplacement des chevaux, mais en une nuit ils pouvaient tout de même aller assez loin. Heureusement, sur le sol humide, on suivait facilement les empreintes de leurs sabots ferrés. Matt les retrouva dans la forêt, à l'ombre des grands pins, et les ramena au camp où les femmes fumaient des saumons.

Il remercia. Un vague hochement de tête lui répondit. Puis il se remit en marche, suivant le vague sentier qui longeait la rivière. La journée était inhabituellement chaude et des essaims de mouches, de taons et de moustiques les harcelaient, lui et les chevaux. Les chiens avançaient péniblement dans la moiteur de cette nature qui fumait comme un linge humide au soleil. Matt transpirait tout autant que les chevaux suaient. En milieu de journée, la chaleur devint vraiment intolérable et, lorsqu'il atteignit un petit ruisseau, il s'arrêta, débâta les chiens, entrava les chevaux et décida de prospecter cette petite vallée. Il nota en deux endroits un peu de poussière d'or mélangée à la boue, en quantité négligeable. Cela prouvait toutefois que l'or pouvait être partout. Il suffisait de s'obstiner. Tôt ou tard, il trouverait.

46.

L'orage, après trois jours de canicule, libéra enfin un peu de fraîcheur. Il plut une bonne partie de la nuit et, au petit matin, des nuées de brume s'élevaient du fleuve et s'accrochaient à la forêt, sous un ciel torturé où des nuages bas et sombres filaient vers le sud.

Matt, qui avait prospecté tous les ruisseaux qu'il avait traversés en suivant le fleuve, arriva en vue du campement indien, constitué d'une bonne centaine de tipis dispersés sur la rive à l'intersection d'une rivière d'importance. Aussitôt, il mit pied à terre et rappela Chinook et Skagway qu'il attacha au câble, à l'ombre de quelques bouleaux. Matt se sentait observé mais feignit la plus totale décontraction. Quand il eut fini d'installer ses chiens, il examina longuement le campement avant de se diriger vers la place centrale d'où plusieurs groupes le regardaient avec indifférence. Une désinvolture à laquelle il s'était habitué. Il remarqua pourtant parmi les femmes une jeune fille dont la pureté des traits le frappa. Quand il approcha, elle lui fit une moue dédaigneuse et se détourna.

Il reconnut deux hommes qu'il avait rencontrés dans leur campement d'hiver et alla vers eux. Il comprenait, à voir la quantité de saumons qui séchait aux alentours, pourquoi ils déménageaient ici en été. Cet affluent de l'Aiktou regorgeait de poissons.

– Bonjour, leur dit-il en levant la main comme il les avait vus faire.

Ils lui répondirent d'un geste poli.

– Est-ce que Kai Linkta est ici ? Kai Linkta.

Ils lui montrèrent la rivière. Matt s'y dirigea. À environ cinq cents mètres de l'intersection, une chute coupait la rivière en deux. À son pied, de grands rochers plats, très noirs, servaient de poste aux Indiens. Ils attendaient que les saumons s'élancent pour propulser leurs lances. Leurs corps cuivrés et musclés, hâlés par le soleil, se détachaient sur le bleu et le blanc des eaux tumultueuses d'où, par moments, jaillissait le corps fuselé d'un saumon. Sur la rive, des femmes et des enfants s'affairaient autour de plusieurs feux et la chair rose des saumons, qu'ils découpaient et fumaient, brillait sur la prairie. Matt, saisi par la beauté du tableau, ne put s'empêcher de le comparer à l'atmosphère grise et boueuse de Dawson, la ville des Blancs où le seul éclat venait de l'or arraché à la terre. De l'or qui dormait caché dans des coffres, à l'abri des regards et de la convoitise des prospecteurs dont le visage n'exprimait en rien la sérénité, cette gaieté que Matt ressentait ici.

Il ne pouvait bouger, hypnotisé par les sentiments nouveaux qui le traversaient en voyant vivre ces Indiens en si totale harmonie avec ce qui les entourait. Harmonie de couleur et de matière. Ils ne tuaient pas ces saumons. Ils étaient leur chair et la vie passait de l'un à l'autre, de l'animal à l'homme, comme le vent caresse une montagne puis une autre. La mort n'était que l'écorce matérielle d'un transfert d'énergie nécessaire. Plus tard, l'Indien nourrirait la terre et l'enrichirait de sa chair. Elle porterait en elle le souvenir de sa race et insufflerait son énergie dans les plantes que consomment les animaux. Tout était lié. Le vent, qui donne à l'Indien son premier soupir, reçoit aussi son dernier soupir, avant qu'il ne donne lui aussi sa vie à un autre élément de ce qui l'entoure. La vie est là, qui se donne, se reçoit et se transmet.

Voilà ce que Matt comprenait en regardant se tordre un saumon sur la lance d'un Indien au corps marbré de gouttelettes d'eau, poisson parmi les poissons, hiératique, si beau, si fièrement en accord avec le paysage.

– Je cherche Kai Linkta, dit Matt à un homme qui s'avançait vers lui et portait un grand sac plein de baies et de racines odorantes.

Il lui indiqua un groupe de tentes dressées sur un épaulement de terrain, au-dessus de l'endroit où les femmes découpaient les saumons. Kai Linkta n'eut pas l'air étonné de voir Matt et le confirma dans son idée que l'adolescent était venu la veille jusqu'ici pour l'avertir de son arrivée. Tout le monde était au courant.

– Toi revenir. Gros voyage.
– Avec les chevaux, on avance vite.
– Pourquoi toi venir ?
– Je ne fais que passer.
– Comment toi savoir nous ici ?
– Je ne le savais pas. C'est le hasard.

– Toi, quoi faire ici ?

– Je... je cherche de l'or.

L'Indien le contempla intensément, comme s'il cherchait à lire derrière la barrière fragile de ses yeux.

– Blanc trouvé or. Or pas ici.

– L'or qu'ils ont trouvé, il n'y en a plus. Il faut chercher ailleurs.

– Quand Blanc trouvé, Blanc tout prendre. Blancs tué beaucoup élans. Après Blanc passé, plus élan. Blanc trouvé or, prendre tout.

Le regard de l'Indien s'était fait aussi dur et fin qu'une lame de couteau. Matt, pris au piège, désigna le camp de pêche.

– Liou Piout est là ?

– Blanc prendre femme aussi.

Le ton devenait ironique. Matt se sentit mal à l'aise. Il ne s'attendait pas à toutes ces remarques.

– J'aimerais la revoir. C'est tout.

– Moi parler chef. Lui décider.

– Liou Piout ne peut pas décider seule ?

– Chef décider plus. Chef décider si toi vivre ou mourir.

Le sang de Matt se figea dans ses veines. L'Indien le toisait sans complaisance aucune. Il était pris au piège. Qu'était-il ici ? Rien. Sa conception de la justice n'avait aucune valeur en terre indienne. Mais qu'avait-il fait ? Quel secret avait-il percé pour justifier un tel comportement de la part d'Indiens que tout le monde savait pacifiques ?

– Je vais m'en aller. Je n'étais pas venu pour gêner.

– Toi pas partir avant chef décider.

– Mais qu'ai-je fait ?

– Chef décider.

Kai Linkta s'en allait. Matt le retint.

– Je voudrais le voir. Où est-il?

– Toi attendre.

Il était inutile d'insister. Matt revint vers le camp en se retournant plusieurs fois pour voir si quelqu'un le suivait, mais il ne vit personne. Sa première idée était de fuir aussitôt qu'il aurait retrouvé ses chevaux, mais, en réfléchissant, il comprit pourquoi il n'était pas surveillé. La nature était sa prison. Ces Indiens savaient lire la moindre empreinte d'oiseau sur le sol; où qu'il aille, ils le rejoindraient en quelques heures. Pour eux, ce serait un jeu trop facile. Il était relié à eux par une chaîne : la trace qu'il laisserait derrière lui. Il eut un moment l'idée de fuir par le fleuve, mais cela impliquait de tout abandonner : les chevaux et les chiens, et il ne pouvait s'y résoudre.

« Même par le fleuve ils me rejoindraient », se dit-il, résigné.

En venant jusqu'ici, il avait lui-même construit sa prison. Il ne pouvait plus s'échapper.

Les chiens étaient là mais pas les chevaux. On les lui avait enlevés! Matt, constatant son impuissance, demeura un long moment prostré, incapable du moindre geste. Que pouvait-il faire? Il aurait préféré être attaché. Au moins aurait-il pu se débattre, crier.

Non, il n'y avait qu'à attendre le verdict. On ne lui laissait même pas la possibilité de s'exprimer ni de se défendre. Il ne savait pas ce qui lui était reproché. Peut-être le prenait-on pour un autre ou l'accusait-on de quelque chose qu'il n'avait pas commis?

Il prit dans les sacs de bât la viande de castor qui lui restait et la distribua aux chiens qu'il ne pouvait pas laisser chasser de peur qu'ils n'aillent se frotter à ceux du campement. Puis il bâtit un feu. Il n'avait pas faim mais préparer un thé l'occuperait.

De là où il était, juste à la bordure de la grande clairière où se dressaient les tentes, Matt voyait presque tout le flanc droit du campement et son centre. Une femme l'observait de loin, tout en grattant une peau à l'aide d'un objet tranchant. Il reconnut celle qui l'avait dévisagé à son arrivée. Elle était trop loin pour qu'il discerne son visage, mais il savait que c'était elle et surtout il sentait qu'elle l'épiait. Au bout d'un moment, elle se leva, plia la peau qu'elle avait grattée et alla la ranger dans un tipi. Sa démarche était altière, assez différente de celle des autres Indiennes qui marchaient en traînant un peu leurs mocassins sur le sol.

« Quel âge peut-elle avoir ? » se demanda Matt, étonné d'être attiré par cette jeune fille qu'il n'avait que très fugacement aperçue.

Lorsque Matt se décida enfin à bouger, le soleil descendait vers l'horizon et de la brume un peu mauve montait du fleuve par longues écharpes qui enrubannaient la forêt. Il avait faim et, comme le fleuve semblait regorger de saumons, il se confectionna une canne à pêche avec une grande tige de saule. Il possédait plusieurs leurres métalliques qui imitaient les petits poissons et il en choisit un, argenté, qu'il attacha solidement à l'extrémité de son fil de nylon. Puis il le lança dans l'anse calme que le fleuve formait juste devant son campement, au bord du remous. Il ramenait doucement le leurre vers lui en lui imprimant un mouvement un peu saccadé, une nage hésitante qui déclenchait souvent de la part d'un carnassier un réflexe d'attaque. Les saumons, lorsqu'ils remontaient les rivières, mangeaient peu, mus par le seul souci de la reproduction qui leur avait fait quitter la mer pour rejoindre le ruisseau où ils étaient nés. Là, ils mourraient, peu après avoir semé la vie. Les ours et autres prédateurs se gavaient de leur chair. Aucun saumon ou presque ne réussissait à regagner la mer. Épuisés, amaigris, ils se laissaient mourir. Certains ruisseaux étaient rouges de leurs corps déchiquetés.

Dans ces conditions, les pêcher n'était pas facile. Il valait mieux les harponner quand ils sautaient pour gravir une chute ou quand ils passaient sur un haut-fond. Matt le savait et c'est pourquoi il faisait nager son leurre à la façon d'un poisson malade.

Un Indien l'observait depuis la rive et fut bientôt rejoint par deux autres. Matt se demanda s'il ne commettait pas une faute de plus. Ces saumons étaient les leurs.

Il n'eut pas le temps de se poser trop longtemps la question. Dans un bouillonnement d'écume, un gros saumon venait d'attaquer le leurre. Matt ferra d'un grand coup sec de façon à ce que l'hameçon rentre bien dans la gueule du poisson. Aussitôt le poisson démarra vers le milieu du fleuve. Le fil, en pleine tension, siffla en sciant l'eau. Matt laissa sa canne amortir le choc, mais le saumon était trop puissant. Un claquement strident retentit et la canne fouetta l'air tandis que le fil cassé retombait mollement dans l'eau. Les Indiens s'esclaffèrent.

Matt ne se découragea pas pour autant. Il mit un deuxième leurre et recommença, espérant attraper un saumon plus petit. L'attente fut plus longue, mais les Indiens, maintenant au nombre de huit, patientaient.

Enfin, un autre saumon attaqua le leurre, mais Matt le manqua. Il l'avait ferré trop tôt. Il persista jusqu'à ce qu'un troisième saumon morde. Il accrocha celui-là, mais il était presque aussi puissant que le premier. Au démarrage, Matt sentit qu'il allait encore casser le fil, qui se mit à vibrer comme une corde à violon. La canne plia, puis pendant un quart de seconde demeura dans le prolongement exact du fil, alors que le saumon entamait un long arc de cercle. Le fil continuait de siffler, tendu à l'extrême. Matt s'était avancé dans l'eau pour gagner un peu de distance, mais c'était une erreur car le saumon, revenant tout à coup vers lui, le vit et repartit de plus belle, à pleine vitesse, fouettant l'eau de sa large queue. Cette fois, Matt n'avait aucune chance de pouvoir le retenir. Il aurait fallu lui donner du fil, mais il n'en avait pas en réserve. Alors, sans réfléchir, il lâcha la canne, qui fila aussitôt vers le large, entraînée par le saumon. Les Indiens qui l'avaient vu faire descendirent la berge en courant et sautèrent dans les canoës. Ils agissaient vis-à-vis de ce saumon exactement comme le poisson avait lui-même agi vis-à-vis du leurre. Ils n'avaient nullement besoin de ce saumon, ils en attrapaient des douzaines chaque jour. Cependant leur instinct de prédateur était le plus fort. Un gibier qui s'échappait, et leurs réflexes surpassaient la raison et conditionnaient leurs actes. Ils criaient et riaient en poursuivant la canne tandis que d'autres, alertés par les cris, s'étaient rassemblés sur la berge et regardaient la partie se jouer.

– *Chai kai de ja!*

Nul besoin de traduction. Matt embarqua dans le canoë qui venait de s'échouer devant lui et s'empara d'une rame. Il rejoignit les deux premiers canoës. La base de la canne en saule flottait à la surface de l'eau alors que le scion coulait, attiré vers le fond par le saumon. Par moments, la canne disparaissait entièrement sous l'eau et des vivats saluaient son retour à la surface. Visiblement, ce jeu plaisait aux Indiens.

Matt réussit deux fois à se saisir de la canne, mais il dut la relâcher sous peine que le fil se brise car le saumon tirait toujours aussi fort. Puis, au terme d'une poursuite d'une bonne dizaine de minutes, le saumon commença à faiblir et il put garder la canne. Il était temps, car le bois vert immergé ne flottait pas longtemps. Le saumon résistait et tirait encore assez fort pour emmener le canoë, et cela l'affaiblissait encore plus. Bientôt, il remonta à la surface. Il se débattit encore un peu, mais Matt le noya en l'obligeant à mettre la tête hors de l'eau. Il l'amena près du canoë et, le saisissant par les ouïes, il le fit basculer à l'intérieur du bateau. Les Indiens poussèrent un cri triomphal. D'un coup sec sur l'arrière de la tête, Matt acheva le poisson qui pesait une bonne quinzaine de livres. Ils revinrent sur la rive. Les Indiens riaient et Matt n'aurait su dire de quel genre de rire il s'agissait. Derrière eux, quelques femmes et des enfants se tenaient entre les tipis et la rive. Matt vit aussitôt la jeune Indienne dont le visage était tourné vers lui, dans la lumière. Ce n'était pas tant sa beauté qui frappa Matt mais la perfection, la limpidité de ses traits et surtout la luminescence de ses yeux noirs qui le fixaient avec une dureté toute particulière. On sentait sourdre de chacun des pores de sa peau une haine insatiable. Elle ne le toisait que pour mieux le défier et une moue dédaigneuse plissait ses lèvres écarlates. Comme il continuait de la regarder avec un air interrogateur, l'un des Indiens le bouscula.

– *Hei ! Shirei daj kiloj !*

Matt ne comprenait pas et l'exprima en ouvrant des yeux étonnés. Un autre Indien lança le saumon à ses pieds et lui montra son camp du doigt, l'enjoignant de le regagner.

Ainsi, la trêve n'avait duré que l'espace d'une chasse, une poursuite durant laquelle les hommes redeviennent ce qu'ils sont et oublient ce qu'ils doivent être.

Matt prit le saumon et s'en retourna. Il sentit planté dans son dos le regard haineux de cette jeune fille dont il ne savait plus très bien si elle était un monstre ou une déesse, mais qu'il ne pourrait jamais oublier.

47.

L'attente dura trois jours. Trois jours pendant lesquels personne ne vint le voir, à l'exception d'un Indien qui apporta une douzaine de saumons pour ses chiens. Matt sentit que c'était surtout pour lui montrer leur supériorité. Alors que Matt se surpassait pour en prendre un ou deux par jour, eux en attrapaient autant qu'ils en voulaient et c'était une bonne façon de le souligner. Matt le remercia, mais l'Indien ne fit que rire avec condescendance.

Il n'était qu'un Blanc. À leur merci. Voilà ce que disait ce rire. Pourquoi cette haine ? Pourquoi le retenir ici et pourquoi tant de temps avant de lui dire quel sort on lui réservait ? Pourquoi le chef ne l'interrogeait-il pas ?

À toutes ces questions, il ne trouvait aucune réponse.

Pourtant, il y en avait une. Une seule.

On était allé chercher quelqu'un et les Indiens l'attendaient.

Mersh.

Encore lui.

Il arriva dans un grand canoë, seul avec ses chiens, précédé de deux Indiens, dans une autre

345

embarcation. Matt, qui était assis au bord de son feu, se leva quand le vieil homme accosta à une cinquantaine de mètres de lui. Mersh remonta son canoë et plusieurs hommes accoururent pour se saisir de ses chiens et de ses bagages. On eût dit que c'était lui le chef de ce village. On sentait dans chacun des gestes des Indiens tout le respect qu'il leur inspirait. Il tourna la tête et regarda longuement Matt, qui ouvrit la bouche pour lui dire quelque chose de loin, mais se retint. L'expression du visage de Mersh était indicible, dure, affectueuse et compatissante à la fois. Matt ne s'approcha pas. Mersh se dirigea vers l'autre extrémité du village, escorté par de nombreux Indiens qui venaient à sa rencontre et le saluaient avec déférence. La jeune fille marchait à ses côtés. Matt crut même un moment apercevoir sa main dans celle de Mersh. Ainsi, c'était elle, sa compagne ?

Matt eut envie de crier, de hurler. Pourquoi Mersh ne venait-il pas le voir et lui dire ce qui se tramait ? Pourquoi le laissait-il se morfondre ici ?

Mais un puissant pressentiment l'empêchait de se lancer à sa poursuite. Mersh ne l'avait-il pas toujours sauvé ? Pourquoi l'abandonnerait-il aujourd'hui ?

Le campement était calme. Les pêcheurs continuaient d'aller et de venir, indifférents. Les enfants couraient depuis les lieux de pêche jusqu'aux tipis et jouaient au bord du fleuve.

La soirée passa, puis la nuit. Matt ne parvint à s'endormir que fort tard et fut réveillé à l'aube par le crépitement du feu. Il passa un œil par l'entrebâillement de la tente et vit Mersh, à croupetons devant le foyer, qui faisait chauffer de l'eau dans une bouilloire.

Matt s'habilla et s'approcha. Mersh leva les yeux vers le fleuve où un léger vent du nord balayait le brouillard.

– Les premières feuilles... L'été s'en va.

En effet, le nordet arrachait aux trembles leurs premières feuilles jaunes, mais les aulnes et les saules restaient verts. Matt se saisit de la bouilloire où Mersh avait jeté une poignée de thé et se servit en silence.

Mersh, une tasse fumante à la main, regardait fixement la berge opposée comme s'il eût repéré un animal. Un silence épais et gênant s'installa. Finalement, c'est Mersh qui engagea la conversation.

– Alors, comme ça, tu cherches de l'or?

Matt nota que c'était l'une des toutes premières fois que Mersh lui posait une question.

– Pourquoi? ajouta-t-il abruptement avant même que Matt ait répondu à sa première question.

Matt haussa les épaules.

– Comment ça, pourquoi! Il faut une raison?

– T'en feras quoi?

– Encore faut-il que j'en trouve!

– Supposons que t'en trouves.

– Eh bien... je... enfin, j'aurais de quoi vivre. De quoi entretenir une femme. Fonder une famille. Toutes ces choses que l'on peut faire quand on a de l'argent...

Mersh observa un long silence. Il semblait digérer les aveux de Matt, qui prenait conscience de la niaiserie de ses paroles. Mersh ne regardait plus la berge mais le campement indien avec un sourire entendu.

– Je ne suis pas un Indien, moi... j'ai besoin d'argent.

Mersh se tourna vers lui.

– Je ne t'ai pas critiqué.

Matt se leva, une moue de colère sur son visage crispé.

– J'en ai marre de vos leçons de morale ! Ras le bol de ce petit jeu. Vous allez me sortir de là et me laisser tranquille. Mais pour qui vous prenez-vous donc ?

Essoufflé, rouge de colère, Matt s'arrêta brusquement, un peu décontenancé par l'attitude flegmatique du bonhomme qui se resservait de thé comme si de rien n'était.

– Et pourquoi tu le cherches par ici, l'or, en terre indienne ?

– J'ignorais que ces terres étaient indiennes. C'est donc ça qu'ils me reprochent ?

– Ils ne te reprochent rien.

– Non, ils veulent me tuer, c'est tout, dit Matt avec un rire nerveux en levant les bras au ciel.

– Tu n'as pas répondu à ma question.

– Et vous, vous répondrez ensuite à mes questions ?

– Moi, je peux repartir quand je veux d'ici.

– C'est une menace.

– Pourquoi cherches-tu par ici ?

Matt soupira, excédé par la tournure que prenait la conversation.

– Je cherche ici comme j'aurais cherché ailleurs. Si les Indiens ne veulent pas que je cherche par ici, c'est bon, j'irai ailleurs. Le Nord est vaste.

– Tu iras où ?

– Vers le nord.

– Pourquoi le Nord ?

– J'ai commencé à trouver quelques poussières d'or dans des ruisseaux alors que, dans le Sud, je n'ai jamais rien trouvé.

Mersh opinait de la tête d'un air entendu.

– Tu vas donc continuer vers le nord ?

– Oui, au-delà des terres que tu dis être indiennes.

– Il n'y a pas de terre indienne ou du moins toutes le sont. Mais il n'y en a plus aujourd'hui. Les Blancs se croient chez eux partout.

– Vous êtes blanc, à ce que je sache ?

– Ici, tu es ce que tu fais.

Mersh se leva pour partir. Matt lui coupa le passage.

– Vous allez leur dire ?

– Leur dire quoi ?

– De me laisser partir.

– Sûrement pas !

Le vieil homme le défiait du regard.

– Laisse-moi passer.

Matt hésita et se poussa. Mersh fit quelques pas et se retourna.

– Je ne peux pas leur dire de te laisser partir. Je ne décide rien ici.

– Vous allez faire quoi, alors ?

– Pêcher des saumons.

– Et moi ?

– Toi ?

Mersh marqua une pause avant de reprendre :

– Toi, tu devrais réfléchir à ce que tu rendras à cette terre en échange de l'or qu'elle pourrait te donner.

48

Comme chaque fois que Matt avait rencontré Mersh, il était resté sur sa faim. Le bonhomme ne répondait jamais aux questions qu'on lui posait et suggérait plus qu'il n'expliquait.

« Ici, tu es ce que tu fais. »

« Rendre à la terre ce qu'elle donne ».

Matt se rappelait ces deux phrases lourdes de sens et ressassait leur conversation.

Il décida brusquement d'aller vers les chutes, là où Mersh était sans doute parti. Après tout, il était libre de ses mouvements.

Au pied des chutes, trois Indiens et Mersh guettaient les saumons. Matt s'assit à bonne distance pour les observer. C'était la fin de la remontée et les poissons se faisaient rares. Alors ils restaient là, longtemps, à attendre, immobiles, jusqu'à ce que jaillisse des eaux le corps fuselé d'un poisson. Il y avait là trois adolescents, fougueux et athlétiques, et Mersh dont la force tranquille transpirait. Son attitude était celle d'un vieux sage et sa force résidait dans la parfaite coordination de ses gestes. Un saumon apparut. Le corps du bonhomme s'arqua. Sans aucun à-coup, avec une étonnante fluidité, il se détendit et la lance fusa dans le prolongement de son bras. Elle rencontra le saumon qui se tortilla dans les airs, transpercé. Au moyen de la fine cordelette à laquelle la lance était attachée, Mersh ramena le saumon à lui. Des crochets inversés piqués le long de la lance empêchaient le saumon de s'échapper. Il le détacha et le jeta sur la rive. Matt reconnut aussitôt l'Indienne qui le réceptionna et lui ouvrit le ventre pour recueillir, dans un panier en roseau, les œufs rouges et gluants. Elle le vit et s'immobilisa. Son attitude n'échappa pas à Mersh qui, en suivant son regard, l'aperçut aussi.

– *Nastasia! Hai kai lijkaz uhuijki!* dit-il en aboyant, comme un ordre.

L'Indienne ne répondit pas. Elle fit demi-tour et disparut alors que Mersh rangeait sa lance. Il sauta d'un caillou à l'autre et rejoignit la rive. Avant de disparaître à son tour, il prit le temps de fixer Matt d'un regard noir. C'était la première fois que Matt voyait le bonhomme se laisser aller ainsi à la colère.

« Qu'est-ce que j'ai encore fait ? » se demanda Matt, qui n'y comprenait décidément plus rien.

Il retourna lentement vers sa tente. Dans les eaux tourbées du fleuve se reflétait la sombre forêt sur laquelle se détachaient les écorces blanches des bouleaux. Des canards et des pluviers rasaient la surface de l'eau où quelques feuilles, ici et là, annonçaient l'automne.

Quand Matt parvint à sa tente, à sa grande surprise, on lui avait ramené ses chevaux, et auprès d'eux se tenait une Indienne.

– Liou Piout !

Elle le vit et lui rendit son sourire, sans passion.

Il n'y comprenait vraiment plus rien. Qui l'avait envoyée ici ? Pourquoi lui avoir rendu sa liberté si soudainement ? Liou Piout obéissait-elle à un ordre ou était-elle venue de son plein gré ? Quel était le rôle de Mersh dans tout cela ? Tant de questions.

S'il avait désiré revoir Liou Piout en arrivant ici, elle l'encombrait aujourd'hui et il ne savait comment le lui faire comprendre. Elle restait là, devant lui. Il refit un peu de feu et prépara un thé qu'il lui proposa. Elle le prit et se mit à lui parler.

– *Hei dikia leqsqoew zêrozek... dikia... dikia.*

Elle insista, puis haussa les épaules de dépit avant de se lever pour se rendre dans la tente. Il la suivit à contrecœur. Il n'avait plus envie de rien, excepté déguerpir. Mais elle était là et l'attendait, assise sur la peau roulée dans un coin de la tente.

Elle lui souriait maintenant et lui faisait signe d'approcher.

Il s'assit à côté d'elle et se laissa faire sans grande conviction, se surprenant à penser à cette jeune fille dont le regard l'avait si profondément troublé.

Liou Piout disparut dans la nuit aussi curieusement qu'elle était venue. À l'aube, Matt rassembla ses équipements, sella son cheval et chargea l'autre, puis distribua le reste de son matériel dans les bâts des chiens qui s'étaient mis à aboyer, manifestant leur impatience. Voilà une semaine qu'ils étaient là, attachés, et ils brûlaient d'envie de se dégourdir. Matt s'attendait à chaque instant à voir des Indiens fondre sur lui pour lui interdire de quitter l'endroit, mais personne ne faisait attention à lui. Une intense activité régnait sur la rive où une expédition de chasse semblait se préparer. À présent que le fleuve ne donnait plus beaucoup de saumons, les Indiens allaient constituer des réserves de nourriture en allant chasser les caribous dans les hauts plateaux de lichen qui s'étendaient à l'est, sur la chaîne des montagnes Brooks.

Matt chercha dans la foule de ceux qui assistaient au départ des chasseurs la silhouette de la mystérieuse jeune Indienne, mais il ne la vit pas.

Quant à Mersh, il demeurait introuvable. L'Indien que Matt interrogea ne lui répondit pas. Le second qu'il questionna pour en avoir le cœur net fit de même.

Il n'avait plus rien à faire ici, sinon être tué s'il insistait trop. Il prit Chinook et Skagway en laisse d'une main et les chevaux de l'autre, et emprunta le sentier qui contournait le campement par l'extérieur. Le reste de la meute suivait à la queue leu leu. Un peu plus loin, il rejoignit un autre sentier qui accédait au gué permettant de franchir la rivière au-dessus des chutes. Là, il détacha Chinook et Skagway et s'apprêtait à monter en selle lorsque quelque chose bougea sur la rive. Les chiens étouffèrent un grognement alors qu'apparaissait la silhouette de la jeune Indienne. Elle s'avança vers lui. Elle portait un panier dans le dos, retenu par un bandeau qui lui barrait le front. Elle était seule et ne semblait pas étonnée de le voir. L'attendait-elle ? Elle le regardait avec toujours cette même animosité.

« Mon Dieu, qu'elle est belle », se dit Matt, subjugué.

– *Liou Piout jaik dili.*

Il n'avait reconnu que le prénom, mais que pouvait bien vouloir dire le reste ? Et pourquoi parlait-elle de Liou Piout ? Était-elle porteuse d'un message de sa part ?

– Et toi, comment t'appelles-tu ? Moi, c'est Matt. Moi Matt, et toi ?

Elle le défiait toujours. Il cherchait déjà un moyen de la retenir, mais elle passa devant lui et s'en alla. Il la suivit du regard alors qu'elle traversait le gué. L'eau mouillait ses hautes jambières en cuir qui moulaient ses jambes fuselées. Elle avançait doucement, cherchant ses appuis sur les pierres glissantes du fond. Le courant la forçait à se pencher un peu sur le côté et la pointe de ses longs cheveux traînait dans l'eau. Elle ruisselait d'eau et le soleil l'habillait de diamant. Une apparition que Matt regardait s'éloigner, le souffle coupé.

Arrivée de l'autre côté, sur la rive, elle se retourna.

– Nastasia.

– Nastasia, répondit Matt. Nastasia.

Puis elle disparut furtivement, telle une biche se coulant dans l'épais taillis de saules qui bordait la rive.

– Nastasia, dit Matt encore une fois.

Il demeura un long moment là, l'œil rivé sur l'endroit où la masse verte du feuillage s'était refermée derrière elle. Il lui semblait la voir encore, comme si sa silhouette avait laissé dans l'air une empreinte de son passage.

Quelques instants plus tard, il reprenait sa route, mais il ne marchait plus que par automatisme. Il était imprégné de l'image de cette Indienne et il imaginait mal pouvoir un jour s'en défaire. Elle était là, devant lui, en lui, ses yeux noirs, impénétrables, qui le fixaient. Il avançait, la mort dans l'âme car chacun de ses pas l'éloignait de celle qui avait décidé de lui donner son nom comme un cadeau d'adieu. Il ne pourrait plus revenir dans ce village.

Le soir, seul au bord de son feu de camp car ses chiens étaient partis en chasse, Matt ressassa tous les événements de ces derniers mois, essayant de comprendre les liens qui les unissaient. Il pensa à Marie et s'étonna de la faiblesse de ses sentiments pour elle. Hier encore, il était prêt à retourner la terre entière pour la couvrir d'or et aujourd'hui, parce qu'il avait croisé une belle Indienne qui lui avait donné son nom, il se sentait prêt à l'oublier. Il avait honte de sa fragilité, de cette faiblesse qui le détruisait. Il fallait qu'il persiste dans ses projets. Il était venu jusqu'ici pour chercher de l'or et il devait en trouver. Il avait besoin de réussir, de se prouver qu'il était capable d'aller au bout de quelque chose. Sans cela, sans cette réussite, il ne serait jamais rien.

– Ici, tu es ce que tu fais.

49

Durant toute une semaine de pluie et de vent, Matt marcha vers le nord. Il avait depuis long-temps quitté le dernier sentier d'homme et empruntait maintenant ceux que les animaux sauvages traçaient dans la taïga. Il allait au gré de son intuition, d'un ruisseau à l'autre, reve-nant sur ses pas pour reprendre une autre direc-tion quand ses essais ne donnaient rien pendant quelque temps. Peu à peu, la découverte de par-ticules d'or dans la boue des ruisseaux le convainquit qu'un filon existait quelque part. Il avait même trouvé un ruisseau où on pouvait laver jusqu'à vingt *cents* de la batée, soit une trentaine de dollars par jour. Certains prospec-teurs s'en seraient contentés pour deux ou trois cents dollars avant l'embâcle, mais Matt cher-chait mieux.

Il savait qu'autour des gisements du Klondike les prospecteurs avaient lavé de la sorte de petites quantités d'or avant de découvrir le gros filon. Il approchait. Il en était certain.

Il avait dessiné une carte sommaire de la région où il notait toutes ses découvertes. En la consultant, il se rendit compte que les zones où il avait trouvé de l'or formait une sorte de losange qu'il avait à présent dépassé. D'ailleurs, depuis deux jours, il ne trouvait plus rien, plus la moindre poussière d'or dans les ruisseaux. Au lieu de l'inquiéter, cela le conforta dans son idée. Il venait de dépasser ce qui devait être la « poche ».

Il revint sur ses pas alors que le ciel s'éclaircissait enfin et qu'un soleil généreux apparaissait. Avec ce brusque changement de temps, le froid survint, commença à geler les anses calmes des petits lacs et termina de jaunir les feuilles.

« Il faut que je me hâte », se dit Matt.

C'est en revenant sur ses pas, à la jonction de deux ruisseaux qu'il avait prospectés, qu'il fut intrigué par des traces dans le sable. Elles étaient lavées par la pluie, mais on voyait nettement le dessin d'une botte. Ce n'était pas l'empreinte d'un animal ni celle d'un mocassin indien.

– Mersh !

C'était lui. Il en était sûr.

Il chercha un peu. Sur le haut du talus qui surplombait l'un des ruisseaux, il y avait les restes d'un feu.

– Il me suit !

Cette phrase lui avait échappé. Pourtant il avait la conviction de voir juste. Sinon, qu'est-ce qui justifiait sa présence aussi loin ? Et si près de là où il se trouvait, lui ?

Mais Matt n'avait plus le temps de partir à la recherche de Mersh. L'hiver arrivait et toute la nature bruissait, vibrait dans cette attente. Le ciel, rempli d'oies, de canards et d'eiders, trépidait de vie avant de laisser place aux bourrasques de neige. Les fleuves gorgés de toutes les eaux de l'automne vrombissaient en charriant des arbres arrachés aux rives avant de s'éteindre, comme morts, sous l'effet de l'embâcle, muselés sous un linceul de glace. Les animaux migraient et ceux qui restaient allaient et venaient, redoublant d'énergie à l'approche des premiers froids. Certains, comme les ours, iraient rejoindre des repaires secrets pour hiberner à l'abri des blizzards et des tempêtes. Matt avait déjà croisé certains de ces ours qu'on disait terribles, mais ils s'enfuyaient toujours. Il n'avait même pas le temps d'avoir peur. Il ne risquait rien. Il était armé et ses chiens le préviendraient de toute mauvaise rencontre.

Deux semaines avaient passé depuis son ultime rencontre avec Nastasia. Elle était rentrée dans sa vie et maintenant il ne cherchait plus à l'oublier. Il avait même l'impression qu'elle lui donnait une force nouvelle, une raison de plus d'aller au bout de lui-même dans cette recherche. L'or en tant que tel n'avait plus autant d'attrait, c'était surtout sa découverte qui importait à ses yeux. La richesse qui naîtrait de cette trouvaille dépasserait la valeur des pépites extraites.

Dans la flamboyance de ces belles journées d'automne, il méditait sur son avenir. Marie était loin. La tendresse qu'il éprouvait pour elle, l'attirance qui était la sienne étaient encore présentes, mais un autre visage l'avait remplacée dans son cœur.

Au changement de lune de ce mois de septembre, Matt installa son camp dans une large vallée aux pentes enherbées, face à un lac dans lequel se déversaient trois torrents qu'il voulait prospecter. En amont, on apercevait de lointaines collines aux puissants contreforts couverts de forêts. Et plus loin encore se dressaient les pics neigeux de hautes montagnes partiellement dissimulées dans la brume.

Dans le seul petit bois où il alla chercher une provision de bois mort, il fut intrigué et un peu décontenancé car il vit plusieurs souches d'arbres coupés à la hache. Une hache de métal, celle d'un Blanc, car les marques étaient nettes et franches. Elles dataient de plusieurs années, mais prouvaient qu'un homme avait séjourné ici, sans doute pour fouiller les ruisseaux. Alors il n'y avait plus qu'à changer de secteur. Pourtant, toutes les recherches de Matt corroboraient son hypothèse. Les poudres d'or qu'il ramassait ici et là formaient comme une flèche dirigée vers ce secteur et c'est au terme d'une longue investigation qu'il avait abouti ici. Mais un autre que lui avait suivi le même itinéraire.

– C'est décourageant, dit Matt tout haut en caressant Or qui, de retour de la chasse, était venue poser son museau sur sa jambe.

Pourtant, il n'était pas vraiment découragé. Il regardait ses chiens, alanguis, couchés autour de lui, ses chevaux qui broutaient la fraîche prairie ondulant jusqu'au lac, et il était heureux. Alentour, tout était d'une pureté virginale et il se sentait bien, en accord avec le paysage. Certes, il voulait trouver de l'or, mais il avait le temps. Cet hiver, il irait chasser avec ses chiens et vendrait la viande. Il trouverait de l'or l'été suivant, ou celui d'après. Il était jeune. Il avait des chiens et il pouvait voyager loin, là où personne n'était jamais allé, au-delà de ces montagnes qu'il voyait se dresser, tels de blancs minarets reflétant un crépuscule rougeoyant. Il était confiant, plein d'espoir. Il aurait toujours de quoi manger car maintenant il savait comment faire pour se procurer du poisson et du gibier.

Un peu plus loin, sur le versant opposé d'une des collines environnantes, Mersh avait fait halte. Il avait attaché son cheval à une longue corde qui lui permettait de brouter l'herbe à l'intérieur d'un large cercle et gardait Wild, son chien de tête, à ses pieds. Nastasia, au campement, veillait sur le reste de sa meute, car Mersh n'aurait pas pu suivre Matt avec tous ses chiens. Et Mersh devait rester discret. Il avait promis à Itlewillik, le vieux chef indien des Siswachs, de tuer Matt s'il venait à découvrir le vallon secret. Et il approchait.

Quand Mersh l'avait vu se fourvoyer vers le nord, il avait espéré qu'il ne revienne pas sur ses pas, mais ce diable de Matt était un malin. Il n'y connaissait pas grand-chose mais son instinct et son esprit de déduction étaient malheureusement bien affûtés et ce qu'il redoutait était arrivé. À force de trouver ici et là des poudres d'or dans les alluvions, il était remonté jusqu'à l'affluent, puis jusqu'au ruisseau qui l'avait mené dans cette vallée. À présent, le vallon était tout proche et Mersh allait devoir l'abattre. Il le ferait parce qu'il l'avait promis et que la vie de Matt était à lui. Il l'avait déjà sauvé en différentes occasions. Lorsque les Indiens étaient venus l'avertir que l'homme se présentant comme l'un de ses amis cherchait de l'or, Mersh avait parlementé avec le chef, mais il savait que Matt allait devoir mourir tôt ou tard, comme les deux autres Blancs qui, au cours de ces dernières années, avaient pénétré dans cette région.

Mersh avait eu ce vague mais tenace pressentiment que Matt allait bouleverser sa vie en même temps que s'était forgée une sorte d'admiration affectueuse pour ce jeune garçon qui marchait dans ses traces. Dire qu'il avait espéré voir Matt perdre le fil de sa recherche était exagéré car, tandis qu'il approchait du vallon secret, Mersh partageait avec lui l'exaltation de la redécouverte. Si son idée première était de l'abattre aussitôt qu'il s'y engageait, il voulait désormais le laisser aller au bout de sa quête et de son ultime plaisir. C'était aussi pour Mersh une sorte de voyage commémoratif. Il se revoyait, vingt ans plus tôt. Il voulait revivre, à travers lui, par procuration, la magie de cet instant.

N'était-ce pas égoïste de sa part ?

Alors que la lune s'élevait dans un ciel étoilé, un peu mauve car encore empreint des lueurs crépusculaires, Mersh décida qu'il était temps d'en finir et il monta vers le col.

Une demi-heure plus tard, il redescendait vers le petit bois contre lequel Matt avait dressé son campement. Il allait à bon vent tout en demeurant à distance pour ne pas éveiller l'attention de l'attelage de Matt. Il distinguait, à la lueur du feu, les ombres des chiens et celle, courbée, de Matt qui veillait en sirotant une tisane d'épinette. Il rampa jusqu'à deux cents mètres de lui et régla la hausse de sa carabine pour cette distance. Il cala le fût de son arme sur une pierre, visa la poitrine du jeune homme, puis il pressa doucement la détente.

50.

Chinook se redressa vivement et fixa la nuit en grondant. Matt attrapa sa carabine, scrutant l'obscurité alors que les autres chiens s'étaient levés et aboyaient en humant les odeurs que le vent, malheureusement, emportait dans le sens contraire. Chinook tendait l'oreille. Il avait enregistré un bruit métallique qui n'était pas celui des fers des chevaux qui paissaient sur l'autre coteau. Ses yeux étaient impuissants à percer le rideau de la nuit, mais il percevait un danger. Son cerveau rudimentaire avait tout de suite dissocié ce bruit de ceux de la nature.

– Qu'est-ce qu'il y a, Chinook ? Un ours ?

Le chien continuait de regarder la nuit en étouffant un grognement méchant. Le reste de la meute, derrière lui, attendait pour agir. Et puis Chinook se calma. Il ne sentait rien, mais demeurait vigilant, sa tête ronde tournée vers le haut du vallon.

Matt, de son côté, reposa sa carabine. Fausse alerte. Sans doute un jappement de renard ou un hurlement de loup au loin.

Mersh, quant à lui, n'en revenait pas de son étourderie. Il avait tout simplement oublié de charger son arme et le percuteur avait claqué dans le vide. C'est la première fois qu'un truc pareil lui arrivait et il était furieux.

– Je deviens dingue ou quoi ? murmura-t-il entre ses dents.

Contre un ours, une erreur comme ça pouvait coûter la vie.

Il patienta un long moment. Quand le calme revint, que les chiens se furent recouchés, il recula et, silencieux comme une ombre, il regagna le haut de la colline en suivant une petite ravine qui se terminait en un chaos de rochers moussus. Il n'aurait pas pu recharger sa vieille winchester et actionner le levier un peu branlant du magasin sans déclencher une nouvelle alerte. Il connaissait assez les chiens pour savoir qu'ils veillaient, attentifs au moindre bruissement anormal.

Il rejoignit son campement où Wild l'attendait, couché à côté du feu, comme il le lui avait ordonné. Il but une tisane d'épinette et resta un long moment assis auprès du feu à maugréer contre lui.

– Faut-il que je perde la tête pour oublier de mettre une balle ! C'est pas croyable, un truc pareil !

Il parlait à voix haute depuis quelque temps et, quand il s'en rendait compte, il se contentait de froncer les sourcils en bougonnant.

– J'vais pas me mettre à parler aux sapins maintenant !

Et il haussait les épaules, fataliste car, deux minutes plus tard il reprenait son monologue sans s'en apercevoir.

Levé avec le soleil, Matt absorba un déjeuner hâtif et fut vite à l'ouvrage. Il prospecta le premier ruisseau et ne trouva rien, pas la moindre poudre d'or. Plutôt que de le décourager, cette absence de métal le satisfaisait. Cela prouvait qu'il arrivait là où la poche se cachait. Ces derniers jours, partout, jusque dans les sables et la boue du lac, il avait trouvé de l'or. Il lui fallait maintenant trouver d'où il venait, remonter à l'origine du filon, jusqu'à la poche. Dans le deuxième ruisseau, même chose, ainsi que dans le troisième. Là, ça se compliquait.

Le lendemain, il franchit la ligne de crête et alla explorer une petite vallée parallèle où il ne trouva pas la moindre trace d'or. Puis il en explora une seconde, vers le nord. Même résultat. Là, il découvrit une petite harde de caribous qu'il put approcher. Il en abattit deux et en blessa un troisième, que les chiens pistèrent jusqu'au bas de la vallée et achevèrent. Alors, Matt déménagea son camp pour s'installer près des caribous, qu'il découpa. Les chiens se régalèrent des restes. Il les attacha ensuite au câble. À force d'errer libres, ils perdaient l'habitude d'être entravés et il était temps de les y réaccoutumer. Puis il grimpa sur la plus haute colline du secteur et étudia la géographie alentour, s'efforçant d'imaginer ce qu'elle avait pu être quelques millions d'années plus tôt.

« Sans doute que ces montagnes n'existaient pas et que l'or s'est répandu en suivant le cours ancien d'un fleuve disparu », se dit Matt.

Il essaya de se remémorer comment il était arrivé au lac et où il avait trouvé de l'or. Il s'aperçut alors qu'il faisait fausse route. Il fallait suivre la sorte de ligne que ses découvertes, les unes après les autres, avaient tracée sur la carte. Il fallait chercher vers l'ouest.

Il crut distinguer dans l'air une trace de fumée, mais, après examen, il en déduisit qu'il s'agissait d'un effet de brume.

Le lendemain, il déménagea de nouveau, franchit un col et prospecta à l'ouest du lac où il était arrivé le premier jour. Il réussit à laver un peu de poussière d'or dans un minuscule torrent, puis encore plus dans un second, sur le flanc de la colline. Il escalada celle-ci pour déboucher dans un vallon aux pentes recouvertes de manzanitas rampants dont certains étaient encore en fleur. Il était tard, mais il ne put s'empêcher de prélever un peu de sable et de boue dans le ruisseau qui traversait le centre de la prairie et de le laver d'un lent mouvement circulaire. Ses yeux n'étaient plus que deux lignes d'azur, son visage plissé montrait la plus grande application. Bientôt apparurent de minuscules pointes d'or. Il n'en avait encore jamais vu autant. Pourtant il ne les garda pas et, avec prodigalité, il les balaya dans le ruisseau. Il approchait. Il effectua un deuxième essai plus bas, puis un troisième, plus haut. La quantité d'or allait en augmentant vers le haut. Demain, il allait remonter vers le filon !

Il se coucha fort tard et eut beaucoup de mal à s'endormir. Il était en selle bien avant le soleil et, lorsque les premiers rayons vinrent le surprendre, il avait déjà grimpé en haut du vallon et piquait de l'autre côté, vers le torrent.

Matt était certain que la tête du filon se trouvait dans le vallon. Il voulait en avoir le cœur net et préleva de la boue en plusieurs endroits. Rien, pas la moindre poussière d'or. C'est ce qu'il espérait.

– Nous y voilà !

L'après-midi, il poussa une ultime reconnaissance vers le nord. Les chiens, libres, gambadaient autour de lui en humant les odeurs de gibier, s'élançant parfois sur les traces de lièvres ou de perdrix qu'ils poursuivaient pour la forme car, elles s'envolaient toujours bien avant qu'ils puissent s'en saisir.

Matt s'arrêta ici et là et fouilla dans la boue et le sable des ruisseaux. Partout, le même résultat. Toute trace d'or s'arrêtait dans le vallon. La poche était là, enfouie quelque part, en surface ou dans les profondeurs de la roche. Il le saurait bientôt.

Il rejoignit le petit vallon et travailla jusqu'à la nuit. Le nombre de grains d'or qu'il lavait à chaque batée croissait à mesure qu'il grimpait. Quand il atteignit plus de un dollar d'or à la batée, il commença à garder les grains, mais soudain la quantité d'or chuta. Bientôt, il n'en trouva plus aucun. Alors il examina les deux coteaux consciencieusement et, avec son pic, entreprit de creuser une série de trous dans celui qui montait vers l'est. Il ne s'était pas trompé. L'or était de ce côté. En face, il ne trouva rien.

Comme il repassait le ruisseau pour revenir vers le coteau, il constata qu'il faisait nuit et que, dans sa fièvre, il n'avait pas mangé depuis le matin. Il rejoignit son campement, distribua de la viande à ses chiens et se fit rôtir plusieurs steaks.

– J'en aurai besoin, vu le nombre de trous que je vais devoir faire demain !

Il se leva dès que le jour lui permit d'y voir quelque chose. Il faisait froid et la gelée blanchissait tout le vallon. Sur le coteau en face, les deux chevaux se détachaient dans la brume, alors qu'au loin la grande vallée baignait dans un brouillard dense. On apercevait pourtant au-dessus de cette nappe brumeuse la ligne crénelée des hautes montagnes. Matt ne put s'empêcher de contempler le panorama, l'un des plus beaux qu'il ait jamais admirés.

Il se mit au travail. Pour sonder le coteau, il effectua des trous au pic et à la pelle en suivant une ligne parallèle au ruisseau. Le nombre de paillettes d'or augmentait jusqu'à ce qu'il nommait le « centre », qui donnait les résultats les plus riches, puis décroissait. Au-dessus de cette première ligne, il en traça une deuxième, puis une troisième. Le centre de chaque ligne s'incurvait vers la gauche, tandis que l'or était de plus en plus profondément enfoui. Matt commençait par creuser un trou au pic qu'il dégageait ensuite à la pelle à environ trente mètres du centre de la ligne précédente, puis tamisait la terre et recommençait plus loin, et ainsi de suite. Au fur et à mesure qu'il montait, la longueur des lignes se réduisait car il ne trouvait plus d'or à leurs extrémités. L'ensemble des trous dessinait peu à peu sur le coteau un V renversé.

Au soir du deuxième jour, Matt se rendit sur le coteau opposé pour se faire une idée de ce que ses sondages révélaient. Au centre de chaque ligne, là où il avait trouvé la plus grande concentration d'or, il avait planté un bâton. Six bâtons qui, sur les six lignes de trous qu'il avait creusées parallèlement à la rivière, pointaient vers le haut en s'incurvant à gauche. De ce coteau-là, en face de celui qu'il creusait, il voyait nettement la base du cône renversé que formaient tous les trous et devinait vaguement là où il allait aboutir.

– Nom de Dieu de nom de Dieu !

Ce qu'il découvrit alors le terrifia.

Toute la couleur de son visage s'était réfugiée dans ses yeux écarquillés.

Sur le coteau, au-dessus des six lignes de trous qu'il avait déjà creusées, on devinait d'autres lignes que la végétation et les années avaient camouflées mais qui, de loin, apparaissaient clairement.

La poche mère avait déjà été découverte ! L'or n'était sans doute plus là.

Il arrivait avec des années de retard.

Mais plusieurs choses le préoccupaient.

Pourquoi avait-on rebouché les trous ? La neige et l'érosion ne pouvaient à elles seules expliquer qu'on ne trouve plus aucune trace de ces trous et des paquets de terre qu'on avait extraits. Pour s'en convaincre, il suffisait de voir ce que Matt avait fait. Ses fouilles avaient totalement bouleversé le bas du coteau et cette dévastation serait encore visible dans cinquante ans. Or, sur le coteau, on ne distinguait rien, pas la moindre trace des recherches. Matt aurait été incapable de les discerner s'il n'avait lui-même commencé le cône dont la pointe s'était alors révélée à lui par d'imperceptibles modifications de la végétation.

Si quelqu'un avait fait avant lui cette découverte, pourquoi n'avait-on pas, comme au Klondike, exploré tous les ruisseaux aurifères alentour ?

Il pensa que l'homme s'en était retourné chercher de l'aide et avait tenté de dissimuler sa trouvaille pour que personne ne la lui vole. Pourtant la loi des prospecteurs était universelle. Celui qui découvrait était prioritaire et personne n'aurait pu lui prendre cet emplacement.

Il pensa ensuite que l'homme était mort, mais, de nouveau, il se heurta au fait que rien n'expliquait le camouflage des trous.

« Peut-être que la poche ne vaut rien, que tout s'est répandu dans la colline, puis dans les ruisseaux ? » se dit-il ensuite.

Mais tout tentait à prouver le contraire. Et, dans ce cas, l'homme aurait tout de même exploité la boue aurifère et puis surtout, encore une fois, pourquoi aurait-il rebouché ? Dans les derniers trous, Matt avait récolté près d'un dollar et demi d'or dans une pelletée de terre et ce rendement était exceptionnel. En lavant une tonne de boue par semaine, on pouvait déjà obtenir un bon millier de dollars de poudre d'or.

Alors le mystère demeurait.

Matt n'avait plus qu'à creuser là où la pointe du cône montrait que se trouvait la poche. Peut-être la clef de ce mystère apparaîtrait-elle.

À l'endroit présumé, Matt dégagea un vieux manche de pioche à demi enfoui sous la végétation. Ici, on voyait bien que le sol avait été creusé puis comblé, même si, depuis, la végétation avait repoussé.

Matt éprouva une sorte de pitié mêlée d'admiration pour son prédécesseur. Que lui était-il arrivé ? Il ne le saurait sans doute jamais.

Il commença à piocher, puis il dégagea le trou à la pelle. La progression vers le fond devenait pénible, mais il ne mollissait pas. De temps à autre, il s'arrêtait et examinait la terre et les morceaux de roches friables qu'il extrayait, mais il ne vit aucune trace d'or. Il continua jusqu'au soir, sans rien atteindre de concret. Alors, à la lueur de la lune, il refit un trou un peu plus bas. À environ un mètre cinquante de la surface, il trouva de l'or en grande quantité : plus de trois dollars dans une batée de terre ! Il avait creusé au bon endroit. Il suffisait d'aller plus profond. C'est ce qu'il fit le lendemain, après une nuit agitée où il ne réussit à dormir que par intermittence tant son excitation était grande.

Il creusa toute la matinée, enleva des centaines de kilos de terre, puis il parvint enfin au socle, plus dur, d'un premier niveau de quartz. Il plongea alors sa pioche dans la masse et en arracha quelques morceaux qu'il remonta à la surface. Il les débarrassa de la terre dont ils étaient souillés et les lava, puis il se tourna un peu vers le soleil et pencha la tête pour mieux voir le jeu de la lumière sur la roche.

– Nom de Dieu ! C'est à peine croyable !

Dans sa main, le morceau de quartz criblé d'or brillait comme une pierre précieuse.

Matt n'en revenait pas. Il venait de mettre au jour une véritable fortune. Il y avait là des centaines de milliers de dollars, peut-être même des millions de dollars en or !

– Je suis riche. Immensément riche !

Et il se mit à danser.

51.

Après avoir raté son coup, Mersh en était revenu à son idée première. Suivre Matt. C'est ce qu'il avait fait en l'observant de loin, depuis les crêtes. Il n'avait pas besoin de le voir de plus près. Il savait tout ce qu'il faisait, tout ce qu'il espérait, tout ce qu'il pensait.

Lorsqu'il le vit planter des piquets et se préparer à rentrer vers Dawson, il en conclut que Matt allait enregistrer sa concession avant de l'exploiter et décida de le rejoindre. Il éprouvait maintenant le besoin de lui parler avant de le tuer.

De son côté, bien qu'il fût bouleversé par la richesse de son filon, Matt n'avait pas cédé à la panique. Il mesurait simplement aujourd'hui les changements à venir dans sa vie et cela l'effrayait un peu, alors il ne se hâtait pas, jouissant avec volupté des derniers flamboiements de l'été indien.

Il avait délimité le claim avec quatre jalons sur lesquels il avait inscrit son nom et son numéro de prospecteur. Il se réservait aussi les deux claims, « un au-dessus » et « un au-

371

dessous » de la découverte. Il n'avait droit qu'à ces trois-là. C'était la loi. Les autres, « deux au-dessus », « trois au-dessus » et ainsi de suite, seraient pour les premiers qui arriveraient ici lorsqu'il aurait annoncé sa trouvaille. L'enregistrement de la première concession était automatiquement annulée et sans valeur si le prospecteur n'avertissait pas d'autres prospecteurs de sa découverte en un lieu public.

Matt se voyait déjà, à Dawson, arrivant avec un sac plein d'or au *Monte-Carlo* où il aurait donné rendez-vous aux prospecteurs. Il monterait sur une table et parlerait d'un secteur encore plus riche que le Klondike. Il imaginait le brouhaha qui parcourrait l'assemblée rivée à ses lèvres, Marie subjuguée, les prospecteurs les plus prompts se rapprochant déjà de la porte pour être les premiers à se ruer vers le nouveau Klondike. Matt leur dirait qu'il s'agissait d'un « placer », d'une poche qu'il avait localisée, et que l'or restant à prendre n'était que celui craché par ce gisement. Alors deux types de prospecteurs se formeraient. Ceux qui iraient fouiller la boue aurifère dans le ruisseau et la rivière tributaire de cette poche, et ceux, plus aventuriers, qui partiraient à la recherche d'un autre gisement. La plupart des couches de quartz aurifères avaient été broyées et désagrégées au cours des âges, ce qui expliquait le nombre de ruisseaux qui charriaient de l'or sous forme de poussières et de paillettes en Alaska. Un gisement d'une telle richesse tendait à prouver que d'autres filons encore intacts pouvaient être mis au jour. D'ailleurs, Matt avait trouvé de la poussière d'or dans de nombreux ruisseaux des environs.

La région allait être bouleversée, tous les vallons et coteaux seraient fouillés, les ruisseaux détournés. Des centaines et des milliers d'hommes allaient arriver. Un village se construirait. Et Matt en serait le roi. Dawson déménagerait. Il ne resterait là-bas que ceux qui finiraient de tirer parti des rares mines encore rentables. Avec son or, Matt construirait un grand bâtiment. Il ferait exploiter sa concession, puis rentrerait à San Francisco en héros. Michener serait fier de lui.

Tout à coup, les chiens se mirent à aboyer furieusement en direction du bois qui montait vers le vallon. Matt se rua sur sa carabine.
– Un ours.
Mais les ours ne sifflaient pas.
C'était un homme !
La gorge contractée, Matt suffoquait. Son sang lui sembla se refroidir dans ses veines. Un voile sombre se tendait devant lui, comme un nuage qui passait devant le soleil et obscurcissait tous ses projets. Mais il se ressaisit bientôt. Le gisement était à lui. Il l'avait marqué et personne ne s'en emparerait.
– Wild, derrière !
Il reconnaissait cette voix ! C'était celle de Mersh !
Il aurait dû s'en douter.
La main de Matt se crispa sur sa carabine alors que des idées de meurtre lui traversaient l'esprit.
Mersh l'avait suivi, espionné. Il en était certain. Une rage muette s'empara de lui alors qu'il essayait de garder son sang-froid. Après tout la concession était à lui.

Le rideau de verdure s'écarta, livrant passage à Mersh et à son chien qu'il tenait en laisse en le maintenant fermement derrière lui. Après un vaste coup d'œil circulaire au petit vallon dévasté par les recherches de Matt, Mersh scruta posément chaque détail.

Alors, seulement, il fit face à Matt qui s'était dressé et tenait encore la carabine. C'est sur elle que le regard bleu de Mersh s'arrêta. Il était ironique.

– Il n'y a pas d'ours par ici. Pas assez de myrtilles pour eux ! Tu peux lâcher ta carabine.

Matt ne répondit pas et fit taire Chinook qui continuait de gronder en direction du chien de Mersh tirant sur sa laisse en étouffant un grognement de fureur.

Mersh l'attacha à un arbre, un peu à l'écart, et revint vers le feu auprès duquel Matt se tenait, la carabine toujours à la main.

– T'as peur que je te vole quelque chose ?

Matt, toujours dans l'expectative, observait Mersh dont le visage était couvert par une barbe poivre et sel qui lui mangeait les joues. Ses yeux brillaient d'un éclat particulier. On le sentait à l'affût, comme un rapace prêt à fondre sur sa proie.

– T'as perdu la parole ?

– Qu'est-ce que vous faites ici ?

– Qu'est-ce que je fais ici ? Parce que tu te crois chez toi, ici ?

– J'ai marqué ce claim. Il est à moi !

Matt montra le vallon. Mersh le considéra avec une moue de dédain.

– Et alors ?

– Et alors, il est à moi, c'est tout, et vous pouvez bien me faire toutes les leçons de morale que vous voulez. J'en ai rien à foutre.

– Tu me sers un thé ?

Matt hésita.

– Tu peux servir le thé d'une main et garder la carabine de l'autre, lui dit Mersh, moqueur.

D'un geste rageur, Matt se débarrassa de son arme. Il repoussa la théière vers lui et lui tendit une tasse. Mersh la remplit.

– T'as pas l'air content ?

– Arrêtez de vous foutre de ma gueule.

Mersh but lentement le thé. Matt, debout, silencieux, ne le lâchait pas des yeux, réfléchissant à la nature de cette force mystérieuse qui le mettait sur ses gardes.

Mersh termina son thé, reposa la tasse qu'il nettoya avec une touffe d'herbe, puis se releva en se tenant les reins.

– Viens voir !

Il avait dit cela en lui tournant le dos et s'éloignait vers le coteau. Matt hésita un instant, puis décida de le suivre. Il prit la carabine au moment où Mersh se retournait pour vérifier qu'il le suivait. Le visage du vieil homme se barra du même sourire ironique.

Après avoir enjambé le ruisseau, Mersh le longea jusqu'à l'endroit où Matt avait commencé à creuser. Il dépassa cette zone et stoppa devant le piquet que Matt avait fiché en terre et où son nom était inscrit au-dessus de son numéro de mineur. Matt l'observait avec attention.

Est-ce que Mersh avait idée de ce qu'il avait découvert là-haut, de la richesse de ce gisement ?

Mersh gravit alors le coteau en biais et s'arrêta devant une petite roche dissimulée sous les broussailles. Il écarta la végétation et, d'un air satisfait, fit signe à Matt de s'avancer. Celui-ci aperçut, coincée entre deux cailloux, une planchette sur laquelle on lisait, gravé dans le bois vermoulu :

Mersh. N° 607. Val d'or. Claim 1.

Matt, la respiration coupée, resta assis sur ses talons. Il affecta de s'intéresser à l'inscription, mais il cherchait à comprendre. Tout se bousculait dans sa tête et il ne savait plus du tout quoi dire, quoi faire.

Ainsi, c'était lui. Encore lui.

– Arrache la planche et passe-la-moi.

– Mais...

– Arrache-la.

Matt obéit. Elle était à peine enfoncée, coincée entre les cailloux. Il la tendit à Mersh, qui la regarda d'un air attendri comme on regarde une vieille photo. Puis il alla jusqu'à la seconde marque, à une centaine de mètres de là, et l'arracha elle aussi de la broussaille qui la dissimulait.

Matt suivait. Le sang bouillonnait dans son cerveau. Mersh lui offrait son dos. Il lui suffisait d'appuyer sur la détente pour en finir avec lui et s'emparer du trésor. C'était si facile, tellement tentant. Mersh ne pouvait pas ne pas y avoir pensé, mais il l'en croyait incapable. Il avait tort. Matt se sentait prêt à tout.

Mersh, qui marchait devant lui, retraversa le petit ruisseau. Il tenait les deux planches dans la main. Il s'arrêta devant le feu.

– Je n'en ai pas mis en haut du coteau. À l'époque, on ne piquetait que le bas. En quinze ans, la législation a changé. Moi, je vois pas à quoi ça sert de piquer en haut. Enfin...

Et il lança les deux marques au feu.

– En quinze ans, le bois a eu le temps de sécher.

Il souriait en fixant le feu d'un air nostalgique.

– Pourquoi ?

Mersh, qui arborait un air jovial avec le même petit sourire moqueur aux lèvres depuis qu'il était arrivé, dévisagea Matt avec gravité.

– Il y a beaucoup de questions dans ce pourquoi, n'est-ce pas ? Comment j'ai trouvé ce filon ? Pourquoi je ne l'ai pas encore enregistré ? Pourquoi je n'ai pas extrait l'or ? Pourquoi je te le donne ? Pourquoi ? Pourquoi ? Tant de questions avec tant de réponses, mais tu ne comprendrais pas le quart des réponses que je te donnerais.

– Je suis si stupide que ça ?

– Les réponses à toutes ces questions sont dans un monde dont tu ignores même l'existence.

Mersh détachait son chien et prenait sa carabine.

– Attends !

– Adieu, Matt.

– Attends !

Il avait crié. Mersh s'immobilisa.

– Attends. Je veux savoir quelque chose qui n'a rien à voir avec tout ça.

– Quoi ?

– Nastasia. Cette Indienne que je...

Le visage de Mersh s'était soudain transformé. Ses yeux étaient devenus deux fentes glaciales et toutes les veines de son cou apparurent. Un rictus de haine arrondit sa bouche quand il dit, en détachant chacun de ses mots :

– Écoute-moi bien, morveux. Ne parle plus jamais de Nastasia. Ne prononce plus jamais son nom. Ne...

Mais il ne continua pas. Emporté par la colère, il avait oublié que Matt ne serait bientôt plus une menace, ni pour les Indiens, ni pour la grande vallée de Varigai, ni pour Nastasia, car il était condamné à mort.

Il s'en alla en maugréant, sans se retourner.

52.

Il lui avait dit « Adieu ».

De tout ce que Mersh avait fait et du peu qu'il avait dit, c'est ce dont Matt se souvint en premier lieu. Il y réfléchissait car il avait besoin de mettre un peu d'ordre dans ses idées.

Sur le reste, tout ce qui concernait Nastasia et le filon, il refusait d'avancer une hypothèse. Il nageait en plein brouillard.

Pourquoi lui avait-il dit adieu ?

Mersh allait-il quitter la région ? Ou était-ce parce qu'il se doutait que Matt allait retourner vers le sud, une fois sa fortune faite ?

Tout se mélangeait dans sa tête. Depuis que Mersh était reparti, il ne tenait pas en place et les chiens, qui ressentaient son trouble intérieur, allaient et venaient, comme lui.

Matt caressait d'une main distraite. Or qui se frottait contre sa cuisse et il regardait Chinook et Yukon étendus à ses pieds, non loin du feu qui brillait dans la pénombre du crépuscule.

La nuit était magnifique et des myriades d'étoiles allumaient le ciel, alors que scintillaient à l'ouest les prémices d'une aurore boréale. Le froid tombait. On percevait ses vibrations dans le silence total de cette nuit sans un souffle de vent, le craquement des arbres et de la terre humide que le gel zébrait, le glissement de l'eau qui ralentissait en se figeant dans le ruisseau, la cristallisation du moindre atome d'humidité dans l'air.

Une certaine excitation naissait de ces changements que l'on sentait définitifs, tout au moins jusqu'au printemps.

L'hiver était là.

Les chiens humaient les odeurs que la nuit apportait et le feu faisait briller leurs yeux, aussi dorés que des paillettes d'or.

– Et mes chiens !

Qu'allaient-ils devenir ?

Il était assez fou pour les oublier. Matt se leva, alla de l'un à l'autre alors qu'ils se mettaient sur le dos pour mieux profiter de ses caresses.

– Ma petite Manouane, mon bon vieux Blacky.

Les chiens clignaient des yeux de plaisir et gémissaient comme des chiots.

Il ne pouvait pas imaginer s'en séparer un jour. Il serait assez riche pour les emmener avec lui. Mais que feraient-ils à San Francisco ? Il achèterait un ranch et leur construirait un enclos de plusieurs hectares. Et lui, que ferait-il ?

Dans la froidure de cette première nuit d'hiver, Matt prit soudainement conscience des changements qui s'étaient opérés en lui. Le Grand Nord était entré en lui et un autre sang coulait dans ses veines, celui des animaux sauvages qu'il avait mangés et derrière lesquels il avait couru, développant de nouveaux sens et d'autres muscles. Il était devenu un prédateur, un de ces loups incapables de respirer un autre air que celui, épuré, des immensités blanches, incapables de rester confiné dans un espace limité. Il avait besoin de courir un pays que seul l'horizon sauvage délimitait.

Au petit matin, Matt se leva dans un silence de cristal. L'air était d'une transparence incroyable et le moindre son traversait l'espace sans rien perdre de sa netteté première. Les chevaux paissaient sur le haut du coteau et on entendait leurs sabots ferrés racler les cailloux. Une sorte de brouillard glacé était suspendu au-dessus d'eux et les suivait comme une traîne. Les chiens dormaient roulés en boule, les uns contre les autres, tout recouverts de givre qui leur donnait l'apparence de petits buissons blancs.

La vallée baignait dans un calme ineffable et une brillance toute particulière émanait du ciel. Le sol craquait et les tiges gelées des grandes herbes cassaient avec une sorte de grincement retenu. Chaque bouffée d'air que Matt exhalait se transformait en un petit nuage de givre qui saupoudrait sa veste de flocons blancs.

– L'hiver !

Il était là et cette perspective exaltait Matt. Bientôt, il allait pouvoir reprendre les longues courses avec les chiens dans les solitudes blanches. Il entendait déjà le bruit de bateau du traîneau filant sur les pistes glacées, le halète-ment des chiens et le bruit ouaté de leurs pattes caressant la neige, le glissement de l'air froid contre sa joue.

Il regarda le coteau dont il avait partout crevé la surface, et cette vision le gêna car elle troublait la beauté du panorama qui s'offrait à lui. Du haut de ce petit vallon, il pouvait admirer toute la perspective de la grande vallée de Varigai dont le fond était noyé dans une sorte de brouillard doré évanescent que la lumière de l'aube faisait briller. Plus bas, le serpent bleu métallique du fleuve apparaissait dans son étau de verdure.

Au loin, on apercevait les montagnes enneigées où le fleuve prenait sa source. Les cimes crénelaient l'azur que la flèche d'un harfang des neiges traversa comme un cheveu.

Matt marcha jusqu'en haut du coteau, là où il avait creusé le dernier trou, et, armé d'un pic, arracha à la terre de grandes plaques de quartz pleines d'or qu'il écrasa entre les cailloux. Trois heures plus tard, il avait rassemblé plus de trois kilos d'or. Alors il redescendit à son campement pour manger. Cette petite fortune allait le mettre à l'abri du besoin. Cet hiver, il n'aurait pas à chasser pour gagner de l'argent et, quand il se rendrait à Dawson, il pourrait tout acheter, offrir du champagne et se payer la plus belle chambre de la ville.

Mais il n'était pas pressé. La plus belle chambre était celle-là. Un plafond de ciel bleu, des murs de montagne, un plancher d'alpage et, pour porte, l'ouverture vers la vallée de Varigai. Il n'avait pas besoin de musique. Il avait le chant des loups. Pas besoin de champagne pour s'enivrer ; ici, tout l'enivrait, les grandes courses avec les chiens, la luminescence des aurores boréales, le parfum de la viande grillée sur le feu, la douceur d'une fourrure de chien, mais surtout le souvenir d'un regard. Celui qui portait en lui toute la majesté du Grand Nord, sa pureté, sa profondeur, son passé, sa richesse.

Nastasia.

Tout l'or du monde pour que ces yeux se posent à nouveau sur lui.

Il n'exploiterait pas la mine cet hiver.

Il allait retourner à Dawson, puis il partirait, avec ses chiens, à la recherche de Nastasia. Il la trouverait même s'il devait parcourir des milliers de kilomètres, fouiller de fond en comble toutes les vallées du Yukon jusqu'à l'arctique.

Il s'occuperait de la concession l'été prochain. Il n'était pas pressé et, de toute façon, il lui fallait l'enregistrer avant de commencer les travaux. Il reviendrait au printemps construire une belle cabane, au bord de la rivière, face au coteau. Le soir, il pourrait s'asseoir devant la vallée et admirer le coucher du soleil sur elle, écouter le chant des oies et des pluviers, suivre dans le ciel le lent mouvement des nuages. Il avait le temps. Maintenant, il avait toute la vie devant lui.

Mais une pensée chassa ses rêves.

Lorsqu'il reviendrait ici, une armée de prospecteurs suivrait et saccagerait le site. Il ne pourrait plus jamais admirer cette vallée édénique parce qu'elle serait envahie par les hommes, fouillée, retournée, transformée. La forêt serait coupée. Il ne pourrait plus pêcher de truites dans le ruisseau, qui serait détourné et souillé par la boue. Il ne pourrait plus chasser, car les animaux fuiraient pour des lieux plus tranquilles. Il n'écouterait plus le silence de la taïga, celui-ci serait couvert par le grincement des machines.

Cette pensée le terrifia. Son visage, qui exprimait jusqu'ici la sérénité, se creusa et des rides d'anxiété apparurent sous ses yeux verts.

Il soupira, en proie au plus terrible des dilemmes.

Il n'avait pourtant pas le choix. Il ne pouvait exploiter la concession sans l'enregistrer. Jamais personne ne croirait qu'il avait trouvé des pépites d'une telle pureté en lavant les sables dans les ruisseaux. Les plus vieux Yukoners lui riraient au nez et la police s'en mêlerait. Et il ne pouvait enregistrer cette concession sans déclencher une ruée et tout ce que cela impliquait.

Or cette vallée était la plus belle qu'il ait jamais vue. C'était ici, loin des affres de Dawson, dans la pureté originelle de cette zone reculée, qu'il voulait vivre, avec ses chiens et... Nastasia.

Oui, pourquoi se le cacher? Il était tombé éperdument amoureux d'elle dès le premier regard. Pourquoi tenter de minimiser le bouleversement que cette rencontre avait engendré dans sa vie? Comment pouvait-il envisager un retour au sud? Jamais Nastasia ne quitterait ces grands espaces sauvages qui lui allaient si bien.

« Ici, tu es ce que tu fais. »

« Rendre à la terre ce qu'elle donne. »

Ces phrases prenaient enfin un sens.

Ce qu'il ne comprenait pas hier, il commençait à le comprendre aujourd'hui.

Parce qu'il n'était rien, les Indiens ne le voyaient pas. Il n'existait pas. Il était comme une plume dans le vent. Un homme de passage.

Pourtant la terre s'était donnée à lui. C'était une chance unique que de le lui rendre et d'exister ici.

Matt comprenait mieux Mersh. Il savait maintenant pourquoi il n'avait pas ramassé cet or ni répondu à ses questions.

Mersh était de ces hommes qui ne prenaient à la terre que ce dont ils avaient besoin, et pour cela les Indiens le respectaient. C'est ce qu'il avait voulu lui dire et qu'il n'avait pas compris lorsqu'il n'avait tué qu'un élan, alors que lui souhaitait en tuer deux, pour vendre la viande.

Respect ! Voilà quel était le maître mot de ce pays d'en haut et des hommes qui y vivaient. Voilà comment on mesurait la profondeur du fossé séparant ceux qui venaient pour voler ses richesses et les autres, ceux qui faisaient partie du pays et vivaient en harmonie avec lui.

Harmonie. Respect. Équilibre.

Tout prenait un sens.

Ces valeurs étaient celles des Indiens, de Mersh et de ceux que le pays enveloppait. Il était temps que Matt s'interroge sur l'identité de ses sentiments et qu'il fasse preuve de discernement quant à sa propre perception de la vie et de son avenir.

Quelle était cette richesse que l'or allait lui fournir ? Qu'allait-elle lui donner qui justifie l'esclavage dans lequel elle allait le plonger ?

La liberté faisait partie de ces terres. Continuer à vivre ici sans pouvoir en jouir revenait à regarder les yeux fermés ou à écouter en se bouchant les oreilles.

Il avait couru à la recherche d'un trésor sans s'apercevoir de celui qu'il avait déjà découvert. Un trésor incomparable car personne ne pourrait jamais le lui prendre. En arpentant ces terres de silence et de réflexion, il avait appris à se connaître et avait trouvé l'harmonie que procure la vie au sein d'une nature inviolée. Le regard de Nastasia évoquait un soleil d'hiver qui se lève sur un lac gelé ou la voûte bleu nuit d'un ciel arctique, beauté froide à laquelle les étoiles scintillantes donnaient vie. Parce qu'elle ressemblait aux paysages qu'elle avait traversés et qui l'avaient vue naître, il l'avait immédiatement aimée. Elle était entrée en lui comme un couteau dans sa chair, et l'oublier revenait à oublier de vivre.

Il examinait le coteau éventré et fut frappé par l'impression que dégageait maintenant ce paysage. Il n'était plus un vallon renfermant un trésor mais le symbole d'une nature sauvage qu'il avait profanée. Il avait la sensation d'avoir violé l'endroit. Il hurla de joie et ce hurlement était celui d'un nouveau-né expirant l'air de ses petits poumons pour la première fois. Il renaissait.

Dès le lendemain, il commença à reboucher les trous.

53.

Le pays était dur et façonnait des hommes durs ayant l'habitude de côtoyer la mort. Elle était comme une compagne qui vous suivait et vous rattrapait toujours. Les Indiens, en se levant, disaient souvent : « C'est un beau jour pour mourir. »

Mersh avait déjà tué, sans remords. Il avait même éprouvé un plaisir certain lorsqu'il avait enfoncé un couteau dans la poitrine de celui qui avait violé et assassiné sa compagne. C'était il y a longtemps, mais le temps n'effaçait pas une telle blessure. Au contraire, son souvenir était comme une lame qui s'enfonçait en lui tout doucement mais de plus en plus profondément.

Il allait tuer Matt, puis il irait reboucher les trous qu'il avait lui-même faits et comblés, quinze ans plus tôt. Ironie du destin.

Il s'était posté à une trentaine de kilomètres en aval, sur la partie droite de la rivière que Matt devait obligatoirement longer pour regagner Dawson. Il avait établi son campement à l'orée de l'immense clairière marécageuse que Matt traverserait car c'était le seul passage. Il était à bon vent et les chiens ne pourraient pas le sentir. La rivière, imparfaitement gelée, ne pouvait être empruntée et, à l'ouest du marais, une forêt impénétrable s'accrochait au versant rocailleux d'une montagne que les Indiens vénéraient parce que, depuis la nuit des temps, ils enterraient leurs morts à son sommet, dans un petit alpage cerné par un lac. Les processions montaient les corps par un sentier pierreux sur ce site protégé par les aigles qui étaient la représentation sur terre de l'esprit des Indiens Siswashs. Les morts touchaient le ciel et leurs âmes pouvaient s'envoler vers le grand royaume en s'aidant des courants ascendants que les aigles empruntaient comme pour leur montrer la route vers l'au-delà.

Un bel endroit au pied duquel Matt allait mourir.

Comme il avait tendance à commettre quelques étourderies ces derniers temps, Mersh avait répété ce qu'il allait faire dix fois et tout prévu. Même si Matt traversait de nuit, son chien le préviendrait. Mersh attendait, serein. Il en profitait pour poser quelques pièges et attrapait des castors dont la viande était l'une des plus riches qu'il puisse donner à ses chiens. Il conservait la viande dans une cache et tannait les peaux car il voulait se coudre un manteau. Le sien commençait à perdre ses poils. Il s'était résigné à s'en séparer car il avait eu froid l'hiver dernier. Il l'avait raccommodé dix fois depuis que Maragia, sa compagne, le lui avait confectionné, vingt ans plus tôt, mais maintenant il fallait le changer.

– Je garderai une partie de la peau pour me faire un étui à fusil. Comme ça, il me restera quelque chose.

Elle arrivait toujours quelques jours après le premier grand froid qui gelait les lacs et les marais. Pour de longs mois, elle recouvrait alors les grandes étendues sauvages d'un ineffable manteau blanc. Elle portait un nom : *Tyuitkuoit*, « Celle que le gel appelle », la première tempête de neige.

Elle souffla pendant trois jours, sans arrêt.

Puis, après un dernier coup de vent qui lava le ciel, un calme imposant lui succéda. Le ciel était d'une transparence de cristal et la blancheur irradiait partout de lumière, aveuglante et pénétrante. Pendant ces trois jours de tempête, Matt acheva de combler les trous, répara, redonna au vallon son aspect initial. Il replanta même quelques buissons qu'il avait arrachés. La terre avait regelé et il lui fallut travailler au pic et à la pioche. Il allait à son rythme, sans se presser, insensible au vent et à la neige, redonnant la terre à la terre, apaisé et sûr de lui.

Il allait retrouver Mersh et il lui expliquerait. Ou plutôt non ! Il lui dirait simplement qu'il avait rebouché les trous et que l'or pouvait dormir tranquille dans cette vallée qui échapperait à la folie des hommes. Il n'aurait rien d'autre à ajouter car ici les actions valent plus que les mots. Maintenant, il pourrait soutenir le regard de Nastasia et de Mersh. Ils comprendraient sans qu'il ait besoin de parler.

Il sourit. Il devenait l'un des leurs.

Mersh serait fier de lui.

Quand il en eut fini avec cette vallée, il regarda tout le bas du vallon déjà recouvert de neige que ses deux chevaux fouillaient à la recherche d'herbe. Bientôt, tout serait dissimulé et invisible. Au printemps, le dégel ferait couler la neige fondue sur le versant et effaceraient les blessures. Puis la végétation reprendrait ses droits et, dans quelques années, toute trace de la profanation de cette petite vallée édénique aurait disparu.

Pas un seul instant, Matt n'éprouva le moindre regret. Il avait oublié l'or. Il ne valait rien car il l'éloignait de Nastasia plus qu'il ne le rapprochait.

Il revivait leur rencontre et il revoyait l'animosité dont son regard était empreint à son égard, lui l'homme blanc qui ne respectait rien. Désormais, tout allait changer car il était devenu un autre.

Mais Mersh ?

Quel était donc le lien qui l'unissait à Nastasia ? Elle ne pouvait pas être sa compagne. Mersh était un vieux loup solitaire.

Avec le froid, puis la neige qui recouvrit bientôt le sol gelé, les chiens partaient de plus en plus longtemps à la recherche de lièvres, alors que les chevaux courbaient l'échine en errant dans l'alpage en quête d'herbage. Matt voulait les ramener vers Dawson pour les vendre, mais il abandonna l'idée. Il irait les offrir au chef indien, cela lui donnerait un prétexte pour retourner au village.

Les chiens s'en allaient à l'aube et rentraient, fourbus, en milieu d'après-midi, les poils du cou encore pleins du sang de leur proie. Ils ressemblaient à des loups et Matt tirait un grand plaisir à les voir ainsi évoluer en totale liberté, telle une meute sauvage. La hiérarchie était stable et l'harmonie régnait. Parfois, Or laissait la meute pour rester auprès de Matt qui la gâtait. Manouane souffrait un peu de cette complicité, mais Matt ne s'en inquiétait pas. Dès qu'ils reprendraient les courses, Manouane retrouverait sa place de leader et cette position lui rendrait le peu de confiance qu'elle avait perdu. Quant à Chinook, il était devenu un chef incontesté. Son autorité naturelle prévalait. Il n'usait plus de la force.

Matt chargea sur l'un des chevaux les trois kilos d'or qu'il avait extraits avant de reboucher le trou, son sac de couchage et les quelques ustensiles de cuisine dont il avait besoin, puis il ensevelit sous une roche le reste de ses affaires dont il ne s'encombrerait pas. Il ne voulait pas surcharger les chevaux qui peineraient bien assez comme ça dans la neige et il ne voulait pas non plus bâter les chiens. Il était trop heureux de les voir évoluer autour de lui en liberté, tels des animaux sauvages. Il rachèterait en temps utile ce dont il aurait besoin.

Une trentaine de centimètres de neige fraîche recouvrait le sol gelé. Les chevaux peinaient un peu, mais, en progressant doucement et en s'arrêtant toutes les deux heures, ils pouvaient couvrir une quarantaine de kilomètres par jour. Le plus important était de bien choisir l'emplacement du campement de façon que les chevaux puissent, en fouillant sous la neige, trouver suffisamment d'herbe. Comme elle avait perdu une grande part de sa valeur nutritive, il leur en fallait plus que d'habitude. Les chiens attrapaient des lièvres. Quand ils tombaient sur la piste fraîche d'un gibier, ils se déployaient comme le font les loups et, en le prenant en tenaille, ils finissaient souvent par l'attraper.

Le premier jour, Matt alla jusqu'à un grand marais, à une trentaine de kilomètres au sud du vallon. Comme il y avait là un beau pâturage pour les chevaux, il s'arrêta pour camper. À l'autre bout de cette immense clairière, au-dessus des premiers arbres, il crut apercevoir la fumée d'un feu.

– Mersh ?

Qui d'autre que lui pouvait camper ici ?

Ce qui l'intrigua était la disparition subite de la fumée. Il crut tout d'abord que c'était un léger mouvement du vent qui l'avait couché sur les arbres, mais elle avait bel et bien disparu. Un feu ne s'éteignait pas aussi subitement, à moins de jeter dessus de la neige. Qu'est-ce qui pouvait justifier une telle précipitation ? En hiver, on laissait toujours un feu s'éteindre de sa belle mort, même quand on quittait une place.

Mersh continuait de l'espionner. Dans quel but ?

Il l'avait vraisemblablement observé pendant qu'il comblait les trous. Qu'avait-il pensé en voyant le vallon retrouver son aspect initial ?

Il se remémora leur dernière conversation et la fureur de Mersh quand il avait prononcé le nom de celle qui occupait maintenant toutes ses pensées. Il lui avait dit adieu avant qu'il parle de Nastasia, or il était là, il avait donc changé d'avis. À cause de Nastasia.

– Parce qu'il ne veut pas que je la revoie !

C'était une évidence. Restait à comprendre comment il allait procéder. Pendant un court instant, l'idée de meurtre traversa l'esprit de Matt, mais il chassa vite cette idée.

– Mersh ne m'a pas sauvé la vie pour me tuer maintenant à cause d'une Indienne que je veux revoir.

Il s'exprimait tout haut et Or le regardait avec bienveillance, le soleil du soir se réfléchissant dans ses yeux brillants comme dans un prisme. Les chevaux, dessellés puis entravés, étaient partis fouiller sous la neige qu'ils chassaient de leurs sabots pour atteindre l'herbe. Les chiens, fatigués par les poursuites de lièvres, s'étaient couchés ici et là, à même la neige qui les rafraîchissait. Ils haletaient, étendus, les yeux mi-clos, qui sur le ventre, qui sur le côté, surveillant Matt en train d'allumer un feu.

– De toute façon, il sait que je suis là.

Mais le malaise persistait. Il se sentait épié, vulnérable, à la merci d'un homme étrange et capable de tout.

Tout ?

Au fur et à mesure que la lumière du jour déclinait et que le froid tombait sur la grande étendue blanche les séparant, Matt ne se sentait plus sûr de rien et la peur le gagnait. Il épiait le marais à la recherche de signes de vie, mais Mersh n'avait pas laissé une seule trace. Étrange.

Il siffla Or et se décida à contourner l'immense clairière par le bois pour tenter d'approcher Mersh. Il emmenait Or par précaution. Elle saurait le prévenir au cas où et elle saurait se taire quand il le faudrait. Il attacha Manouane et Chinook et commanda aux autres de rester tranquilles, ce qu'ils avaient visiblement envie de faire.

Par le bois, il lui fallait bien une heure pour contourner la clairière, d'autant plus que la neige n'était pas compactée par le vent. Or marchait derrière lui, sans entrain. Elle le suivait parce qu'il lui avait demandé, mais elle était un peu fatiguée par toutes ces chasses. Matt avait pris sa carabine et, plus il avançait, plus il ressentait un malaise qui ressemblait à une menace. Il se retournait souvent, s'arrêtait pour écouter, épiait les profondeurs de la forêt et interrogeait la nuit qui tombait doucement.

– Qu'est-ce qu'il me veut ?

Matt se demanda d'où venait ce pressentiment qui lui intimait de se méfier. Et comment pouvait-il être aussi sûr qu'il s'agisse de Mersh ?

– Je le sais, répondait Matt à cette autre partie de lui qui tentait de le raisonner, qui lui disait : « Mais, mon pauvre Matt, tu n'es même pas certain que ce soit Mersh et, même si c'est le cas, pourquoi faudrait-il te méfier de lui ? Tu n'as pas le commencement d'un indice d'une quelconque agressivité ! De la fumée ? Si ça se trouve, il n'y a personne là-bas. Pas le moindre écureuil, et cette maigre colonne blanche n'était qu'une nuée de givre échappée d'un ruisseau ouvert. »

Mais il était convaincu par cette autre partie de lui, qui avait de plus en plus peur.

54.

Soudain, Or, qui était passée devant, se figea. Son poil se hérissa sur son dos et ses babines se retroussèrent sur des crocs qui étincelèrent dans la nuit, faiblement éclairés par une lune blafarde.

– Sage ! Sage !

Matt s'était assis derrière elle et lui flattait le dos en lui parlant à voix basse. Or étouffait un grognement agressif tout au fond de sa gorge, alors que Matt écoutait la nuit.

– Tais-toi, Or. Tais-toi !

Elle se calma. Matt continuait à la caresser et tendait l'oreille. Tout à coup, un aboiement creva le silence de la nuit auquel Or répondit immédiatement. Le cœur de Matt bondit dans sa poitrine. Il avait raison. C'était Wild.

Mersh était là, à l'attendre.

De nouveau, il fit taire Or.

Un grand silence s'installa que Matt écouta durant de longues minutes. Au loin, un renard en chasse jappa. Par instants, il croyait percevoir un bruit mais rien d'identifiable. Le chien de Mersh avait aboyé à une centaine de mètres à peine, exactement là où il avait vu la fumée du feu.

Restant à couvert, derrière un écran de sapins, Matt se redressa brusquement, en proie à une véritable colère. Il hurla :

– Mersh ! Mersh !

Il entendit distinctement le bruit étouffé d'un grognement réprimé.

– Mersh, réponds !

Rien. Un silence palpable s'étendit. Matt s'attendait d'un moment à l'autre à entendre siffler une balle. Il eut presque préféré cela plutôt que cette indifférence, lourde de menace.

– Mersh, nom de Dieu, réponds ou je vais te tuer.

Il avait dit cela sans réfléchir et la violence de son propos le surprit.

– Réponds, nom de Dieu !

D'un geste rageur, il engagea une balle dans le chargeur de son arme et tira un coup en l'air.

– Réponds !

Rien.

Alors il visa en direction de là où il avait entendu l'aboiement et tira, trois fois. Entre chaque coup de feu, il intimait à Mersh de répondre.

Toujours rien.

– Nom de Dieu !

Matt regrettait déjà ce qu'il venait de faire. Il n'aurait pas dû tirer, surtout dans la direction de Mersh. Peut-être l'avait-il touché ? Il avait cédé à la panique et il s'en voulait.

Il demeura un long moment assis à épier les bruits de la nuit, mais Mersh restait silencieux, sans réaction, caché, comme un fauve en chasse, près de sa proie.

– Tu ne m'auras pas Mersh. Tu m'entends, tu ne m'auras pas. Alors tu ferais mieux de te montrer pour qu'on cause.

Il attendit encore et, comme le ciel continuait de se remplir de nuages qui atténuaient la luminescence de la lune, il décida de rentrer avant de ne plus pouvoir reprendre ses traces.

Quand il revint à son campement, la neige commençait à tomber très faiblement. Les chiens n'aboyèrent même pas. Ils avaient reconnu de loin le rythme de la marche de Matt. Seuls Manouane et Chinook relevèrent la tête, soulevant un petit chapeau de neige qui les recouvrait, comme pour rassurer Matt et lui dire qu'ils veillaient.

Matt n'avait rien à craindre. Mersh ne pourrait pas profiter de la nuit pour le surprendre. Les chiens le préviendraient et il allait dormir avec l'arme chargée contre lui.

Comme il n'avait pas emporté de tente, il construisit une petite claie avec de grandes branches de sapin, puis il se coucha tout habillé dans son sac. Or vint se blottir contre lui et il demeura longtemps éveillé, à la caresser alors qu'elle ronronnait de bonheur, comme un gros chat.

Quand il avait vu Matt arriver de l'autre côté du marais, Mersh avait immédiatement jeté de la neige pour éteindre le feu sur lequel il était en train de faire rôtir un cul de castor.

Il arrivait.

Enfin, il allait pouvoir en finir avec cette histoire.

Pas un seul instant il n'avait imaginé que Matt se douterait de sa présence. Il avait veillé à ne pas laisser la moindre trace de son passage et avait soigneusement évité de marcher dans la neige fraîche qui recouvrait l'immense clairière qui les séparait.

397

Il avait tout minutieusement vérifié, plutôt deux fois qu'une.

Dans ses jumelles, Mersh avait observé Matt et s'était étonné qu'il décide de camper là, si près du vallon. Il aurait pu traverser le marais dès le premier jour, mais il s'y arrêtait. Il était donc si peu pressé d'aller claironner sa découverte à Dawson ?

Cela contrariait un peu ses plans. Le second problème était qu'il soit à cheval plutôt qu'en traîneau. Mersh pensait que Matt aurait bricolé un petit traîneau dans un tronc d'épinette et qu'il se serait débarrassé des chevaux pour aller vite, mais il allait à cheval, tous les chiens en liberté autour de lui, ce qui lui assurait une protection dont Mersh se serait bien passé.

Pour le surprendre, il allait devoir attendre que les chiens soient en chasse loin de Matt et il craignait qu'entre-temps ils ne signalent sa présence ou celle de Wild. Décidément, tout ce compliquait.

Mais le pire était à venir car, à la nuit tombée, il constata avec stupeur que Matt avait deviné non seulement sa présence mais aussi ses intentions, ce qui l'ébranla jusque dans ses convictions les plus profondes.

Tuer un homme n'était déjà pas aussi facile qu'il le prétendait, mais en tuer un qui était sur ses gardes était tout autre chose. D'autant que Matt l'avait menacé lui aussi. Ainsi, on ne savait plus très bien qui allait tuer qui ni pourquoi.

Qu'est-ce qui avait bien pu déclencher la colère de Matt ? Qu'avait-il fait encore comme bêtise qui aurait pu l'induire dans cette voie ?

Mersh ne voyait pas. Mais il n'était plus sûr de lui. De moins en moins et la conscience de cette dégradation ne faisait qu'accentuer le phénomène.

Quand Matt lui avait demandé de répondre, il s'était tu. Il n'avait rien à lui dire, rien à expliquer. Il n'avait pas le choix. Il devait le tuer non seulement parce qu'il allait déclencher une ruée vers l'or dans un territoire qu'il avait juré de protéger, mais aussi parce qu'il représentait une menace pour sa fille.

Certes, il l'avait dépeint à Nastasia comme l'un de ces Blancs présomptueux que les Indiens détestaient. Il lui avait raconté qu'il tuait des animaux pour vendre leur viande, en contradiction avec le principe de l'échange qui prévalait dans la culture indienne. L'acte de tuer s'entourait d'une atmosphère d'obligation spirituelle qui excluait la chasse pour toute autre raison que celle de se nourrir ou de se défendre.

Il avait dit tout cela parce que Nastasia l'avait interrogé sur cet étranger et qu'il avait décelé dans ses propos un intérêt camouflé, que son sang expliquait peut-être. Elle n'était qu'à moitié indienne, par sa mère, et bien que toute son enfance et son éducation soient indiennes, elle était différente des autres, à même de comprendre Matt. Mais elle était prête aussi à le détester.

Mersh voulait pour sa fille un avenir dans la forêt, avec les Indiens. Les Blancs, leurs villes, ils les connaissaient. Les Blancs fuyaient en avant, semaient la honte et le malheur partout où ils passaient. Sur l'autel du progrès, tous les principes d'harmonie et de respect de l'homme et de ce qui l'entoure étaient bafoués, écrasés, oubliés. Pour l'homme blanc, plus rien n'était sacré. Son appétit de progrès, jamais rassasié, dévorait la terre et ne laissait derrière lui qu'un désert.

Les Indiens savent écouter le vent miauler dans les arbres et peuvent patienter simplement pour entendre le bruissement d'une feuille qui se déroule au printemps. Les enfants respirent l'air pur de l'immensité, cet air que les animaux, les arbres et les Indiens partagent avec tout ce qui les fait vivre. Les Indiens étanchent leur soif dans l'eau scintillante des ruisseaux qui portent en eux le souvenir de l'histoire d'un peuple. Tout est sacré, respecté, car la terre n'appartient pas à l'Indien mais c'est l'Indien qui appartient à la terre. Cette harmonie est le bonheur. Le bonheur que l'homme blanc a oublié dans sa fuite en avant.

Et Mersh ne voulait pas de cela pour sa fille. Tant qu'il vivrait, il la protégerait de l'homme blanc, de ceux qui avaient violé puis tué sa mère alors que Nastasia n'avait que douze ans. Il défendrait son peuple contre ceux qui seraient tentés de prendre son territoire. Il vengerait tous les Indiens qu'on avait massacrés et spoliés en retournant leurs armes contre ceux qui entendaient tout dicter, jusqu'à inculquer de force aux tribus qu'ils avaient soumises une religion qui les avilissait, les coupait de leurs traditions et de leur culture.

Il tuerait Matt.

Pourtant ce jeune Blanc avait touché du doigt le monde de l'Indien et aurait pu le comprendre. En parcourant les immensités avec ses chiens, il aurait pu entendre la respiration de la terre et le miaulement du vent dans les collines. Mersh avait cru en Matt, comme pour se persuader qu'il était encore possible à l'homme blanc de renouer avec son ancienne philosophie de l'adaptation à la nature abandonnée depuis si longtemps. Cet espoir, il l'avait entretenu. Il aurait voulu, à la fin de sa vie, se réconcilier avec un monde qu'il avait exécré puis rejeté. Ce rêve qu'il avait fait représentait l'espoir que sa propre vie n'ait pas été vécue pour rien, qu'il trouverait quelqu'un capable d'accepter puis d'aimer le pays tel qu'il était, plutôt que de s'appliquer à le transformer. Il espérait qu'un Blanc puisse entretenir une relation empreinte de dignité avec la terre et faire la paix avec elle. Et il s'était trompé. Décidément, il se trompait beaucoup trop depuis quelque temps.

Non, il n'aurait aucun remords.

55.

Quand l'aube habilla la clairière de reflets grisâtres, Matt se leva et alluma un grand feu, car il avait besoin de se réchauffer et de se prouver qu'il n'avait pas peur.

La neige avait cessé de tomber au milieu de la nuit, laissant à peine deux ou trois centimètres sur l'ancienne couche. Maintenant, le ciel était clair et la froidure revenait avec le jour.

Les chevaux paissaient sur la partie droite de la clairière. Ils avaient retourné la neige sur une assez vaste surface. On aurait dit que des élans étaient passés par là.

Les chiens se levaient et humaient les senteurs de l'aube, se figeant lorsqu'ils entendaient le caquètement de quelques lagopèdes qui appelaient avant de s'envoler vers la forêt.

– Il va falloir rester près de moi, leur dit-il en regardant Chinook qui jetait des regards expressifs vers le marais. On s'arrêtera tôt ce soir et on trouvera de quoi manger.

Ils l'écoutaient sans comprendre, mais ils étaient prêts à lui obéir. Iraient-ils jusqu'à le défendre ? Matt ne savait pas et espérait ne pas devoir le vérifier.

Ce matin, il s'était réveillé avec l'impression d'avoir fait un mauvais rêve. Pourtant c'était la réalité. Il avait beau chercher, il ne trouvait aucune explication, aussi saugrenue soit-elle, à cette situation. Puis il se remémora sa dernière visite au campement indien. Là aussi, les Indiens avaient hésité à le tuer. Pour quel motif? Il ne l'avait pas su, mais se pouvait-il que ce soit le même que pour Mersh?

Non, car celui-ci était intervenu pour le sauver. L'aurait-il fait pour le tuer aussitôt après? Non.

Qu'est-ce qui justifiait un tel revirement?

L'or et Nastasia, ou l'or ou Nastasia, ou peut-être autre chose qu'il ne soupçonnait pas.

Matt haussa les épaules. Ce Mersh était fou. Fou et dangereux. Il l'était peut-être devenu à la suite d'un événement particulier?

Il irait droit à son campement. Peut-être l'avait-il touché hier soir. Sinon il le retrouverait. Autant poursuivre plutôt qu'être poursuivi. Être chasseur plutôt que gibier.

Il sella son cheval, bâta le second, puis reprit la piste qu'il avait tracée la veille au soir dans le bois. En traversant la clairière, il offrait une cible trop facile.

Plusieurs fois, il rappela Chinook qui voulait entraîner la meute à la recherche d'un gibier. Il attacha ses chevaux à un pin et s'avança prudemment, les chiens autour de lui, la carabine chargée, prêt à tirer. Il n'entendait rien et les chiens ne montraient aucun signe d'inquiétude ou d'agressivité. Il trouva l'emplacement du campement de Mersh. Il était parti. Matt étudia les traces. Celles-ci se dirigeaient vers l'ouest et il décida de les suivre. Il alla récupérer les chevaux et se mit immédiatement en chasse. Les chiens comprirent qu'on suivait la piste de cet homme et de son chien, et ils accélérèrent le rythme. Ils le rejoindraient vite.

– Il va voir de quel bois je me chauffe.

La forêt s'ouvrit brusquement à l'endroit où la pente s'accentuait. La piste de Mersh se perdait dans un dédale de rochers. De hauts cailloux granitiques qui ressemblaient à des colonnes s'élevaient vers les cimes. Les chiens s'étaient arrêtés d'eux-mêmes au pied des rochers qu'ils ne pouvaient escalader. Pourtant tout laissait croire que c'était ce que Mersh et son chien avaient fait. Matt restait à l'orée de la forêt, incrédule, lorsqu'un pressentiment soudain le tira de sa réflexion.

– Merde !

Il tira vivement sur le mors de son cheval pour faire volte-face et se remettre à l'abri dans la forêt. Au même moment, il entendit une déflagration. Un coup violent le frappa à l'omoplate et un trait de feu parcourut sa chair. Il tomba avec son cheval en hurlant de douleur. Tandis qu'il était au sol, encore étourdi, haletant, une seconde déflagration le fit bondir vers la forêt alors qu'un nuage de neige et de terre se soulevait juste entre ses jambes.

– Le salaud ! Le salaud !

Il rampa jusqu'à être bien à l'abri derrière les sapins. Le second cheval l'attendait non loin de là. Du sang rougissait la neige sous lui. Il voulut porter sa main à l'épaule, mais il s'écroula lourdement sur le sol, la poitrine sur sa carabine qu'il tenait toujours, le visage dans la neige, à demi évanoui.

Il ne savait pas combien de temps il était resté ainsi. Or, Manouane et Chinook l'entouraient, lui léchaient le visage. Il eut un mal infini à s'asseoir.

– Il faut s'écarter.

Mersh pouvait tirer sur les chiens. Matt se leva et, en titubant, mit encore quelques arbres entre lui et le meurtrier. Ainsi, il ne s'était pas trompé. Mersh voulait bel et bien le tuer ! La balle n'avait fait que traverser l'épaule. Ouvrant sa chemise, il tâta du côté gauche son dos et sa poitrine. À quelques centimètres près, il était mort, atteint en plein cœur.

– Quel salaud !

Les mouvements de son bras étaient lents et maladroits, mais il pouvait tout de même s'en servir. Il avait perdu pas mal de sang et il avait peur de tomber d'épuisement. Sa première idée était de s'éloigner, mais il se ravisa. Il y avait mieux à faire. Il pouvait piéger Mersh. Il était coincé là-haut et dans ces rochers sans arbre pour faire du feu, il ne pourrait pas tenir longtemps. Quand Mersh descendrait, ses chiens le préviendraient et il l'abattrait.

Le piégeur piégé !

Matt attacha le cheval à un pin. Il ignorait où se trouvait le second quand il se rappela qu'il était tombé avec lui.

– La balle l'a peut-être touché après m'avoir traversé ?

Il alluma un feu et se constitua un abri de branchages, puis il s'entoura l'épaule de bandes de tissu qu'il avait heureusement conservées avec une fiole à moitié remplie d'antiseptique. Les chiens demeuraient près de lui. Manouane et Or geignaient, inquiètes.

– Rien de grave n'a été atteint, leur dit-il, se rassurant lui-même.

Maintenant, les chiens qui avaient compris la menace grondaient en direction des rochers.

– Ouais, il est coincé là-haut. On va le pincer à sa descente. On a juste à attendre que le fruit soit mûr pour le cueillir.

Dans l'après-midi, lorsqu'il eut recouvré quelques forces, il rampa jusqu'au bord du dégagement où Mersh l'avait blessé pour constater que son cheval était bien mort, atteint en pleine tête par la balle qui lui avait tout d'abord traversé l'épaule. Il décida d'aller à la nuit récupérer la viande avant qu'elle gèle car il avait finalement décidé d'attacher ses chiens. Le risque était trop grand qu'ils aillent se mettre à découvert, sous le rocher, pour se faire tirer comme des lapins. Avec un seul bras valide, il eut toutes les peines du monde à tendre sa ligne entre deux arbres et il dut s'y reprendre à plusieurs fois.

Il les avait placés juste derrière les premiers sapins, suffisamment à l'abri pour que Mersh ne les aperçoive pas d'en haut mais assez près pour qu'ils lui signalent tout mouvement.

– Sûr que ce salaud pourrait même tirer sur des chiens !

Matt ne ferma pas l'œil de la nuit et dut renoncer à aller dépecer le cheval tant son épaule le faisait souffrir. Les muscles avaient été déchirés par la balle et lui interdisaient le moindre mouvement. Au petit matin, il était fiévreux et quelque peu inquiet car il lui semblait que la plaie s'infectait. Il resta toute la journée allongé, buvant beaucoup et refaisant son pansement chaque fois que celui-ci se salissait.

En fin de journée, alors qu'il ranimait son feu grâce à son seul bras valide, un coup de carabine le fit sursauter. Il sut aussitôt de quoi il s'agissait en entendant le hennissement de douleur de son second cheval. Il avait dû sortir de la forêt pour aller chercher dans la clairière un peu d'herbe en fouillant sous la neige. Mersh en avait profité pour lui tirer dessus.

– Quel enfant de salaud !

Un rictus de haine barra le visage de Matt congestionné par la colère. Le cheval mortellement blessé se traîna jusqu'à la forêt où il s'affaissa dans un râle affreux. Les chiens s'étaient mis à aboyer et Matt dut intervenir pour les faire taire. Ils avaient senti la mort et la refusaient, la repoussaient comme s'il s'agissait d'un animal de passage qu'on pouvait effrayer par de simples aboiements de colère.

– Tu vas mourir, Mersh ! hurla Matt. Tu vas mourir !

Il n'attendait pas de réponse, mais deux coups de carabine claquèrent dans les sapins qui le protégeaient, coupant des branches juste au-dessus de lui. Il n'y eut pas de nouvelle salve : Mersh économisait ses balles.

Ce soir-là, il fit son feu plus loin dans la forêt. La nuit était claire et très froide. On entendait des pins claquer et le grincement des glaces comprimant tout dans un étau gelé. Matt se réfugia dans son sac de couchage, blotti contre Or et Chinook qu'il avait détachés. Il riait intérieurement, imaginant son ennemi coincé dans la froideur de ces rochers, sans feu, mal installé. Mersh était idiot. Il était monté là-haut sans même imaginer qu'il puisse rater son coup et maintenant c'était lui qui dirigeait la musique.

Une mélodie qui allait jouer un air funèbre très bientôt.

Au petit matin, le cheval était roide comme une pierre. Matt alla vérifier qu'il se trouvait hors du champ de vision de Mersh. Les pins étaient ici assez serrés. Alors il lâcha ses chiens, un à un, qui allèrent attaquer la carcasse gelée avec des grognements de plaisir.

Au moins, ils allaient reprendre quelques kilos.

Matt lava sa plaie qui commençait à sécher. La balle en pénétrant n'avait fait qu'un petit trou étroit qui se refermait déjà. Par contre, à l'arrière, sous l'omoplate, la balle avait expansé en éclatant les chairs. Ce serait beaucoup plus long à cicatriser.

Deux jours s'écoulèrent sans que rien vienne troubler la quiétude de l'endroit bien abrité des vents qui annonçaient un changement de temps. Matt pouvait déjà bouger un peu l'épaule sans trop souffrir, signe que rien de grave n'avait été touché.

Comment Mersh tenait-il sur ces rochers avec son chien ? Là-haut, il n'y avait pas de quoi allumer un feu, or il avait besoin d'un feu pour faire de l'eau. On peut survivre longtemps sans feu et sans manger, mais sans eau ?

Matt commençait à douter.

Il existait peut-être un moyen de descendre par un tout autre chemin ? Matt se mit à longer la barre rocheuse par l'intérieur du bois, à droite puis à gauche de l'espèce de haute fissure par laquelle Mersh avait escaladé, pour constater qu'il n'y avait pas d'autre voie d'accès. Mersh était bel et bien coincé. L'absence de trace en bas prouvait qu'il n'avait pas pu profiter d'un moment d'inattention pour fuir.

Peut-être Mersh avait-il été blessé quand il avait tiré vers lui dans la nuit, et était-il mort ? Matt en doutait. Il aurait trouvé des traces de sang. Mais alors qu'est-ce qu'il foutait là-haut ? Il ne pouvait pas y rester éternellement, surtout par un froid pareil.

56.

Pendant un temps, Dawson avait ressemblé à une rivière en crue. Le niveau de sa population n'avait cessé de monter, tel un fleuve sortant de son lit et arrachant tout sur son passage. Puis le flux s'était équilibré entre ceux qui arrivaient et les autres qui s'en retournaient, déçus, ruinés et affaiblis par les nombreuses privations.

Bientôt Dawson se viderait, le ballon se dégonflerait et tout le monde prévoyait cette brusque décrue pour l'été suivant. Déjà le nombre d'arrivants ne cessait de diminuer, alors que la masse des postulants au départ augmentait.

Mais, en cet hiver 1898, cinquante mille personnes s'entassaient encore dans Dawson.

La ville s'était organisée et il y régnait une curieuse atmosphère. Un mélange de fête et de misère. De pauvres bougres affamés erraient dans les rues glaciales à la recherche d'un introuvable morceau de lard, alors que derrière les fenêtres s'amusaient des millionnaires en chemise blanche. On comptait maintenant pas moins de trente saloons, un hôpital, un théâtre. Des hôtels en dur s'élevaient par dizaines dans le quartier riche, celui où se retrouvaient les rares et heureux gagnants de cette drôle de loterie qu'avait été la « Gold Rush » du Klondike. Henderson, dont on sait aujourd'hui qu'il fut le véritable découvreur de l'or du Klondike mais qui fut informé parmi les derniers de la richesse de la région de Bonanza, dut se contenter de sa concession, dans une petite vallée parallèle à celle où Carmacks décela le véritable filon. Henderson, qui fit gagner des millions, retira du sol moins de mille dollars d'or ! À l'inverse, Alec MacDonald, un Canadien qui n'y connaissait rien et arriva après tout le monde, fit fortune en échangeant un claim contre un sac de farine à un Russe dénommé Zarrowski. Ce claim s'avéra le plus riche de tout le Klondike et rapporta plus de vingt millions de dollars. Vingt millions de dollars contre un sac de farine ! L'un des innombrables tours que le Klondike joua aux hommes qui s'y risquaient, comme pour rappeler que c'était bien lui qui décidait.

Maintenant que l'or de surface était partout récolté, il fallait creuser profondément, en utilisant des machines à vapeur. La recherche individuelle n'était plus possible. Les petites concessions de faible rapport étaient abandonnées avec ceux qui les exploitaient. Seules les sociétés capables d'investir dans du matériel et d'embaucher assez d'hommes pour les faire tourner survivaient.

Les vieux Yukoners qui s'appelaient les « sourdoughs », c'est-à-dire « mangeurs de pain fait avec de la levure aigre », ne reconnaissaient plus *leur* Klondike, défiguré, creusé par d'énormes machines bruyantes qui labouraient les vallées. Ceux qui avaient tiré leur épingle du jeu ne se mélangeaient pas avec ces nouveaux riches qui péroraient dans Dawson. Ils ramassaient leur or et s'en allaient. Certains regagnaient le Sud pour ne plus jamais remonter vers les pays d'en haut. Ils allaient s'établir en Californie, achetaient de belles maisons et rêvaient tout haut, souvent avec nostalgie, de cette vie dans le Grand Nord qu'ils avaient si souvent haïe.

D'autres continuaient à chercher. Des durs à cuire, avec une grande expérience de la conduite des chiens et de la vie dans le Nord en général. Ils partaient seuls ou s'organisaient en bande pour se rendre dans des contrées seulement habitées par des loups et quelques Inuits. Ils partaient chercher de l'or, mais ce n'était qu'un prétexte. Ils allaient surtout à l'aventure. Une vie qu'ils ne voulaient plus échanger contre aucune autre. Comment regagner le Sud et ses villes quand on avait connu l'ivresse des grandes solitudes blanches, la magie des aurores boréales, le hurlement des loups dans la froidure de l'hiver ? Comment reprendre une vie normale après avoir descendu les rivières tumultueuses en canoë ou traversé les grands lacs gelés et la banquise sur un traîneau tiré par des chiens ?

57.

Les jours suivants, Matt acquit la conviction que Mersh n'était plus là-haut. Il s'aventura même en lisière de la forêt pour scruter les rochers. Il ne vit rien, n'entendit rien.

Il était là depuis neuf jours maintenant et Mersh ne pouvait être resté tout ce temps à l'affût. Impossible.

La neige était tombée pendant toute la semaine, suffisamment pour que la progression devienne difficile. Matt n'avait ni chevaux, ni raquettes, ni traîneau. Comment allait-il se déplacer ? À présent que l'hiver était là, l'épaisseur de la neige ne cesserait d'augmenter. Il lui fallait construire un traîneau, forcément rudimentaire, vu les moyens dont il disposait.

Depuis quelques jours, les plaies de son bras cicatrisaient en profondeur. Matt avait recommencé à l'utiliser, avec parcimonie. Il pouvait sans doute recommencer aussi à travailler.

Il s'attela à la tâche avec une certaine fièvre tant il lui tardait de reprendre les pistes blanches derrière ses chiens.

Il coupa des bouleaux d'un diamètre gros comme la jambe et tailla dedans les patins qu'il

413

chevilla à trois montants. Cela lui prit deux
jours car il allait lentement, s'efforçant de ne
pas trop solliciter les muscles de son bras
malade. Mais les forces revenaient rapidement.
Il mangeait beaucoup de viande de castor et il
était sûr que ce régime, très riche, l'aidait à guérir. Le plus difficile consistait à tordre le guidon
et la pièce qui, à l'avant, servait de pare-chocs.
Il le fit dans l'eau chaude en se servant d'une
roche creuse où il versait de l'eau bouillante.
Ensuite, il ne lui resta plus qu'à ligaturer le reste
des pièces et à tendre des lanières de cuir pour
constituer le fond.

Les chiens chassaient maintenant jusque dans
la clairière où Mersh avait tiré, prouvant définitivement qu'il n'était plus posté en haut.

« Il est peut-être mort », se répétait Matt sans
y croire.

Mais il était certain, absolument certain, qu'il
n'était plus là.

Où était-il ?

À la nouvelle lune, le ciel se déchira et le
froid tomba. Les chiens piaffaient d'impatience
alors que Matt terminait d'ajuster les harnais
qu'il avait fabriqués avec ce qu'il avait pu
récupérer des harnachements de ses chevaux.

Manouane, Or et Chinook étaient bien les
plus impatients et miaulaient comme de gros
chats en grattant la neige.

– Oui, on va y aller ! disait Matt en vérifiant
sa ligne faite avec une corde qu'il avait dégros-
sie, puis tressée.

Enfin, il attela. Aussitôt, les chiens se calmèrent, tout à la réminiscence de souvenirs

414

anciens, et obéirent, conscients que c'était la seule façon de partir au plus vite. Matt exigeait de la discipline au départ et ils se le rappelaient.

Ils s'élancèrent à l'ordre qui ressemblait à un cri de victoire.

Un délicieux frisson courut le long des épaules de Matt. Or et Chinook, placés en tête, galopèrent un moment dans la cotonneuse épaisseur de neige. Ils se calmèrent vite : au sortir de la forêt, le vent avait formé des congères qu'ils devaient traverser en ouvrant la neige avec leur poitrail. Matt aidait en patinant. Il poussait sur l'arceau de bois dès qu'ils heurtaient une congère. Celles-ci disparurent dès qu'ils longèrent la paroi rocheuse.

– C'est bien, Or. Bravo, Chinook. Bien, Skagway.

Il les félicita tous, l'un après l'autre. Alors ils relevaient la queue et bombaient le poitrail, se gonflant d'importance. Matt souriait. Il ne connaissait pas de sensation plus délicieuse que celle de se laisser glisser derrière eux. Il admirait ses chiens au poil magnifique, aux muscles saillants, parfaitement développés.

Il se dit qu'il n'y avait rien de plus beau au monde que cet attelage, le sien, écrivant sa piste dans la neige immaculée. Mais il se reprit.

« Si, il y a une chose plus belle encore, se dit Mat. Nastasia, l'Indienne mystérieuse. »

Il pensait souvent à elle et, chaque fois, une boule vrillait son estomac. Il regrettait ce qu'il avait fait de leur rencontre. Il aurait dû la retenir, lui faire comprendre ce qu'il ressentait.

« Je ne lui ai jamais parlé, sinon pour lui demander son nom. Je suis ridicule, pensa Matt sans y croire vraiment. Je ne suis rien pour elle. Rien. »

Et il la revoyait. Son regard noir, mais telle- ment beau et pénétrant. Son corps fuselé. Ses longs cheveux couleur d'ébène aux reflets vio- lets.

« Jamais. Jamais je ne pourrai oublier cette fille ! songea-t-il. Je dois la revoir. Je dois lui expliquer. »

Il voulait lui dire ce qu'il avait découvert : cet or dont il ne voulait pas et qu'il était prêt à échanger contre un seul de ses sourires.

Mais, avant, il lui fallait retrouver Mersh. En finir avec lui.

Il longea pendant plus d'une heure la muraille en effectuant plusieurs détours, gêné par des éboulis, puis il arriva là où l'éperon rocheux émergeait du sol. Alors il le contourna.

Et il comprit ce que Mersh avait fait. Le ter- rain s'élevait jusqu'à rejoindre en une sorte de plateau triangulaire le sommet de la muraille, ce que Matt ignorait et n'avait même pas imaginé. C'est par là que Mersh s'était échappé. Comme il fallait monter une pente à près de quarante degrés, Matt laissa ses chiens et, armé de sa carabine, il grimpa à la recherche d'indices. Il ne décela aucune empreinte, rien qui pût lui don- ner la moindre indication.

Ce n'est qu'en repartant avec ses chiens qu'il aperçut, sur la surface gelée d'un cours d'eau, les copeaux de glace qu'une hache avait enlevés pour puiser de l'eau dans le ruisseau. Le trou avait regelé, mais aucun doute n'était possible. Seul un être humain avait pu faire cela. Matt en eut la confirmation aussitôt en repérant une perche de jeune pin ébranchée dont Mersh avait dû se servir pour faire cuire quelque chose. En grattant la neige, il trouva les cendres d'un feu.

Cette découverte, la preuve matérielle que Mersh était bien vivant, procura en lui un mélange de sentiments assez paradoxal. Il était déçu qu'il se soit échappé mais en même temps rassuré de le savoir vivant ou, du moins, de savoir ce qu'il était devenu.

D'évidence, Mersh avait suivi le ruisseau qui se dirigeait vers le sud. Matt fit de même, s'étonnant que la couche de glace soit aussi épaisse et uniforme. La neige qui la recouvrait était compactée par le vent et ils allaient vite.

Matt ne savait plus très bien après quoi il courait et pourquoi il le faisait. Certes, Mersh avait tenté de le tuer et il était animé d'un certain esprit de vengeance, mais Matt voulait surtout comprendre pourquoi, après lui avoir sauvé la vie, il voulait la lui reprendre ?

Si les circonstances de leur prochaine rencontre le lui permettaient, il s'efforcerait de le faire parler avant de le tuer.

Le ruisseau se jetait dans une rivière au cours plus rapide, donc imparfaitement gelée. Heureusement, ici, la forêt s'ouvrait sur de grands marais où la progression était relativement facile. De multiples traces de caribous s'entre-croisaient et Matt trouvait toujours une piste que les chiens pouvaient suivre, leur évitant d'avoir à brasser dans la neige.

Comme c'était leur première course de l'hiver, Matt s'arrêta avant le soir, choisissant une langue de bois d'où il avait une vue dégagée pour camper. Il massa longuement les chiens, surtout Or dont certains ligaments et quelques articulations s'avéraient douloureux, et alla chasser les perdrix qui caquetaient un peu partout dans les saules. Il en tua treize et en fit cuire une qu'il mangea. Il distribua les autres aux chiens.

Assis face au marais devant son feu, Matt cherchait à mettre un peu d'ordre dans ses idées. Où allait-il ? Il ne connaissait pas la direction prise par Mersh et s'étonnait qu'il ne lui ait pas tendu de piège. Pourquoi, après être redescendu des rochers, n'avait-il pas essayé de le tuer ?

Décidément, Mersh était l'homme le plus imprévisible qu'il ait jamais rencontré.

Si Matt se sentait irrémédiablement attiré par le Sud, il n'en ignorait pas la raison. C'était là qu'*elle* vivait. Plein sud. À deux semaines de marche si le temps se maintenait au froid, ce qui, au demeurant, était peu probable. Au début de l'hiver, il fallait s'attendre à de nombreuses chutes de neige.

Mais c'était sans doute là que Mersh s'était rendu. Ou du moins Matt cherchait-il à s'en persuader car il avait besoin d'une raison pour renoncer à ce projet, une raison qui l'éloigne de Nastasia et de ce village qui le condamnerait. Mersh était son ennemi. Il avait essayé de le tuer. Le village entier serait avec lui. Dès lors, ses chances d'approcher Nastasia étaient quasi nulles. Et quand bien même il y parviendrait, elle le haïrait. Elle le détestait déjà, il l'avait lu dans son regard chaque fois qu'il l'avait croisée. Il était devenu un homme à abattre, et entrer dans ce village revenait à se jeter dans la gueule du loup.

Il fallait se résigner et quitter les environs. Le Grand Nord est vaste et, avec ses chiens, il pouvait aller vite et loin. Mersh n'aurait aucune chance de le retrouver.

Demain, il bifurquerait pour laisser le village loin à l'ouest. Puis il irait à Dawson, et de là, il emprunterait le Yukon vers l'Alaska. Il n'avait pas le choix.

Sa résolution prise, Matt se coucha enfin. Les chiens dormaient déjà. Il ne monta pas de tente et s'enroula dans son sac de couchage doublé de fourrure de lièvre. Il resta longtemps les yeux ouverts sur le ciel constellé d'étoiles comme autant de regards fixés sur lui. Il lui sembla que ces regards célestes étaient ironiques.

58.

Matt s'apprêtait à s'arrêter pour la nuit, après une longue journée de progression, lorsqu'il vit, au loin, le petit point noir grandissant d'un attelage qui venait dans sa direction. Les chiens se mirent à japper puis à hurler, la gueule levée vers le ciel rosissant.

C'était un attelage de huit chiens qui ressemblait à celui de Mersh, mais le conducteur était de plus petite taille et arborait une silhouette plus fine.

Le conducteur stoppa à environ huit cents mètres du campement de Matt, l'étudiant avec une attention particulièrement soutenue.

Matt fouilla dans son traîneau et en sortit la carabine et une paire de jumelles. Il les porta à ses yeux. Le choc lui donna l'impression d'avoir reçu un énorme coup de poing dans la poitrine.

Nastasia.

Elle restait à distance, debout sur le frein pour bloquer ses chiens qui manifestaient une furieuse envie de rejoindre la meute de Matt.

Les yeux toujours rivés à ses jumelles, Matt étudiait l'attelage. C'était celui de Mersh !

Mais que faisait-elle ici, seule, avec les chiens de Mersh ? Était-elle avec lui lorsqu'il l'avait attaqué ? Matt n'y comprenait plus rien. Il aurait dû s'inquiéter de cette présence, mais il n'y parvenait pas. Il était trop heureux de la voir ici et il lui fit de loin un signe de bienvenue auquel elle ne répondit pas.

Bien au contraire, elle mit l'ancre et reconduisit ses chiens dans sa trace, pour faire demi-tour. Excités par la présence d'autres chiens, ils n'obéissaient pas et il l'entendit se mettre en colère après eux. Le son de sa voix traversait l'air immobile sans rien perdre de sa netteté première. C'était aux oreilles de Matt comme une musique aux notes cristallines et harmonieuses. Mais, tout à coup, il se figea alors qu'un jet d'adrénaline parcourait ses veines. Il avait nettement perçu des mots qui n'étaient pas indiens et qu'il avait compris.

Elle parlait la même langue que lui !

Décidément, Matt n'était pas au bout de ses surprises.

À moins qu'il ne s'agisse que de quelques mots appris pour conduire l'attelage de Mersh qui ignorait les ordres indiens ?

Mais elle avait dit : « Tu restes à ta place, tu comprends, oui ou non ? » C'était plus qu'un ordre.

Elle donna le signal du départ et les chiens partirent comme à regret, au ralenti. Matt n'aurait aucun mal à la rejoindre, d'autant plus qu'il filerait sur une piste tassée par deux passages.

Dès lors pourquoi fuir ? Lui tendait-elle un piège ? Servait-elle d'appât ? Assurément. Mersh était là quelque part à l'attendre. Elle servait d'appât...

Il s'en fichait. Il allait la rejoindre et il impro-
viserait. Il ficela son chargement, vérifia ses
lignes et donna l'ordre du départ. L'attelage
arracha le traîneau avec des jappements de plaisir et Matt, surpris par tant de puissance, faillit
lâcher prise. Les chiens n'avaient vu personne
depuis des semaines et étaient surexcités. Ils
galopaient à toute vitesse malgré la couche
épaisse de neige dans laquelle ils avaient à brasser pour atteindre la piste de Nastasia. Dès
qu'ils s'y engagèrent, ils accélérèrent encore, si
bien qu'en quelques minutes ils eurent Nastasia
en ligne de mire. Elle se retournait sans cesse et
Matt ne comprit pas qu'elle ne s'arrête pas. Elle
serait rejointe de toute façon en quelques centaines de mètres. Il s'apprêtait à le lui crier
lorsqu'un coup de feu déchira l'air. Matt entendit siffler la balle juste au-dessus de sa tête et les
chiens, surpris, freinèrent d'un coup.

Matt mit aussitôt l'ancre et se cacha derrière
son traîneau tout en armant sa carabine. Il scrutait les environs à la recherche de Mersh quand
un deuxième coup de feu retentit. Il entendit le
hurlement de douleur de l'un des chiens.

– Nom de Dieu, les enfants de salauds !

Matt s'était levé subitement et cherchait où
pouvait bien être le tireur. Alors il vit Nastasia
lever la main et tirer une troisième fois dans sa
direction. La balle se ficha dans la neige, à sa
droite.

– Un pistolet !

Il leva sa carabine et mit Nastasia dans sa
ligne de mire. Elle était maintenant à plus de
deux cents mètres, mais lui, contrairement à
elle, n'était pas en mouvement et pouvait
s'appuyer sur l'un des montants du traîneau. Il

visa son dos et commença d'appuyer sur la détente lorsqu'il donna un coup d'épaule pour dévier le coup. Aussi grande était sa fureur, il ne pouvait pas faire cela.

Elle s'éloignait. Il ne risquait plus rien pour l'instant. Alors il lâcha sa carabine et se rua vers Chinook qui agonisait dans la neige.

– Mon Chinook ! Mon petit Chinook !

La balle l'avait percuté en pleine poitrine et Matt sut qu'il ne pouvait rien faire. Il se blottit contre lui et l'accompagna dans son dernier souffle. Il resta longtemps ainsi, prostré au-dessus de son compagnon sans vie, l'entourant de ses bras et mouillant de larmes la fourrure de sa tête. Quand il se releva, il avait le visage congestionné par la colère. Entre ses dents, serrées à se casser, il dit :

– Espèce de petite pute d'Indienne ! Tu vas me le payer cher !

Il s'en voulait. Il aurait dû la tuer. Elle n'avait pas hésité, elle, à lui tirer dessus.

Il plaça le corps inerte de Chinook dans son traîneau et alla d'un chien à l'autre pour les rassurer. Or gémissait et il dut longuement la réconforter en lui parlant beaucoup.

– T'inquiète pas, ma Or. On va faire attention maintenant. Tu ne crains rien. Je t'aime, ma Or.

Elle le regardait de ses yeux d'animal blessé, comme si elle cherchait à comprendre le sens exact de ses paroles.

Il se releva et alla à son traîneau resserrer les liens qui tenaient le chargement. Ils n'en avaient pas vraiment besoin, mais il ne savait pas quoi faire. Suivre Nastasia, c'était s'exposer à un

423

risque bien trop grand, car il était forcé de suivre ses traces. Il ne pouvait la contourner et la surprendre en l'attendant quelque part, à l'orée d'une forêt ou dans le coude d'une rivière.

Il décida d'attendre la nuit. Elle s'arrêterait quelque part. Tant qu'elle serait en route, il ne pouvait rien tenter. Il commença à défaire son chargement, mais il se ravisa tout à coup.

Il ne la laisserait pas s'échapper. Il allait la suivre de loin, quitte à stopper souvent les chiens. Il ignorait ce qui motivait son attitude, le désir de vengeance ou son exceptionnelle attirance pour elle, même après qu'elle eut essayé de le tuer, même si elle avait abattu l'un de ses chiens. Mais il refusait de se l'avouer.

– Je vais la tuer et ça sera fini !

Il repartit.

– Doucement, Or ! Doucement !

Les chiens ralentirent. Ils avaient senti la mort et la côtoyer avait refréné leur ardeur. Ils devinaient le danger que représentait cet attelage qu'ils avaient voulu rattraper. Ils écouteraient leur maître. Lui saurait les protéger.

Le paysage était assez ouvert, constitué de vastes collines érodées par le vent auxquelles s'accrochaient de rares pans de forêts de sapins clairsemées. Ils voyageaient entre ces collines, là où des ruisseaux et des marais ouvraient de grands espaces blancs. Partout s'entrecroisaient de multiples traces de caribous et, de loin en loin, celles des loups qui les chassaient.

Quand Matt rattrapa l'attelage de Nastasia, il arrêta ses chiens à cinq cents mètres d'elle, hors de portée. Inquiète, elle se retournait souvent pour mesurer la distance les séparant. Matt eut une idée. Il plaça Or et Skagway, ses deux chiens les plus lents, en tête. Aussitôt, son allure se ralentit et il put demeurer assez loin d'elle en pesant juste de temps à autre sur le frein. Les chiens comprirent vite qu'il était inutile d'accélérer.

Ils allèrent ainsi à six cents mètres l'un de l'autre pendant près d'une heure. Elle se dirigeait plein est, vers le village que Matt voulait contourner. Mais celui-ci était encore loin et la nuit, sans lune, tombait qui ne permettrait pas de continuer à avancer.

Dans la noirceur du crépuscule, il perdait souvent de vue la silhouette de Nastasia pour la retrouver dans les grands espaces dégagés.

Mais bientôt il ne la vit plus. Il était vraiment temps d'arrêter. Il se retrouvait parfois dans le noir le plus total et la conduite du traîneau était dangereuse. Dans un virage qu'il n'avait pas anticipé, il heurta une souche et versa. Se demandant comment Nastasia faisait, il remit ses chiens en ordre et les excita de la voix. Lorsqu'il les lança, ils prirent le grand trot. Ils traversèrent ainsi un marais, puis Matt stoppa à l'orée d'une vaste forêt où la piste s'enfonçait comme dans un tunnel noir.

– C'est pas possible ! Elle n'a pas pu...

Les mots moururent dans sa gorge. Il eut soudain un vague pressentiment. Fébrilement, il chercha dans sa poche ses allumettes. Il alluma une bougie en protégeant la flamme avec ses mains et l'approcha du sentier. Il n'eut pas à aller loin. Toutes les griffes pointaient à contresens. Nastasia n'était pas repassée par ici !

– Nom de Dieu ! Quel con !

En son for intérieur, il ricana. Ainsi, elle l'avait joué et il s'était fait avoir comme un vulgaire blanc-bec. Il éprouva pour elle une sorte d'admiration qui ne ressemblait plus à de la colère. Il suffisait pourtant qu'il repense à son chien pour qu'un rictus de haine barre de nouveau son visage fatigué. Il avait trotté toute la journée derrière le traîneau et il était épuisé, tout comme les chiens, roulés en boule, qui dormaient déjà. Il n'eut pas le courage de les relever pour faire demi-tour. Il planta son ancre, déroula son sac de couchage et s'y blottit tout habillé, après avoir disposé une longue peau de renne sur la neige molle, au bord de la piste.

59.

L'aube n'était pas encore là que Matt avait déjà attelé. Au cours de la nuit, une bruine de neige avait étendu un voile de givre sur le paysage. Nastasia avait prévu cette précipitation qui avait camouflé ses traces, Matt en était certain. Les Indiens savent lire dans le ciel les signes du temps.

Un tout petit croissant de lune riait au-dessus de la ligne sombre des arbres et dispensait un peu de lumière. Il se mit en route en revenant dans ses traces de la veille. Plusieurs fois, il s'arrêta pour essayer de lire les empreintes, mais la couche de neige rendait cette étude difficile d'autant que Mersh coupait les griffes de ses chiens en les arrondissant et qu'elles marquaient donc peu dans la piste gelée.

Ils allèrent ainsi deux heures durant jusqu'à ce qu'il reconnaisse dans un marais en forme de croissant l'un des endroits où il avait vu Nastasia devant lui.

– Et merde !

Il stoppa, étudia longuement les traces et y devina, plus qu'il ne les décela, celles de Nastasia.

– Cette peste !

Qu'il admirait.

Il effectua un demi-tour et repartit une nouvelle fois en sens inverse.

Il faisait maintenant grand jour et le froid tombait grâce au ciel qui s'était entièrement lavé. Bientôt, un soleil blanc s'éleva au-dessus des arbres.

Matt étudiait chaque mètre carré de piste, tous les sapins et autres buissons d'aulnes et de bouleaux nains qui auraient pu dissimuler la piste par laquelle Nastasia avait fui.

Sans les traces d'une martre qui attirèrent son regard, il n'aurait sans doute pas trouvé celle-ci, qui partait derrière un épaulement de terrain formé par les rives d'un ruisseau longeant le grand marais qu'il avait déjà traversé deux fois. La piste avait été comblée avec de la neige qu'elle avait ensuite très soigneusement balayée. La petite bruine avait achevé le travail, que Matt contempla avec une pointe d'estime admirative.

– Mais où est-elle allée ?

Il eut vite la réponse.

En suivant ce ruisseau, on débouchait dans une rivière qui avait gelé tardivement et dont la couche de glace n'était recouverte que de peu de neige, si bien que Nastasia n'avait pas eu à battre la piste. Elle avait filé sur cette belle surface dure. Matt y lança ses chiens avec cinq heures de retard sur elle, peut-être encore plus si elle était partie aux premières lueurs. Une dizaine de kilomètres plus loin, la piste passait par le bois pour éviter une succession de rapides où la glace était inégale. Elle empruntait plus loin un fleuve trois fois plus large que la rivière et où la neige avait été soufflée par le vent qui ne rencontrait ici pas d'obstacle. Les chiens adoptèrent le grand trot sur cette surface de rêve et Matt reprit confiance. En deux ou trois heures, il l'aurait rejointe.

C'est un petit éclat de soleil, une brillance inhabituelle, qui attira son œil et l'avertit d'un danger alors qu'il arrivait en vue d'une chaîne de montagnes que le fleuve longeait.

Elle était là, il en était sûr, sur cette butte, à l'attendre pour le tirer comme un lapin au cas il aurait réussi à retrouver sa trace. Elle s'était mise à l'affût, en profitant pour reposer ses chiens. C'est aussi ce qu'il aurait fait. Décidément, ce petit bout d'Indienne en avait dans le ventre.

Il quitta la trace et arrêta ses chiens dans la frange de sapins qui garnissait les rives. Il les y attacha.

– Je compte sur toi, Or. Tu te tais et tu restes bien sagement ici avec les autres, OK ?

Elle le regardait de ses yeux intelligents avec l'air de comprendre. Il alla ainsi auprès de chaque chien en répétant l'ordre qu'ils connaissaient bien.

– Tais-toi.

Puis il chaussa ses raquettes, traversa la petite forêt de sapins en grimpant la pente et, une fois qu'il eut atteint la limite des arbres, il remonta parallèlement au fleuve vers le point où il avait la conviction d'avoir repéré Nastasia.

Grâce à la hauteur qu'il avait prise en s'élevant au-dessus des arbres, il atteignit vite un endroit d'où il put observer aux jumelles la petite butte au sommet de laquelle, à l'abri d'un gros rocher oblong, Nastasia était à l'affût, une carabine posée devant elle, prête à tirer.

Il en éprouva un curieux mélange de haine et d'amertume coupable. Mais qu'avait-il fait pour qu'elle le haïsse au point de venir jusqu'ici, à sa recherche, pour le simple plaisir de lui trouer la peau et de lui ôter la vie ?

Avant de venger Chinook, il voulait savoir. Mais pourrait-il l'approcher sans qu'elle décèle sa présence ? Il en doutait. Alors il devrait l'abattre. À cette idée, une boule se logea dans son ventre, qui lui vrilla l'estomac. Pourtant, il arma sa carabine, vérifia le mécanisme et fit jouer deux fois la culasse pour s'assurer qu'il était prêt. Alors seulement, en se cachant derrière les sapins épars, il s'approcha. Par chance, la couche de neige fraîche absorbait les bruits de ses raquettes qui l'écrasaient mollement, comme du coton. Dans la dernière pente, il les ôta car il pouvait se laisser glisser silencieusement. Il ne quittait pas Nastasia des yeux. Allongée au soleil sur une peau de caribou, bien à l'abri de la brise, elle était immobile. Le petit replat lui donnait une vue imprenable sur le fleuve qui déroulait l'une de ses grandes boucles au pied de cette butte, excroissance de la montagne par laquelle elle ne pouvait se douter que Matt approchait. Cependant, de là, elle aurait dû voir l'attelage déboucher dans la première boucle et bifurquer vers la forêt. Elle aurait dû être sur ses gardes. Or elle restait parfaitement calme et immobile. Trop calme.

– C'est un piège !

Le sang lui monta aux tempes alors qu'il s'écrasait dans la neige, scrutant autour de lui. Elle avait disposé là une forme et elle était ailleurs, à le guetter !

Il se sentait si vulnérable. À chaque instant, il s'attendait à entendre un coup de feu déchirer l'air et la balle lui traverser la poitrine. Mais rien ne se produisait. Il était pourtant à cinquante mètres à peine du rocher. Il reprit ses jumelles et l'observa minutieusement. Il aperçut des cheveux.

– Elle est morte !

Cette pensée le troubla au plus haut point car il en éprouva un indicible chagrin, d'autant plus absurde qu'il était ici pour la tuer.

Si c'était un piège, elle aurait déjà tiré.

Il s'approcha encore, tous les sens aux aguets, en la contournant quelque peu pour essayer d'apercevoir son visage.

Mais elle était bien là.

Elle dormait, la main posée sur la crosse de la carabine.

Matt ne faisait pas un bruit dans la neige cotonneuse. Il s'approcha encore et resta un instant à deux mètres d'elle, bouleversé par cette jeune fille magnifique aux narines finement dessinées et frémissantes de vie, qui s'était assoupie en l'attendant pour le tuer. Ses cheveux masquaient en partie son visage doré par le soleil et poli par le vent, mais il distinguait ses grands cils qui soulignaient des yeux endormis. Elle était là, à sa merci, celle qui avait tué Chinook, et son cœur s'abîmait dans sa poitrine à cette seule contemplation. Il n'avait jamais ressenti une telle avalanche de sentiments contradictoires.

Elle eut soudain un sursaut, ouvrit les yeux. Un cri strident s'échappa de sa bouche horrifiée quand elle croisa son regard. Il se jeta sur elle et la désarma en envoyant son arme dans la pente. Après une courte bagarre, il réussit à l'immobiliser sous lui, alors qu'elle essayait de le mordre et se débattait comme une furie.

– Arrête ! Arrête ! J'aurais pu te tuer cent fois !
– Tu aurais mieux fait de le faire !

Il fut tellement surpris de l'entendre parler aussi bien que lui qu'il faillit la lâcher. Sous eux, au pied de la butte, les chiens de Mersh aboyaient à tout rompre. Plus loin, ceux de Matt répondaient.

Elle secouait la tête en tous sens, le visage congestionné par la colère et par la peur.

– Comment parles-tu ma langue ?

Elle cracha, plus qu'elle ne répondit :

– Mieux vaut connaître votre langue pour vous combattre !

– Nous combattre ?

– Tous les Blancs sont mes ennemis, toi le premier !

– Mais pourquoi ?

Elle se mura dans le silence, puis, glaciale, elle dit :

– Je suppose que, si tu ne m'as pas tuée tout de suite, c'est parce que tu veux me violer avant. Alors fais vite ! Qu'on en finisse !

À la fois étonné et perplexe, Matt ouvrait la bouche pour lui répondre quand il se ravisa, pensant tout à coup à ses chiens.

– Que tu veuilles me tuer parce que je suis un Blanc, soit, mais Chinook, hein ! Tu as tué Chinook !

Il la secouait, ivre de colère. Elle le regarda, contrariée.

– C'est toi que je voulais tuer, pas le chien.

– Oui, mais c'est lui que tu as tué, espèce de...

Il avait envie de la frapper, mais il arrêta son geste au dernier moment. Soudainement il la lâcha.

432

– Ne bouge pas ou je te tue !

Il avait l'air tellement sûr de lui qu'elle obéit. Elle s'assit, ses bras autour de ses jambes repliées, ses yeux comme ceux d'un animal pris au piège.

– Il va falloir qu'on cause, tous les deux. Que tu m'expliques pourquoi Mersh a voulu me tuer et toi aussi...

– Mersh ! Tu l'as tué ?

Elle avait sursauté quand il avait prononcé son nom.

– C'est lui qui a voulu me tuer.

Elle semblait tout à coup perdue, vulnérable.

– Alors tu l'as tué, c'est ça ?

Sa voix tremblait, fluette, presque attendrissante.

– Non, je l'ai pas tué.

Elle retrouva quelques couleurs en même temps qu'elle souffla de soulagement.

– C'est ton... compagnon, c'est ça ? demanda Matt.

Elle garda le silence un instant, puis une lueur amusée dansa dans ses yeux, aussi brillants que ceux d'un loup.

– Mon compagnon, jamais ! Jamais un Blanc ne sera quoi que ce soit d'autre pour moi qu'un ennemi de la pire espèce.

– Mais... Mersh ?

– Mersh !... Il n'est plus un Blanc. Il fait partie de notre peuple et il est mon père.

Elle avait redressé la tête, fière. C'était au tour de Matt d'être interloqué.

– Ton père !

Il répéta comme pour lui-même, horrifié autant que surpris :

– Ton père ! Mais pourquoi a-t-il voulu me tuer ? Tu le sais, toi qui veux aussi me tuer ?

Elle semblait hésiter.

– Nastasia, dis-le-moi !

Pour la première fois, sa voix s'était faite douce et Nastasia recula instinctivement, ses yeux retrouvant des flammes de haine.

– Ne m'appelle pas Nastasia !

– Je t'appelle comment, alors ?

– Tu ne m'appelles pas. Tu me violes, tu me tues, mais tu ne m'appelles pas.

– Je n'ai pas l'intention de te violer, pas plus que...

– Tu mens !

Ils s'affrontèrent du regard. Matt chavira dans celui de Nastasia. Il retourna son arme et la lui donna.

– Pour te prouver que je ne mens pas et pour que tu me fasses confiance, voilà ! Explique-moi ce que j'ai bien pu faire qui me vaut d'être traqué à mort.

Elle prit l'arme, qu'il retint un moment jusqu'à ce qu'elle le regarde dans les yeux, alors il la lâcha. Elle la dirigea contre lui. Il la défiait toujours du regard. Une moue de victoire lui égayait maintenant le visage.

– Tu es courageux pour un Blanc, alors tu mérites de savoir avant de mourir, car tu vas mourir. Il ne fallait pas me donner ton arme...

Elle se leva et recula tout en continuant à le tenir en joue. Lorsqu'elle se fut écartée de quelques mètres, elle visa un rocher qui émergeait de la neige et tira. Le coup de feu résonna plusieurs fois dans la vallée. Elle fit jouer la culasse et réarma, satisfaite, une lueur de triomphe dans les yeux.

– Tu vois, je ne t'ai pas trompée.

– Tu as été stupide de me donner cette arme, c'est tout.

– Alors ?

– Alors ?

– Oui, tu m'as dit que tu allais m'expliquer.

Elle ne répondit pas. Il attendait.

– Le conseil t'a condamné.

– Ça ne m'avance pas beaucoup.

– Il t'a condamné pour avoir pénétré notre territoire et avoir trouvé son secret.

– Lequel ?

– Tu le sais bien : l'or. L'or que tu t'apprêtes à exploiter avec des centaines d'autres, des milliers d'autres qui vont venir nous spolier de notre dernier sanctuaire...

Sa voix s'était durcie.

– C'est donc ça...

Il réfléchissait à toute vitesse.

– Et Mersh a laissé tomber l'or à cause de ça ?

– Mersh n'a pas besoin d'or. Ici, l'or ne sert à rien !

– Je l'ai compris moi aussi.

– Menteur !

Il chercha son regard.

– Je te jure, Nastasia, que c'est...

– Ne m'appelle pas Nastasia !

Il crut qu'elle allait tirer. Il leva les bras en signe d'apaisement.

– Je te jure que c'est la vérité, la stricte vérité. Je ne veux plus de cet or. Je ne veux rien prendre à ces terres...

– Menteur ! Les Blancs sont tous des menteurs. De sales menteurs qui volent les terres et violent les femmes.

– Je n'ai jamais violé une femme... Quant à cette terre, c'est vrai que j'ai voulu lui voler ce qu'elle avait dans le ventre en arrivant ici. Je ne pensais qu'aux richesses qu'elle allait me procurer et la terre m'a expliqué que la plus belle richesse est ailleurs, dans la brillance d'un coucher de soleil ou dans celle... d'un regard...

Elle baissa les yeux un quart de seconde. Ils restèrent un long moment silencieux.

– Qui t'a violée ?

Elle sursauta et ses yeux lancèrent des flèches.

– Un Blanc comme toi, un sale Blanc a violé ma mère devant moi quand j'avais douze ans, puis il l'a tuée...

Tout son visage était maintenant rouge de haine et de chagrin. Elle tremblait à cette évocation et des larmes perlèrent au coin de ses paupières.

– ... et puis il a voulu recommencer avec moi et m'a pénétrée de son affreux sexe de Blanc.

Matt la regardait avec effroi, s'imaginant l'ignoble scène, l'adorable gamine violée devant le corps de sa mère.

– Mais il n'a pas pu continuer...

Elle refoula un sanglot.

– Mersh ?

– Non, un autre.

– Il l'a tué ?

– Blessé, et puis Mersh l'a achevé un peu plus tard en prenant son temps...

Un long silence s'ensuivit, seulement troublé par les aboiements des deux meutes qui se répondaient de loin.

– Comment as-tu deviné que j'avais été violée par l'un des tiens ?

Elle avait bien insisté sur ces trois derniers mots.

– Tout le dit chez toi. Cette cicatrice est aussi visible qu'une trace dans la neige.

436

– Tu as peur de mourir ?

– Depuis que je te connais, oui.

– Qu'est-ce que ça veut dire ?

– Que je n'ai jamais eu vraiment envie de mourir, mais, maintenant que je te connais, encore moins...

– Pourtant je vais te tuer et tes belles paroles n'y feront rien.

Elle avait redressé l'arme et sa main se crispait sur elle. Elle avait l'air totalement décidée. Matt leva la main.

– Attends ! Ne tire pas tout de suite. Laisse-moi te dire une dernière chose.

– Quoi !

Elle paraissait impatiente. Cette conversation avait rouvert des plaies. Elle imaginait qu'elle les refermerait en en finissant avec lui.

– Quitte à mourir, autant que tu le saches.

Avec un haussement d'épaules dédaigneux, elle lui fit signe de continuer. Tout son être exprimait le dégoût.

Il baissa les yeux cette fois, incapable d'affronter son regard.

– Je... je t'aime, Nastasia, depuis le premier jour où je t'ai vue. J'ignorais qu'une chose pareille soit possible. Mais je ne cesse de penser à toi. Je voudrais... je voudrais arriver à atténuer ta souffrance. Je voudrais que tu me comprennes, que tu me regardes sans haine... que...

Il releva les yeux qu'il avait embués de larmes.

– Nastasia...

Les veines de son cou saillaient comme les cordes d'un arc, prêtes à rompre.

– Ne m'appelle pas comme ça. Sale Blanc ! Aucun homme et surtout pas un Blanc ne me touchera jamais, ni ne pourra me parler comme tu as osé le faire...

Il ouvrit la bouche pour répondre, mais elle avait porté l'arme à son épaule. Il ferma les yeux.

Elle visa la poitrine de Matt, puis son ventre et enfin son genou. Elle appuya sur la détente.

La déflagration parut énorme. Une gerbe de sang éclaboussa la neige derrière Matt alors que la balle, après avoir traversé sa jambe, un peu en dessous du genou, ricochait sur le rocher et s'en allait en sifflant, comme pour se moquer de ce qu'elle avait fait.

À la brûlure succéda la douleur, terrible et tellement aiguë qu'il perdit connaissance pendant quelques minutes.

Quand il rouvrit les yeux, Nastasia disparaissait dans la pente. Elle avait laissé l'arme à mi-chemin, crosse plantée dans la neige.

– Nastasia, réussit-il à articuler.

Mais elle était partie.

Matt resta un long moment immobile, pris de vertige, la mâchoire serrée pour tenter de maîtriser la douleur. Il perdait beaucoup de sang et c'est ce qui le força à bouger, à agir. Avec son couteau, il tailla une lanière dans le bas de sa grosse chemise de laine et noua un garrot au-dessus du genou. Il vit que la balle avait éclaté l'os et arraché pas mal de chair. Il s'évanouit de nouveau.

Lorsqu'il se réveilla, il ne savait plus depuis combien de temps il gisait là, ni ce qui s'était réellement passé. Il avait froid et il rampa jusqu'à la peau de caribou abandonnée par Nastasia. Il s'enroula du mieux qu'il put et ferma les yeux sur sa douleur.

60.

Matt rouvrait les yeux par intermittence et dénouait le garrot pour le resserrer dès qu'un peu de sang était passé et avait de nouveau irrigué les veines. Bientôt, le sang cessa de couler et il défit entièrement le garrot. La douleur se réveilla, le faisant gémir.

De grosses gouttes de sueur perlaient sur son front et il avait terriblement chaud. Il ouvrit sa veste et offrit son torse aux affres du froid, ce qui lui fit du bien. Alors seulement, il reconstitua toute la scène. Contrairement à ce qu'il avait pensé en premier lieu, elle n'avait pas tenté de le tuer. Si elle avait raté son coup, elle n'aurait pas atteint le genou. Elle avait délibérément cherché à le blesser. Pour le faire souffrir ou parce qu'elle avait entendu sa sincérité, à moitié. Il préférait croire à la seconde explication.

Il la revoyait. Ses yeux baignés de larmes et cette douleur qu'elle portait en elle, et il en éprouva de la pitié. Aucune rancœur. Il allait essayer de ne pas mourir car il voulait la revoir, s'excuser de lui avoir dit trop tôt qu'il l'aimait, la convaincre de ce que le pays avait modifié en lui et qui le rapprochait d'elle.

Mais comment ne pas mourir quand il faisait moins trente, que la nuit allait tomber et que son traîneau était à un bon kilomètre, si tant est qu'il puisse le rejoindre avec une jambe en moins ?

Matt regarda le ciel, mauve et rose à l'ouest, ce qui laissait augurer d'une nuit claire et donc glaciale. Pour monter jusqu'ici, il s'était dévêtu et avait laissé sa veste sur son traîneau.

Seul un feu pouvait le sauver.

Il se tourna vers la forêt. Il allait essayer d'atteindre les premiers sapins. Il le fallait s'il voulait survivre.

Il se mit à ramper en traînant le poids mort de sa jambe, attisant la douleur et rouvrant la plaie où le sang avait commencé à coaguler. Un sillage rouge le suivait comme une injure sur la neige immaculée. Il serrait les dents sur le col de sa veste pour ne pas hurler et continuait d'avancer, coûte que coûte. S'il s'arrêtait, il ne bougerait plus. Pourtant, il dut stopper car il perdit encore connaissance. Quand il voulut repartir, il fut secoué de vomissements.

– Je peux plus... je peux plus...

Il s'excusait presque d'être incapable d'avancer plus.

Il leva la tête lorsqu'il entendit ses chiens hurler au loin et puisa dans le peu de force qu'il lui restait pour crier :

– Or ! Orrrrrrr ! Orrrrrrr !

Il recommença après avoir repris son souffle.

– Or ! Or, viens ! Viens, Or !

Et il sombra de nouveau.

Lorsqu'il s'éveilla, Or le léchait et grattait son épaule. Elle avait entraîné l'attelage sur ses traces après avoir réussi à casser la lanière de cuir qui retenait le traîneau à un sapin.

– Or! Ma petite Or, dit-il faiblement.

Skagway et Dyea s'approchèrent en gémissant, la queue basse. Matt leur prit l'encolure et les félicita, encourageant le reste de l'attelage qui n'osait pas avancer à faire de même. Il se retrouva bientôt sous une masse de poils, submergé par ses chiens et par l'émotion.

– Mes chiens! Mes petits chiens...

Il les caressait et ils le léchaient en retour.

– Sans vous, je ne suis rien, rien...

Épuisé, vidé d'une partie de son sang, ému, il se mit à pleurer. Cela lui faisait du bien, le réconfortait d'une certaine manière. Il resta un long moment ainsi au milieu de ses chiens, puis il se dégagea en grimaçant de douleur.

– Putain de jambe!

Il défit les nœuds qui s'étaient formés quand les chiens s'étaient rassemblés autour de lui et il se traîna jusqu'au traîneau sur lequel il se hissa.

– Or, devant!

La secousse lui arracha un gémissement de douleur.

– Doucement... doucement! arriva-t-il à prononcer.

Or suivit la trace que Nastasia avait faite jusqu'à la forêt et stoppa aussitôt que Matt, incapable d'articuler un ordre, pesa de sa jambe valide sur le frein à la hauteur d'un gros pin mort sur pied. Les chiens, surpris, se retournèrent et virent Matt ramper jusqu'à un sapin, non loin de là, pour en casser les branches les plus basses.

Il lui fallut un long moment pour construire son feu et scier quelques bûches, mais il put bientôt se reposer auprès des flammes et surtout se faire chauffer un peu d'eau et cuire du lard.

Cela lui fit du bien. À la nuit tombante, il détela les chiens auxquels il distribua quelques morceaux de viande de cheval congelée, puis il s'attaqua à sa blessure. Au moyen d'une petite pince qui lui servait à recoudre les harnais, il ôta les morceaux d'os fichés ici et là dans la chair. Grâce au froid qu'il laissa insensibiliser la zone abîmée, Matt put nettoyer la plaie et la désinfecter. Il s'aperçut que l'os, bien qu'entamé aux trois quarts, n'était pas brisé et tenait encore. Il compara son os à un arbre dont le tronc, entaillé à la base, reste un moment en équilibre avant de commencer à pencher puis de s'écraser au sol. L'os casserait s'il le sollicitait de nouveau, comme il l'avait fait pour se rendre jusqu'ici, et il se promit de faire attention.

À la lueur de sa lampe frontale, il se fabriqua une attelle en travaillant au couteau une demi-bûche prise dans la partie basse, non noueuse, du pin. Dès qu'il eut fini, il s'écroula littéralement dans son sac de couchage et s'endormit aussitôt.

Il se réveilla quinze heures plus tard, mangea, distribua de nouveau de la viande à ses chiens et se rendormit. Il émergeait par moments mais se sentait incapable de se lever. La tête lui tournait et il avait des nausées. Il s'inquiétait. N'avait-il pas perdu trop de sang ?

Il demeura dans cet état semi-léthargique pendant trois jours, puis la neige le contraignit à bouger pour monter sa tente. Il eut le plus grand mal à rester debout et encore plus à couper les perches dont il avait besoin. Mais l'exercice lui fit du bien. Dès lors, il se força à se lever plusieurs heures par jour. Comme les vivres commençaient à manquer, il allait poser des collets de plus en plus loin et libérait par groupe de deux ou trois les chiens qui chassaient aux alentours. Ils attrapaient quelques perdrix et de temps à autre un lièvre, mais ils dépensaient pour cela à peu près autant d'énergie qu'ils en récupéraient. Ils maigrissaient, ce qui consternait Matt. Malheureusement, il n'y pouvait rien.

Puis il eut une chance incroyable. Un fabuleux coup de pouce du destin qui le regonfla d'énergie.

Un soir, alors qu'il sciait des bûches devant sa tente, les chiens se mirent à aboyer furieusement, tous dirigés vers le fleuve où Matt aperçut deux élans à un peu moins de deux cents mètres de lui. Ils traversaient le fleuve vers eux mais s'étaient arrêtés en entendant les chiens. Matt se rua sur sa carabine alors qu'ils faisaient demi-tour et il tira les cinq balles du chargeur sans prendre le temps de voir si elles atteignaient leur but.

Il toucha l'élan qu'il ne visait pas, n'ayant pas effectué la correction nécessaire. Atteint à l'arrière du dos, en pleine colonne vertébrale, l'animal n'alla pas loin. Il essaya de se hisser sur la berge et finalement s'affaissa au bas de celle-ci. Matt attela et se rendit auprès de lui, l'achevant d'une balle dans le cou. Il se mit aussitôt à la tâche et le découpa jusqu'à ce qu'il ne reste plus d'autre viande que celle attachée sur les os. Alors il libéra les chiens qui se gavèrent, notamment de tous les abats qu'il leur laissa, à l'exception du foie qu'il cuisina le soir même. Il marchait de mieux en mieux avec sa jambe malade. L'os se reformait déjà et la plaie, après avoir longuement suppuré, cicatrisait enfin.

Il neigea et venta pendant cinq jours, puis le vent tourna et cessa quand le froid s'abattit. Toute la nuit, Matt entendit les arbres claquer sous l'effet du gel et de la glace qui, en s'épaississant, craquait sur le fleuve endormi.

Le lendemain, son thermomètre marquait moins cinquante et un. Il ne sortit que pour aller chercher un peu de bois et le fendre afin de continuer à charger le petit poêle qui maintenait dans sa tente de toile une douce chaleur. Et là, immobile et silencieux pendant des heures, il rêva de Nastasia, revoyant dans la brillance de ses yeux les flammes d'une haine incontrôlable, qui la rendaient plus belle encore, bien que de plus en plus inaccessible.

61

Matt demeura presque cinq semaines à cet endroit, vivant avec ses chiens sur le grand élan que la Providence avait guidé à portée de carabine, alors qu'il eût été incapable de se lancer sur les traces d'un animal.

S'il revoyait Nastasia, il lui raconterait qu'il avait survécu en se traînant pendant des jours sur une piste, pour l'impressionner. Mais il eut vite honte de cette idée. Il ne mentirait jamais à Nastasia, pas à elle. Il lui dirait la vérité et elle y verrait un signe des dieux de la taïga, qui voulaient qu'il vive parce qu'ils l'avaient compris.

Sa blessure avait bien cicatrisé et l'os s'était reformé avec une sorte de cal qui lui faisait une excroissance oblongue sur le côté du tibia. Il pouvait maintenant marcher sans s'appuyer sur une perche, mais une douleur persistait, qui s'estompait au repos et réapparaissait invariablement après qu'il eut un peu sollicité sa jambe.

Il hésitait sur la conduite à tenir. Devait-il prolonger sa convalescence ou forcer sa rééducation ?

De toute façon, il n'avait pas vraiment le choix. Ses provisions de viande s'épuisaient.

Dans quelques jours, il lui faudrait repartir sur une piste fraîche.

Il s'étonnait de ne pas avoir reçu la moindre visite. Il s'attendait à celle de Mersh ou d'un Indien envoyé par Nastasia. En revanche, il doutait qu'elle eût envie de le revoir après ce qu'il lui avait avoué. Il s'en voulait. Il n'avait pas fait preuve de beaucoup de tact. Mais, pour Nastasia, il se refusait à calculer comme on le fait vis-à-vis d'une fille avec qui il convient de jouer au chat et à la souris. Nastasia était à part. Elle était celle pour laquelle il était prêt à tous les sacrifices, toutes les folies. Il se sentait capable de l'attendre cent ans s'il le fallait. Il se sentait capable de rester auprès d'elle toute sa vie sans la toucher si c'était son choix. Il ferma les yeux, et une sorte de vertige le saisit. Non, il ne pourrait pas résister à l'envie de la prendre dans ses bras, de respirer son odeur, de caresser ses cheveux, de lécher sa peau... Ses pensées l'enivraient, le rendaient fou.

– Nastasia ! Où es-tu ?

Il souffrait.

Il se remémorait leur conversation et y cherchait des raisons d'espérer. Ne lui avait-elle pas dévoilé son plus grand secret ? N'était-ce pas là une preuve de la confiance qu'elle commençait à lui accorder ?

Jamais il n'aurait imaginé qu'une rencontre puisse le marquer à ce point. Il était anéanti par cette fille. Il ne pouvait songer à autre chose, ni envisager un avenir, un projet. Elle occupait tout son espace et il étouffait. Il écrivait son nom dans la neige, il le criait dans ce silence qui lui devenait insupportable. Heureusement, il y avait les chiens, Or, Manouane, Skagway et les autres. Il restait de longues heures auprès d'eux, il leur parlait de Nastasia et ils l'écoutaient.

– Tu dois me comprendre, Or, lui disait-il, je deviens dingue. Je pense à elle nuit et jour, sa souffrance est devenue la mienne et je serais prêt à endurer toutes les peines du monde pour la décharger un peu de son fardeau. Mais où est-elle ? Que fait-elle ? Que dois-je faire ?

Il avait l'air désemparé et il l'était. Or semblait ressentir son trouble qui était plutôt du désarroi. Elle se penchait vers lui, posait une patte sur son épaule, le léchait. Il la caressait longuement en lui pétrissant les bajoues. Les autres, surtout Dyea, Yukon et Manouane, réclamaient leur part de caresses, alors il allait de l'un à l'autre. Ils étaient superbes maintenant que leur poil d'hiver s'était épaissi et qu'ils avaient repris du poids. De vrais athlètes, prêts pour de grandes courses.

– Où aller ?

Il voulait revoir Nastasia, mais il se méfiait de Mersh et des Indiens. Matt était condamné par ce village. Rien n'y ferait. Mais pourquoi n'avait-on pas cherché à le retrouver alors que, blessé, incapable de bouger, il était une proie facile ?

– Je deviens à moitié fou, dit Matt tout haut, pour entendre le son de sa voix.

Cela faisait des mois qu'il n'avait pas parlé à qui que ce soit, à l'exception de cette brève conversation avec Nastasia, et il commençait à en ressentir les effets pervers. Il avait de plus en plus de mal à raisonner et se méfiait de lui-même.

« Il faut que je retourne auprès des hommes », se dit-il.

Et il se mit à penser à Marie pour la première fois depuis des semaines. Ce qui l'étonna sans le gêner. Elle l'aiderait sûrement. Du moins pourrait-il lui demander conseil, lui faire part de ses doutes et de ses espoirs.

Enfin, il avait un plan.

Il allait chasser, puis quand il se serait procuré de la viande, il se rendrait à Dawson. Voilà ce qu'il allait faire.

Dès le lendemain, il attela ses chiens. Depuis le passage de Nastasia, il avait neigé, mais le vent avait sculpté une sorte d'arête sur le bord de sa piste et Manouane pouvait la suivre. C'était une journée magnifique, sans vent. Les chiens semblaient heureux de repartir et cette allégresse, cette jubilation, gagna Matt, qui se mit à fredonner gaiement à l'arrière du traîneau. Ils filèrent ainsi, sur le cours de la rivière gelée, pendant deux jours, jusqu'à ce qu'ils croisent les traces fraîches d'une petite harde de caribous alors qu'ils traversaient une zone de grands marécages. Encore une fois, Matt eut de la chance. À peine une heure après avoir quitté ses chiens, il repéra les caribous au bord d'un petit lac gelé et put les contourner à bon vent. Il en abattit trois, ce qui lui constituait une provision de viande pour une bonne dizaine de jours, exactement ce qu'il lui fallait pour aller jusqu'à Dawson, surtout si ce temps tenait.

Il préservait sa jambe de tout effort inutile et, à condition de ne pas forcer, de marcher lentement et régulièrement, il avait l'impression que la marche en raquettes faisait travailler des muscles qui en avaient besoin.

Il resta un jour près des caribous dont il distribua les intérieurs aux chiens et sur lesquels il préleva toute la viande ainsi que les peaux, puis il repartit vers le sud, en suivant toujours la piste de Nastasia sur la rivière. Il la quitta lorsque celle-ci abandonna le lit gelé du fleuve pour prendre un sentier de portage indien. Les grands froids de ces derniers jours avaient gelé les zones ouvertes que Nastasia avait voulu éviter et Matt put les emprunter. En bas des rapides, il ne retrouva pas sa piste. Elle avait dû bifurquer vers l'ouest pour rejoindre le village. Ne pas la suivre fut un déchirement. Matt demeura là un long moment, cherchant dans l'atmosphère le parfum de celle qu'il aimait plus que tout. Il lui parla. Il se disait que ses mots allaient voyager avant de mourir. Peut-être allaient-ils, emportés par le vent, l'atteindre dans son subconscient.

– Je deviens complètement con !

Matt haussa les épaules. Il ordonna aux chiens de s'élancer, en même temps qu'il donna un coup de reins pour décoller l'arrière du traîneau. Cela raviva la blessure de son épaule, celle de Mersh. « Décidément, pensa Matt, c'est une manie dans la famille que de me blesser ! »

Durant quatre jours, il alla ainsi, sans se presser. Il alternait la raquette devant les chiens, pour les aider dans la neige profonde, et la conduite du traîneau dès que la neige, sur les hauts plateaux, était un peu plus tassée. Il passa plusieurs cols. Dans ce massif, il vit des hardes de caribous, quelques mouflons et même des ours noirs qui se gavaient de myrtilles gelées sur le flanc dégarni de certains sommets. Leurs derniers repas avant un long hivernage.

Matt ne savait plus très bien pourquoi il allait à Dawson, l'envie peut-être de contempler une dernière fois la ville pour mieux la quitter, le désir de revoir sa cabane, d'y prendre ce dont il avait besoin ou qu'il souhaitait emporter avec lui.

Il s'arrêta une journée entière aux confluents de deux torrents de montagne pleins de truites dont il se gava ainsi que les chiens. Le soir, il alluma un grand feu sous le tronc calciné d'un pin foudroyé et admira le coucher du soleil sur les étendues neigeuses le disputant aux plaines de lichen. Dans le ciel qui se chargeait à l'est de larges nuages blancs, Matt lut la venue prochaine de fortes chutes de neige. Bientôt, elle recouvrirait tout.

C'est alors qu'il vit à l'horizon deux cavaliers sur sa piste !

Il se rua sur sa carabine qu'il chargea et se posta derrière un des nombreux rochers essaimés sur l'alpage où il campait, au bord du ruisseau.

Ce n'étaient pas deux cavaliers, mais deux chevaux, l'un monté par un cavalier et l'autre tenu à la longe. Ce n'était pas un cavalier mais une cavalière, qu'il eût reconnue entre mille.

Nastasia.

Son cœur ne fit qu'un bond dans sa poitrine et Matt fut soudain pris de vertige, incapable de mettre de l'ordre dans ce qui se bousculait dans sa tête. Qu'allait-il faire ? Qu'allait-il lui dire ? Il aurait voulu se préparer à cette rencontre. Or elle arrivait. Elle venait droit sur lui.

Nastasia arrêta ses chevaux à une dizaine de mètres de lui, les attachant à une touffe de jeunes pins. Ils soufflaient fort, épuisés par une longue course qui les avait habillés de sueur. Elle avait, elle aussi, le visage baigné de sueur, qui lui donnait une brillance toute particulière, faisant ressortir le brun de ses yeux et le noir de ses cheveux. Elle se redressa avec une sorte de ricanement ironique en le voyant debout, la carabine à la main.

– Alors, comme ça, tu as survécu ?

– Comme tu peux le voir.

– Je pensais que tu étais mort.

– Tu n'as pas cherché à me tuer.

– La mort est une délivrance. Mourir d'une blessure est autre chose.

– Toutes les blessures peuvent se guérir, même la tienne...

Son visage se fit de nouveau dédaigneux.

– Comment as-tu su que j'étais vivant ? poursuivit Matt.

– Les Indiens savent tout ce qui se passe chez eux.

– Mais encore ?

– Un groupe de chasseurs a relevé tes traces près de la rivière Siwatchii.

– J'ignore quelle rivière s'appelle ainsi.

Elle rit avec une certaine condescendance.

– Vous lui avez donné un nouveau nom, mais elle n'en veut pas.

– C'est la Kluane ?

Elle ne répondit pas. Un silence s'installa. Il la contemplait, subjugué par sa beauté. Elle regardait autour d'elle, les chiens, le traîneau, le feu...

– Que cherches-tu ?

– Je ne veux pas que tu tues mon père.

– Mersh ?

– Quand il a appris que tu étais encore vivant malgré ce que... ce que je t'avais fait, il est parti aussitôt, comme un fou. Il se doutait que tu allais te rendre à Dawson pour l'or et il t'attend quelque part.

Du menton, elle montra les montagnes vers le sud. Matt n'y comprenait plus rien.

– Mais... mais, pourquoi es-tu ici ? Pour me prévenir ?

Une lueur d'espoir avait teinté ses yeux clairs et elle y répondit par un haussement d'épaules.

– Ainsi Mersh ne s'est pas trompé, tu vas à Dawson pour l'or ?

– Non.

– Pourquoi, alors ?

– Pour récupérer ce que j'ai à récupérer dans ma cabane, pour dire au revoir à la ville et pour envoyer une lettre à ceux que j'aime, chez moi, à ma mère, pour lui expliquer...

– Lui expliquer quoi ? Que tu as trouvé de l'or ?

– Oui, que j'ai découvert ici des trésors, mais je ne parlerai pas de l'or.

– Tu parleras de quoi alors ?

– De ça...

Il fit un demi-tour sur lui-même et montra le paysage dans lequel Nastasia était. Elle semblait le sonder, une moue dubitative barrant son visage.

– Tu veux du thé ?

Elle ne répondit pas. Il lui servit une tasse, qu'elle prit puis qu'elle jeta brusquement. Matt sursauta.

– Je suis ici pour Mersh, pour rien d'autre, explosa la jeune fille. Je te hais avec tes belles paroles et ton thé puant de sale Blanc !

Matt ne put réprimer un mouvement de surprise.

– Je te comprends, Nas...

Il se reprit, ne prononça pas son prénom.

– Je te comprends. Si j'avais vécu la moitié de ce que tu as vécu, je serais sans doute moi-même aussi haineux envers ceux qui représentent...

Elle lui coupa sèchement la parole.

– Je ne veux pas de ta sollicitude, tu m'entends ?

Il fit signe que oui.

– Je n'ai toujours pas compris pourquoi tu es ici.

Elle attendit un moment avant de répondre.

– Parce que Mersh est devenu bizarre ces derniers temps et qu'il existe une chance que ce soit toi qui le tues.

– Ah, c'est donc ça. Tu es là pour le protéger.

– Ou pour le soigner...

– Comment ça ?

– Il a changé. Il passe son temps à parler tout seul. Il est devenu incohérent. Il est même parti sans ses balles ! Avec une carabine mais sans munitions. Jamais il n'aurait oublié ses munitions avant. Jamais, lui avoua-t-elle comme à regret.

Elle semblait maintenant démunie, triste, et son visage n'exprimait plus que lassitude, inquiétude, fatigue. Il se retint pour ne pas aller la prendre dans ses bras. Mersh était tout ce qu'elle avait et elle avait peur pour lui. Elle avait peur qu'il ne lui arrive malheur. Mais alors pourquoi ne l'avait-elle pas suivi pour le tuer, lui ? N'était-ce pas la meilleure façon de protéger Mersh ?

Elle le lui dit sans qu'il ait à poser la question.

– Je voulais te tuer, mais avec tes chiens j'aurais eu du mal à t'approcher suffisamment.

– C'est donc ça...

– Et puis je voulais te dire que ton mensonge avait été dévoilé.

– Quel mensonge ?

– Celui que tu m'as fait en m'assurant que tu n'exploiterais pas l'or.

– C'est la vérité. Je ne vais pas à Dawson pour enregistrer un claim là-bas.

Elle demeura un instant silencieuse.

– Je te crois, dit-elle finalement après avoir réfléchi.

Il se redressa vivement, surpris, mais elle contemplait le ciel. Il admira sa fine silhouette qui se découpait dans l'azur du crépuscule.

– Ne me regarde pas comme ça.

– Comment ?

– Comme un loup qui tourne autour de sa proie.

Elle s'était rapprochée de lui, à le toucher.

– Jamais, tu m'entends, jamais, et je le jure sur tout ce que j'ai de plus précieux, tu ne poseras la main sur moi.

Elle ajouta :

– Et la parole d'un Indien est aussi droite que la trajectoire d'une flèche.

Matt fit un mouvement pour la prendre par les épaules, mais il retint son geste juste à temps. Son visage s'était durci.

– À mon tour de te faire une promesse que tu peux croire ou non. Peu importe. Jamais, Nastasia, et il s'était autorisé cette fois à l'appeler par son prénom, jamais je ne te toucherai ni n'autoriserai quiconque à te toucher sans que tu sois consentante...

– Peut-être qu'un jour, lointain, un Indien aura ce droit.

Matt ne put réprimer une sorte de soupir.

– Bon ! Et Mersh alors. Qu'est-ce que je fais ? Je me laisse tuer ?

– Si tu veux.

Il sourit.

– Par toi je veux bien, mais par Mersh... je suis un peu réticent.

Elle n'appréciait pas son humour et le lui fit comprendre sans prononcer un mot.

– Tu penses qu'il est où ?

– Sur ta route ou à t'attendre à ta cabane.

– Sans arme.

– C'est le problème. S'il avait une arme, je ne serais pas ici. Il t'aurait tué facilement et puis voilà.

– Il a déjà échoué et pourtant il avait une arme...

Elle haussa les épaules dédaigneusement.

– Autrefois, il t'aurait tué d'une seule balle à deux cents mètres et tu n'aurais même pas eu le temps de t'en apercevoir...

Matt esquissa un sourire.

– Comme l'élan ?

– Encore une leçon que tu n'as pas comprise. Nous aurions dû nous en douter. Un Blanc ne mérite pas qu'on lui donne une leçon. Il est aveugle.

Matt, piégé, restait silencieux. Nastasia, sur ce point, avait raison. Il n'avait pas compris la leçon de l'élan. Il était subjugué par Nastasia. Par l'éclat de ses yeux qui s'allumaient telles des braises lorsqu'elle était en colère.

– Bon, voilà ce que je te propose. Tu me suis jusqu'à la cabane. Puisqu'il me cherche, le meilleur moyen de le trouver est de rester avec moi, non ?

Elle approuva d'un signe.

– Et lorsqu'on l'aura trouvé, tu lui expliqueras.

– Quoi ?

– Que ça sert à rien de me tuer, que je ne veux pas de l'or et que...

Il hésitait.

– Et que quoi ?

– Que je ne suis pas une menace pour toi.

– Je ne le crois pas moi-même. Un Blanc est capable du pire pour avoir ce qu'il veut. Ça, il ne le croira pas.

– Sauf si tu le lui dis toi-même.

– Je veux bien le lui dire si tu me donnes ta parole de disparaître aussitôt après.

– Si tu le souhaites...

Elle soupira.

– Je le souhaite déjà. Dans quelques jours, ce souhait se transformera en une question de vie ou de mort pour toi. Ne te fais aucune illusion.

62

Elle avait paqueté son bagage à l'arrière de sa selle dans une sorte de double sac de cuir joliment décoré de fils de couleur brodés.

– Comment obtenez-vous ces couleurs ? osa demander Matt, qui regretta aussitôt.

– Laisse-moi. Je suis fatiguée.

Il resta un moment debout, un peu stupide, les bras ballants, puis il retourna près de son feu d'où il l'observa. Elle posa des entraves à l'un des chevaux qui s'en alla brouter dans l'alpage, suivi du second, puis elle construisit son propre feu, y fit cuire une galette et ce qui ressemblait à de la viande. Elle s'enroula ensuite dans une grande couverture de peau et de fourrure de lièvre blanc.

Matt jubilait. Ils allaient passer plusieurs jours ensemble et cela lui suffisait.

Il se coucha lui aussi, non sans avoir jeté vers le ciel un regard inquiet. Un épais matelas nuageux s'étendait et il craignait pour la nuit une tempête de neige.

Il se réveilla au petit matin en entendant craquer un feu. Il n'avait pas neigé. Il aurait dû s'en douter car Nastasia ne s'était pas protégée, et les Indiens savaient mieux que quiconque lire dans le ciel.

Il hésita sur la conduite à tenir. Allait-il allumer un feu à vingt mètres du sien? C'était idiot, et il alla dans le ruisseau remplir sa théière qu'il posa près de celle de Nastasia. Ils n'échangèrent pas un mot. Elle but, mangea rapidement et partit chercher ses chevaux qui paissaient en haut de l'alpage, là où l'herbe est la plus riche.

Elle redescendit à cru sur l'étalon dont la robe était aussi noire que ses cheveux. Des bouffées d'émotion submergeaient Matt, incapable de détacher ses yeux de cette vision.

Elle arrivait sur lui.

– Il va neiger la nuit prochaine... beaucoup de neige. Combien de jours pour ta cabane?

– Avec les chiens, deux jours... sans traîner.

– Ne t'occupe pas de moi, je suivrai. Avec deux chevaux on peut aller vite. Il y en a toujours un qui se repose. On ferait mieux de se presser, ajouta-t-elle comme un reproche.

Elle était levée depuis longtemps déjà et l'attendait. Il s'en voulut d'avoir dormi si tard, mais la veille au soir il avait mis du temps à trouver le sommeil et, quand il avait enfin réussi, il avait fait de drôles de rêves où Mersh, Nastasia, Marie, tout s'était mélangé.

Il se hâta. Elle avait raison. Autant profiter de ce que la neige n'était pas trop épaisse pour avancer sans peiner. Il soigna son chargement. Il voulait que ses chiens démarrent de façon impeccable.

Ils durent percevoir l'inhabituelle tension de Matt car ils obéirent à la perfection. Satisfait, il sentait collé dans son dos le regard de Nastasia. Ils démarrèrent en trombe, en suivant le long du torrent des plaques de neige soufflées par le vent, qui faisaient une sorte de piste. Puis il se heurta dans le creux de la vallée à de la neige plus profonde. Il laissa les chiens brasser pendant une heure et prit le relais en raquettes. Nastasia suivait, tantôt au trot quand les chiens allaient vite, tantôt au pas. Elle s'était couverte avec une sorte de grande cape qui la rendait encore plus belle et, plusieurs fois, Matt se retint pour ne pas courir vers elle et la prendre dans ses bras et lui redire combien il l'aimait. Mais il restait sage et silencieux, bien décidé à ne pas commettre deux fois la même erreur. Il observait le paysage, cherchant des traces de Mersh ou un endroit où il aurait pu lui tendre une embuscade.

Mais il avait dû emprunter une vallée parallèle et aller jusqu'à sa cabane. C'est là qu'il l'attendait. Matt en était certain et il aurait été incapable de dire pourquoi.

Ils avancèrent ainsi jusque vers midi lorsque Matt avisa un grand pin sec sur pied qu'il abattit pour bâtir un feu. Pendant ce temps, avec ce qu'elle avait dans son sac, Nastasia prépara un frugal repas de boulettes de viande et de galettes. Matt prit la part qu'elle lui tendit.

– Ça fera gagner du temps.

Il remercia. Il se doutait bien qu'elle n'avait pas agi par gentillesse.

Il distribua un peu de viande aux chiens et leur donna à boire, puis ils repartirent. En fin de journée, ils traversèrent une rivière imparfaitement gelée et c'est Nastasia qui ouvrit la marche. La rivière était assez profonde et le traîneau prit l'eau, ce qui les contraignit à camper plus tôt que prévu pour faire sécher les affaires de Matt. À peine s'étaient-ils arrêtés qu'il se mit à neiger. Matt sortit sa tente et commença à la monter. Il espérait qu'elle consentirait à partager celle-ci, mais elle se construisit avec deux peaux et une claie de branchages un petit abri au bord duquel elle se fit un feu et se prépara à manger. Matt se replia sous sa tente et, la mort dans l'âme, mangea sans appétit. Il avait tant de choses à lui dire, tant de questions à lui poser, tant besoin de lui parler, de la regarder. Que n'aurait-il donné pour la voir sourire ! Il l'observait par l'entrebâillement de la tente et cherchait un prétexte pour la rejoindre, mais il n'en trouva aucun. Finalement, il sortit nourrir ses chiens et alla jusqu'à elle qui se préparait à se coucher.

– Nastasia ?

Maintenant il osait l'appeler comme ça. Elle répondit par un vague grognement qui voulait dire qu'il l'ennuyait.

– Je préparerai un déjeuner pour toi, tôt, dans la tente. On gagnera du temps comme ça.

– On gagnera rien du tout. Mon feu sera allumé bien avant le tien et je serai prête.

– Comme tu voudras.

Elle se retourna pour dérouler sa couverture. Il s'en retourna, dépité et un peu furieux contre lui-même. Il n'aurait pas dû aller la voir. Elle ne voulait pas lui parler, eh bien, il ne lui parlerait pas.

Il neigea toute la nuit. Matt se leva deux fois pour chasser la neige qui s'accumulait sur les pans de sa tente. Il remarqua que le feu de Nastasia brûlait toujours. Elle l'entretenait. À l'aube, sa théière était sur le feu avant lui et elle pliait bagage avant même qu'il ait commencé à ranger sa tente. Il aurait juré qu'elle le faisait exprès et une sorte de rage muette le prit qui dura jusqu'au soir. Il avait trop forcé la veille, pour l'impressionner, et il avait mal à la jambe, cette satanée jambe qu'elle lui avait transpercée à bout portant. Et il se mit à la détester, lui aussi. Elle était là à se moquer de lui, à le considérer comme un moins que rien. Il voyait bien que ce qu'il pourrait faire n'y changerait rien. Et même s'il y parvenait, elle n'admettrait jamais s'être trompée. Elle était trop fière pour cela.

Il continuait de neiger et Matt ne comprit pas comment elle avait pu prévoir que cela allait s'arrêter dans la nuit. Il se garda de lui demander car il se doutait qu'une réponse cinglante viendrait lui rappeler qu'il était aveugle et ignorant quant aux choses de la nature. Il avait décidé de cesser de lui parler, de l'ignorer, comme elle le faisait. Et il tiendrait bon quoi qu'il lui en coutât.

Le surlendemain, un léger vent du nord chassa les nuages et le froid revint avec le soleil. Ils approchaient du lac où se trouvait sa cabane quand ils aperçurent au loin un traîneau conduit par deux hommes.
— Ce n'est pas l'attelage de Mersh, dit-elle.
— Personne ne vient jamais par ici !
— La preuve que si !
Il haussa les épaules.
— Ça t'arrive d'ouvrir la bouche sans aboyer ?
Elle lui jeta un regard noir et il se mit à rire, ce qui la décontenança totalement.

– Qu'est-ce qui te fait rire ?

– Toi !

Elle hésitait sur la conduite à tenir. Elle esquissa une sorte de sourire retenu puis, finalement, détourna les yeux vers le traîneau en haussant les épaules. Matt resta un moment à la regarder avec une tendresse infinie.

– Il y a deux traîneaux.

Tout à la contemplation de Nastasia, Matt en avait oublié les traîneaux. Ils venaient droit sur eux.

– Ils sont trois.

Elle ne répondit pas, arborant une moue sévère. Les hommes arrêtèrent leurs chiens de tête à une dizaine de mètres. Ils avaient tous les trois une carabine dans le dos, mais ils s'en séparèrent avant de venir vers eux. Matt fit un pas dans leur direction, laissant Nastasia en arrière.

– Surveille les chiens... s'il te plaît.

– Eh bien, on s'attendait pas à voir quelqu'un dans ce trou.

Celui qui parlait avait deux yeux clairs enfoncés dans leurs orbites. Une méchante cicatrice lui déformait un peu la bouche. Quand il s'approcha, Matt sentit son haleine chargée d'alcool.

Matt le salua, puis dévisagea les autres. Deux gars d'une trentaine d'années aux joues mangées par une barbe sale.

– Ce sont mes gars. Ils bossent pour moi.

– Quel genre de boulot ?

– On chasse.

– Ça manque toujours de viande à Dawson ?

– Ça vaut de l'or. Et toi, qu'est-ce que tu fais par là ?

Le type se pencha un peu pour apercevoir celle qui l'accompagnait. Il siffla d'admiration.

– Eh bien, je vois. On est venu chercher de la viande fraîche aussi. Une de ces belles petites Indiennes. C'est ta fiancée ?

Matt le fixait maintenant avec agressivité, sans répondre.

– Eh, regardez, les gars, c'est un peu mieux que ces putes de Dawson, non ? On pourrait peut-être aller s'en chercher une nous aussi ? Ça ne doit pas être cher, lui dit-il avec un air salace et un clin d'œil complice. Et puis elle doit être bonne, celle-là, non ?

– Je ne permettrai pas que vous parliez d'elle comme ça.

Le type se mit à rire et par émulation les deux autres aussi. Il cessa brusquement et, passant devant Matt, il avança vers Nastasia. Elle eut une sorte de mouvement de recul alors que sa mâchoire se crispait.

– C'est qu'on dirait un animal sauvage. Ça doit être ferme là-dessous, les gars !

Ils s'esclaffèrent de nouveau. Matt se rua sur lui et le fit se retourner en attrapant sa veste. Le type, surpris, manqua tomber à la renverse, mais il se reprit et lança un furieux coup de poing au menton de Matt qui ne s'attendait pas à une réaction aussi fulgurante.

– Fils de pute !

L'homme se rua sur lui, profitant de son étourdissement, et l'immobilisa sous lui dans la neige.

– Attrapez-moi cette biche, qu'on en profite un peu et qu'on lui montre de quel bois on se chauffe, à ce pourri !

Les deux hommes s'avancèrent en riant vers Nastasia qui n'avait pas bougé et regardait la scène avec horreur, statufiée.

– Faites-lui voir ce que font de vrais hommes, et je vous la terminerai en beauté, moi, pendant que vous me tiendrez celui-là. Elle va voir des étoiles, cette belle petite salope...

Il riait grassement, les yeux déjà brillants d'excitation. C'était plus que n'en pouvait supporter Matt, qui hurla, un vrai cri de bête. Bandant tous ses muscles dans un incroyable sursaut, il réussit à désarçonner le type qui le bloquait dans la neige et à lui décocher un violent coup de poing dans l'estomac puis sur la tempe. Il tomba en râlant. Les deux hommes qui avaient déjà immobilisé Nastasia la lâchèrent et se ruèrent sur Matt, mais ils n'eurent pas le temps d'arriver jusqu'à lui. Or et Skagway leur avaient sauté dessus alors qu'ils passaient le long de l'attelage. L'un d'entre eux parvint à se dégager, mais Or tenait le bras de l'autre dans sa gueule et le lui broyait en grognant sauvagement. Elle reçut un coup de pied qui lui fit lâcher prise. Le gars se dégagea en criant de douleur et en se tenant le bras. Matt se relevait pour faire front au second qui venait sur lui quand un coup de feu claqua. L'homme s'écroula.

Matt se retourna et vit Nastasia, le visage trempé de larmes, qui les mettait tous en joue et qui tirait de nouveau sur le second type, qui s'écroula lui aussi, touché en plein dos.

Dans la neige, le chef de la bande décimée regardait la scène avec de grands yeux effarés. Il se leva et courut vers son traîneau. Une balle le manqua.

– Arrête, Nastasia. Arrête ! C'est bon. C'est fini.

Il s'avançait vers elle, face à l'arme dirigée sur lui.

– Arrête !

Elle tremblait, pleurait. Ses yeux fous lançaient des flammes et Matt eut peur. Elle n'était plus elle-même.

C'était sa tête qu'elle visait maintenant.

– Ne tire pas, Nastasia. Ne tire pas, c'est fini. Regarde, il s'en va.

Il lui montra l'attelage qui s'en allait et le second, sans conducteur, qui le suivait. Elle ne semblait pas le voir.

– Ne tire pas !

Elle éclata en sanglots, tremblant de tout son corps, sans baisser l'arme. Elle hoquetait et Matt crut vraiment que le coup allait partir.

Pourtant il s'avança. Elle le visait toujours. Elle rehaussa même l'arme pour bien le suivre. Il lui prit doucement la carabine et la déposa sur le traîneau contre lequel les deux autres l'avaient poussée. Elle se laissa tomber sur le sol où elle se recroquevilla en gémissant de douleur. Matt hésita un instant, puis se baissa pour la prendre dans ses bras. Elle se mit à hurler quand il la toucha. Il eut un vif mouvement de recul. Elle leva la tête et le considéra comme si c'était la première fois qu'elle l'apercevait, puis elle éclata de nouveau en sanglots.

– Ne pleure pas, Nastasia. Ne pleure pas...

Elle tremblait terriblement. Il s'approcha, et cette fois elle ne recula pas. Il lui caressa l'épaule et elle se laissa aller dans ses bras ouverts en sanglotant encore et encore, le corps agité de soubresauts qui semblaient ne jamais devoir cesser. Matt n'osa plus bouger. Il retenait son souffle alors que son cœur s'emballait en respirant le parfum de Nastasia, en éprouvant avec sa joue la douceur de ses cheveux. Il la sen-

tait tout contre lui, tout abandonnée, si fragile.
Son cœur explosait d'amour.

– C'est fini, Nastasia, c'est fini, répétait-il,
rassurant.

Elle se calma tout à coup et se libéra de
son étreinte d'un mouvement souple. Elle le
regarda alors fixement, sans que son visage
exprime le moindre sentiment, puis elle se
tourna vers le corps des hommes qu'elle avait
tués et une sorte de rictus de haine lui déforma
le visage.

Matt se releva et marcha vers les corps. Il
vérifia qu'ils étaient morts et les abandonna.
Puis il alla féliciter ses chiens, un à un.

Nastasia resserrait maintenant les cordes qui
tenaient le chargement dans le traîneau.

Sans un mot, ils se remirent en route.

Ils allèrent vite sur la piste faite par les trois
hommes. Deux heures plus tard, ils la quittèrent
pour emprunter une petite vallée. Elle remontait vers le col qu'il leur faudrait franchir avant
d'atteindre le lac au bord duquel était la cabane
de Matt.

Matt s'était porté en avant et damait en
raquettes la neige épaisse. Ils ne s'étaient toujours pas parlé. Nastasia était comme toujours
silencieuse et Matt n'avait pas osé évoquer
l'accident et surtout ce qui avait suivi, cet
instant qu'ils avaient passé dans les bras l'un
de l'autre, où elle s'était abandonnée contre
lui. Qu'en pensait-elle ? Comment devait-il
l'interpréter ? Il n'en avait pas la moindre
idée.

Il ferait comme si rien n'était arrivé.

Il eut un vague haussement d'épaules en marchant. Il était idiot. Comment croire cela ? Plus

rien ne serait comme avant. Il l'avait prise dans ses bras et il avait respiré son odeur, senti battre son cœur, et il mourait d'envie de revivre ça un jour, dût-il patienter une éternité. Elle en valait la peine. Elle était sa vie, toute sa vie.

63.

Le soir, ils mangèrent autour du même feu, dans le plus total silence. Comme le ciel se découvrait, ils se couchèrent de part et d'autre du feu, sur des peaux recouvrant un lit de branches de sapin.

Matt avait fait provision de bois et il rechargea le feu avant de s'allonger. Les flammes éclairèrent un grand cercle jusqu'aux chiens qui dormaient en boule, la truffe soigneusement protégée du froid sous leur queue enroulée.

Il se décala un peu, à cause de la fumée qu'un léger vent du nord portait jusqu'à lui, puis il se recoucha. Il la chercha du regard et vit briller ses yeux bruns reflétant les flammes. Il soutint ce regard qui était grave. Des secondes qui paraissaient des heures s'écoulèrent.

– Tu sais, Nastasia, j'ai honte de ce qui est arrivé. Honte d'être blanc. Ils ne sont pas tous comme ça... Enfin, je ne sais pas quoi te dire, mais sache que je... enfin que je suis profondément désolé...

Elle se retourna, enfouissant son visage dans sa couverture en fourrure. Bientôt, elle ne bougea plus et Matt resta un long moment à fixer la masse immobile de ce corps si parfait qui se soulevait au rythme de sa respiration encore précipitée.

Le lendemain, ils se levèrent à l'aube et elle insista pour aller en avant, en raquettes, jusqu'au col. Parvenue aux deux tiers de la montée, elle s'arrêta tout à coup et revint sur ses pas à la hauteur d'Or, dont elle plaça la tête dans ses mains et qu'elle caressa.

– Je veux te remercier, dit-elle en se redressant, ils auraient pu te tuer... alors que tu aurais pu t'associer à eux et profiter de moi.

Matt accusa le coup.

– Tu plaisantes, j'espère !

– Tu en as envie, je le sais.

– Pas pour la même raison qu'eux.

– Peu importe la raison...

Elle s'en alla. Matt planta l'ancre à neige, remonta le long de l'attelage en courant et la rejoignit tandis qu'elle reprenait sa piste. Il l'empoigna par sa veste, assez violemment, et la força à se retourner. Elle eut l'air surprise par l'ampleur de sa colère.

– Tu n'as pas le droit de dire ça ! cria-t-il, les yeux rouges de fureur.

Il la maintenait fermement devant lui par les revers de sa veste et elle n'essayait même pas de se dégager. C'était peine perdue.

– Tu n'as pas le droit ! Jamais je n'aurais laissé ces bâtards porter la main sur toi. Jamais ! Plutôt mourir ! Tu n'as pas le droit de dire ce que tu as dit. Tu ne peux pas me comparer à ces fils de pute. Tu ne peux pas...

Sa colère était retombée aussi vite qu'elle était venue et les derniers mots avaient été prononcés à bout de souffle. Elle baissait les yeux, un peu honteuse. Il la lâcha et s'en fut, les épaules basses. Elle le rattrapa. Elle vit alors qu'il pleurait. Ils se fixèrent. Il ne cherchait même pas à retenir ses larmes.

Elle ne disait rien.

Il souffla, comme pour se donner du courage :

– Je t'aime, Nastasia. Si tu savais comme je t'aime... comme je suis sincère...

Elle ne l'avait pas quitté des yeux et des larmes coulèrent sur ses joues hâlées par le soleil et rougies par le froid. Ils restèrent ainsi de longues secondes, immobiles, dans le plus parfait silence. Puis, au loin, un renard jappa et elle sourit.

C'était le plus beau sourire que Matt ait vu de sa vie. Il sourit à son tour et elle reprit la piste. Matt retourna au traîneau et la suivit.

Ils franchirent le col et aperçurent au loin le lac. On distinguait presque la cabane à travers les arbres.

– Il y a de la fumée. Il est là, dit-elle simplement.

Elle continua de tracer une piste en raquettes jusqu'au lac où la neige était tassée par le vent. Alors elle se déchaussa et rejoignit Matt derrière le traîneau. Les chiens s'élancèrent au grand galop sur la belle surface bien dure.

– Ils reconnaissent, dit Matt, joyeux.

Ils arrivaient au milieu du lac.

– Tu es sûre que c'est lui ?

– J'en suis sûre.

– Que comptes-tu faire ?

– Je vais lui parler.

Il n'osa pas lui demander ce qu'elle allait lui dire. Sa tête explosait de sentiment depuis ce sourire. Il ne savait plus du tout où il en était.

Lorsqu'ils arrivèrent à moins de cinq cents mètres de la cabane, des chiens se mirent à aboyer furieusement.

– C'est bien lui, je reconnais Wild, souffla Nastasia, maintenant tendue.

Ils se hissèrent sur la rive et Nastasia lui dit de s'arrêter à une cinquantaine de mètres de la cabane.

Les chiens de Mersh aboyèrent encore un peu et se turent quand Matt donna l'ordre aux siens de stopper. Un silence palpable s'installa.

Ils demeurèrent ainsi, tous les sens aux aguets. Rien ne bougeait.

Soudain, Nastasia fit un bond de côté pour se placer devant Matt.

– Qu'est-ce... ?

– Ne bouge pas !

Alors il vit ce qu'elle avait vu. Le canon de la carabine de Mersh qu'il avait passé par l'entre-bâillement de la porte.

Matt regarda autour de lui. Il avait fait une erreur en s'arrêtant là. Au moins vingt mètres le séparaient des arbres derrière lesquels il aurait pu se cacher. Il n'aurait pas le temps de les atteindre avant que Mersh réagisse. Il se ferait tirer comme un lapin. Sa seule chance de survie, pour l'instant, était effectivement de rester derrière Nastasia qui le protégeait. Nastasia qui le protégeait ! Si la situation n'avait pas été aussi désespérée, il aurait ri de l'ironie de la situation. Elle arma sa carabine.

Au même moment, Mersh ouvrit complètement la porte et apparut.

Matt fut frappé par l'aspect de cet homme qu'il ne reconnaissait plus. Tout son visage était congestionné par la colère et marqué par quelque chose de plus profond et de plus inquiétant. Il ressemblait effectivement à un fou et ses gestes étaient un peu désordonnés.

– Qu'est-ce que tu fais là ? hurla-t-il en les visant tous les deux.

– Baisse cette arme, répliqua Nastasia avec douceur mais fermement.

Mersh ne répondit pas ni n'obéit. Il les visait toujours et Nastasia se déplaça pour mieux cacher Matt, dépassé par les événements.

– Il n'exploitera pas l'or. Il l'a décidé, comme toi, pour laisser le territoire en paix.

Un mauvais sourire barra le visage de Mersh.

– Qu'est-ce que ça peut me foutre ?

– C'est pour ça que tu voulais le tuer, non ?

Il ne dit rien. Il tournait autour d'eux, cherchant une partie découverte du corps de Matt pour tirer. Mais Nastasia, qui avait compris ses intentions, se déplaçait au fur et à mesure.

Mersh se mit à rire. Un rire mauvais.

– Je vais vous avoir de toute façon.

– Nous avoir ? Tu veux me tirer dessus ? Moi ?

Il sursauta, surpris, puis soudainement hurla :

– Si tu continues à le protéger, oui.

Elle ouvrit la bouche pour répondre mais ne trouva aucun mot. Elle était interloquée.

– Mais je t'ai dit qu'il allait laisser la vallée tranquille.

– Je me fous de cette vallée !

Il avait dit cela sur un drôle de ton.

– Je ne comprends pas. Je ne te comprends pas.

– Moi, je te comprends et je me comprends très bien. Ça me suffit.

– Mais tu comprends quoi ?

472

Elle avait hurlé. Il haussa les sourcils, étonné.

– Ça sert à rien de t'énerver. Je vais l'avoir et il paiera.

– Il paiera pour quoi ?

Il continuait d'essayer de trouver un angle, mais elle anticipait chacun de ses mouvements.

– Il paiera pour tout le mal qu'ils nous ont fait.

– Mais tu dis n'importe quoi ! Tu es malade ou quoi ? Je te demande d'arrêter. Tu m'entends, je te supplie de baisser cette arme.

La voix de Nastasia tremblait maintenant.

– Il fait quoi, ce sale *cheechackos* avec toi, hein, il fait quoi ?

– C'est moi qui l'ai rejoint. Je savais qu'en restant avec lui je te trouverais.

– Et pourquoi tu voulais me trouver ?

– Parce que tu es parti en oubliant tes balles.

Il se mit à rire. Un rire forcé.

– Des balles, j'en ai trouvé une boîte ici. Ce con, il utilise le même calibre que moi.

Elle regardait toujours l'arme pointée sur eux.

– Je sais.

– Alors, tu vois, tu peux t'écarter, tout va bien. J'ai récupéré des balles et je vais le tuer.

– Non.

– Et pourquoi ?

– Parce que... parce que tu n'as aucune raison de le tuer.

– Si, j'en ai une.

– Laquelle ?

– Ton envie de le protéger.

Elle ne répondit pas et le visage de Mersh se crispa. Il devint rouge de colère et elle crut qu'il allait tirer. Il tournait autour d'eux et bientôt il se plaça de sorte que Matt se retrouve derrière Nastasia bloquée par le traîneau. Elle s'en rendit compte et elle leva lentement l'arme vers Mersh. Matt la bloqua.

– Non, Nastasia, non ! Je vais courir jusqu'aux arbres ! Il n'aura pas le temps d'ajuster, souffla Matt, horrifié par la tournure que prenaient les événements.

– NON ! Ne bouge pas ! Ne bouge pas ! lui ordonna-t-elle.

Mersh s'était immobilisé quand Nastasia l'avait mis en joue.

– Tu me tirerais dessus ? demanda Mersh, furieux.

– Si tu n'arrêtes pas, oui.

Il sembla réfléchir. Elle pleurait maintenant et ses larmes l'empêchaient de bien voir. Elle portait l'arme d'une seule main à bout de bras et, de l'autre, elle maintenait Matt derrière elle, qui répétait :

– Ne tire pas ! Ne tire pas !

Soudain, Mersh baissa son arme. Matt crut qu'il abdiquait, mais il la retourna contre lui.

– Je vais compter jusqu'à dix. Tu as dix secondes pour choisir entre lui et moi. Soit tu me le laisses, soit je me dégomme la gueule !

Matt fit un brusque écart pour s'enfuir. Mais Nastasia, qui avait anticipé sa réaction, lâcha l'arme et le retint, coincé contre elle et le traîneau.

– Ne bouge pas !

Elle le tenait de toutes ses forces et Matt, mal positionné, ne pouvait se dégager de son étreinte. Elle pleurait toujours. Mersh avait commencé à compter.

– ... trois, quatre, cinq...

Elle tremblait dans ses bras et Matt ne pouvait que la serrer lui aussi contre lui, incapable de remuer tant les muscles de la jeune fille étaient tendus, comme les cordes d'un arc, formant un véritable étau dont il ne pouvait s'extraire.

– ... huit, neuf...

Elle enfouit son visage contre la poitrine de Matt, qui releva sa tête, une belle cible. Mersh le vit. Il hésita un court instant et bredouilla :

– ... dix !

Il pouvait maintenant tirer sur Matt. À cette distance, il n'aurait aucun mal à viser sa tête sans blesser Nastasia, qui ne bougeait plus, pétrifiée contre lui.

Une ou deux secondes qui semblaient s'éterniser passèrent avant que retentisse le coup de feu.

Matt avait fermé les yeux. Il les rouvrit juste à temps pour voir le corps de Mersh s'écrouler sur le sol.

Nastasia ne bougea pas d'abord, puis elle se pencha légèrement pour apercevoir le corps de Mersh allongé et l'auréole de sang qui s'agrandissait dans la neige autour de sa tête. Elle tremblait et Matt la pressait tout contre lui. Cela dura un long moment.

Ils restaient l'un contre l'autre, aussi serrés qu'ils le pouvaient, comme un seul. Silencieux, recueillis. Plusieurs minutes s'écoulèrent. Les chiens s'étaient couchés et dormaient, bien enroulés dans leurs poils. Sans bouger, le visage noyé dans l'épaisse chevelure brune de Nastasia, Matt murmura :

– Nastasia, je t'aime. Je t'aime du plus profond de mon être...

Alors, elle leva enfin la tête et, pour la première fois, elle offrit ses lèvres au goût de sel, pleines de larmes, qu'il lécha avant de l'embrasser le plus tendrement du monde. Lorsqu'ils cessèrent, elle pleurait toujours, mais ses yeux mouillés brillaient d'une lueur nouvelle.

Crédits photographiques :

P 1 h : Yukon Archives / Claude B. Tidd Coll.; PP 1 b, 5 b,
7 h, 9 h, 10 h, 10 mil., 11 h, 12 h, 12 b, 13 b : D.R.; P 4 h :
Richard Cummins / Corbis; PP 4 b, 8 mil., 13 h, 16 h,
16 mil. : B. C. Archives; PP 5 h, 9 b, 15 b : Yukon Archives / Vancouver Public Library Coll.; P 6 h : Yukon
Archives / Bill Roozeboom Coll.; P 6 b : Yukon Archives / University of Washington Coll.; P 7 b : Yukon Archives / Vogee Coll.; P 8 h : Yukon Archives / Ernest
Brown fonds; PP 8 b, 10 b : Nat. Archives of Canada; P
11 b : Yukon Archives / Robert C. W. Ward Coll.; P
12 mil. : Yukon Archives / Robert Hays Coll.; PP 14 h,
15 h : Bettmann / Corbis; P 14 b : Yukon Archives /
Mckennan Coll.; P 15 mil. : Yukon Archives / Macbride
Museum Coll.; P 16 b : Corbis

Carte :

Nicolas Gille

Si vous voulez en savoir plus sur le Grand Nord, ou même le découvrir : *www.nicolas-vanier.com*, ou Laika : 01-42-89-32-64.

Impression réalisée sur Presse Offset par

BRODARD & TAUPIN

GROUPE CPI

33481 – La Flèche (Sarthe), le 13-01-2006
Dépôt légal : août 2005
Suite du premier tirage : janvier 2006

POCKET – 12, avenue d'Italie - 75627 Paris cedex 13
Tél. : 01.44.16.05.00

Imprimé en France